Collection **marabout service**

D1482485

Afin de vous informer de toutes ses publications, **marabout** édite des catalogues et prospectus où sont annoncés, régulièrement, les nombreux ouvrages qui vous intéressent. Pour les obtenir gracieusement, il suffit de nous envoyer votre carte de visite ou simple carte postale mentionnant vos nom et adresse, aux Nouvelles Editions Marabout, 65, rue de Limbourg, B-4800 Verviers (Belgique).

SIMON MONNERET

# Le sommeil
# et les rêves

## La psychologie moderne

marabout

Dessins : Jacques Taillefer

Toute reproduction d'un extrait quelconque de ce livre par quelque procédé que ce soit, et notamment par photocopie ou microfilm est interdite sans autorisation écrite de l'éditeur.

Les collections **marabout** sont éditées par la S.A. Les Nouvelles Éditions Marabout, 65, rue de Limbourg, B-4800 Verviers (Belgique). — Le label **marabout**, les titres des collections et la présentation des volumes sont déposés conformément à la loi. — Distributeurs en **France** : HACHETTE s.a., Avenue Gutenberg. Z.A. de Coignières-Maurepas, 78310 Maurepas, B.P. 154 — pour le **Canada** et les **États-Unis** : A.D.P. Inc. 955, rue Amherst, Montréal 132, P.Q. Canada — en **Suisse** : Office du Livre, 101, route de Villars, 1701 Fribourg.

# Sommaire

# Les laboratoires du sommeil

# Les recherches et les méthodes

En 1900, le rêve étalait sur le sommeil son voile protecteur et son étude paraissait la seule approche scientifique de la vie nocturne. En 1950, les rôles se renversent. Le sommeil passe au premier plan des recherches scientifiques et le rêve n'est plus qu'un des aspects des manifestations neurophysiologiques de l'homme endormi. Le contenu du rêve ne sera plus directement pris en considération par les nouvelles recherches expérimentales et cliniques, qui vont révolutionner notre connaissance du sommeil. Freud ne connaissait l'homme qui dort qu'à travers le récit que celui-ci lui faisait de ses rêves; le médecin des années 1950 veillera, lui, au chevet du dormeur. On revient donc à des expériences de laboratoire non plus dans une perspective psychologique comme au XIX$^e$ siècle, mais dans une dimension biologique.

Le développement spectaculaire de la biologie du sommeil et des rêves fut rendu possible par l'application de nouvelles techniques de mesure et par la découverte des phénomènes de périodicité biologique.

# L'électro-encéphalographe

Les premières recherches sur le sommeil ne faisaient intervenir qu'un «actogramme», appareil mécanique qui, situé généralement sous le lit, permettait de relever les différents mouvements du corps du dormeur pendant la nuit. A partir de là on postulait grossièrement différents états de profondeur du sommeil.

Les nouveaux laboratoires du sommeil se caractérisent par un appareillage beaucoup plus précis, destiné à enregistrer les variations électriques du cerveau humain. L'essentiel de cet appareillage est constitué par un électroencéphalographe, machine qui amplifie les variations infimes des potentiels électriques du cerveau. Notre cerveau, en effet, a une pulsion électrique naturelle qui provient du passage de charges positives à des charges négatives dans les cellules. Ces différences de potentiel, c'est-à-dire ces oscillations électriques, seront transmises à un ruban magnétique, lui-même relié à une série de plumes qui monteront ou descendront selon que la charge est négative ou positive.

## L'électro-encéphalogramme permet de repérer les différents états du sommeil

Pour ces expériences le sujet est relié à l'électro-encéphalographe par une série d'électrodes apposées avec du sparadrap à la surface de son crâne. Ces électrodes sont en nombre variable et situées à des emplacements différents selon l'objet de la recherche. Un enregistrement type d'une nuit de sommeil d'un adulte nécessite trois électrodes situées sur le crâne, deux électrodes mesurant les mouvements des yeux, deux électrodes neutres de référence situées sur les tempes, derrière les oreilles, enfin deux électrodes destinées à évaluer la tension des muscles du menton.

On pourrait croire qu'un tel harnachement perturbe le sommeil du dormeur. En fait, après un ou deux jours d'accoutumance où se manifeste un «effet de laboratoire» dû à un stress ou une émotion, le sujet s'endort selon ses habitudes. Le manque d'information fait que certains volontaires croient que l'électro-encéphalographe sert à envoyer un courant électrique dans la tête (dans les premiers temps, la rusticité du matériel employé avait parfois créé des minimes incidents tels des courts-circuits électriques qui faisaient fuir le dormeur). En réalité, c'est tout le contraire : c'est l'électricité se dégageant du cerveau qui va fournir une multitude de tracés. A la fin d'une nuit d'enregistrement, on s'aperçoit que notre cerveau a écrit plus de six cents mètres de papier millimétré. Ces tracés auront la forme d'ondes cérébrales.

Comme toute onde électrique, les ondes cérébrales sont caractérisées d'une part, par leur amplitude, ou hauteur plus ou moins grande des oscillations, qui permettra de savoir quel voltage provient de telle région du cerveau, et, d'autre part, par leur fréquence, c'est-à-dire le rapprochement plus ou moins serré des oscillations qui se succèdent ; celles-ci indiqueront la rapidité avec laquelle des différences de potentiel se produisent dans le cerveau.

La lecture simultanée de ces tracés provenant de différentes régions du cerveau indiquera si ce dernier émet d'une manière synchrone et régulière, avec des voltages élevés (ce qui, très schématiquement, peut caractériser un tracé de sommeil), ou alors si ces émissions sont désynchronisées, irrégulières (ce qui peut s'appliquer à un tracé d'éveil).

L'électro-encéphalographe n'est pas situé lui-même dans la chambre du dormeur, mais dans une chambre voisine. Là, le chercheur surveille l'évolution des ondes pour intervenir, au besoin pendant le sommeil, soit pour réveiller son sujet et lui faire raconter s'il rêvait ou non, soit pour utiliser tel ou tel stimulus.

## Autres moyens d'investigation du sommeil

D'autres instruments seront aussi employés pour observer le sommeil, ce seront des caméras qui surveilleront le dormeur, des magnétophones pour enregistrer ses rêves, des thermisateurs, minuscules appareils qui permettront de suivre l'évolution de sa température. On mesurera aussi les modifications de la respiration, de la tension artérielle, du pouls, de la résistance de la peau. A la fin de la nuit, le chercheur aura ainsi une vision globale des modifications survenant dans l'organisme du sujet.

## Les sujets d'expérience

La plupart des dormeurs sont des volontaires pris parmi les étudiants, mais souvent le recrutement est fait par annonce et les dormeurs sont rétribués. On touche ainsi une population plus différenciée.

Toutefois, l'analyse du sommeil en laboratoire n'est pas dépourvue d'inconvénients. D'abord, on risque d'avoir affaire à une classe de dormeurs professionnels attirés par la rémunération. Ensuite, le cadre du laboratoire étant bien différent de celui de la vie quotidienne, on remarque qu'un certain nombre de manifestations du sommeil sont beaucoup moins fréquentes en laboratoire. Ainsi on y trouve peu de cas d'énurésie et de somnambulisme. Enfin, les préparatifs de l'expérience entraînent, chez le dormeur, un état de bien-être ou de torpeur qui fait qu'il s'endort parfois plus vite qu'il ne serait normal.

Les comptes rendus subjectifs de l'homme réveillé au cours de son sommeil ont ainsi permis de faire évoluer notre connaissance du sommeil et des rêves. Mais certains types d'expériences sont difficiles à réaliser sur l'homme, et parfois impossibles. Les animaux ont donc largement été mis à contribution dans ces recherches. Le sommeil du chat fut un de ceux les plus étudiés. On peut, en effet, chez l'animal, implanter sous anesthésie des micro-électrodes à l'intérieur du cerveau lui-même. Cela permettra une grande précision dans les relevés spécifiques de l'activité électrique des différentes zones du cerveau; l'on pourra même tester l'activité d'un seul neurone. On pourra ainsi étudier les états de vigilance d'animaux dont on a au préalable sectionné certaines parties du système nerveux ; ce qui ne serait pas possible chez l'homme, sauf en cas de lésion accidentelle.

## Les laboratoires du sommeil multiplient et diversifient leurs recherches

Nous avons mis l'accent sur la technique de relevés électro-encéphalographiques du sommeil, car c'est elle qui fut à l'origine des nouvelles découvertes sur les cycles du sommeil. Mais aujourd'hui, les laboratoires du sommeil sont devenus des centres pluri-disciplinaires où travaillent à la fois des neurophysiologues, des pharmacologues, des histochimistes, des informaticiens, des électroniciens, des généticiens et, bien sûr, des médecins. Les uns étudient l'action des drogues sur le sommeil et le métabolisme des cellules nerveuses pendant l'éveil ou le sommeil ; certains, l'évolution du sommeil à travers les âges ou les espèces ; d'autres, enfin, les rapports entre les tracés anormaux de l'électro-encéphalogramme et les maladies organiques ou mentales.

L'étude du sommeil et de ses fonctions prend ainsi de plus en plus de place dans la biologie humaine et animale. Il y a actuellement une douzaine de laboratoires du sommeil aux Etats-Unis, les plus célèbres d'entre eux sont ceux, à Chicago, de N. Kleitman et d'E. Aserinsky, de W.C. Dement, d'A. Rechtschaffen et D. Foulkes, et aussi de H. Magoun à Los Angeles. En France, M. Jouvet, à Lyon, a créé depuis 1955, un important centre de recherches sur le sommeil. Grâce aux nuits que les chercheurs ont données à la science, nous en savons désormais un peu plus sur l'un des rythmes les plus fondamentaux de la vie.

# Les horloges biologiques

La constatation qu'il existe des rythmes dans la nature n'est pas quelque chose de nouveau. Déjà, les Anciens connaissaient l'importance de l'alternance jour-nuit sur les plantes, l'influence du jour lunaire sur les marées. Le cycle sommeil-éveil est un cycle général que l'on retrouve à peu près partout dans la nature. Aussi bien les végétaux que les animaux passent par une période de repos qui s'impose à eux environ toutes les vingt-quatre heures. A cette période d'environ vingt-quatre heures Franz Halberg donna le nom de «rythme circadien». On parle aussi de «cycle nycthéméral». Les fleurs ferment leurs pétales, les poissons se couchent sur le flanc ou flottent à la surface de l'eau.

Mais alors que pendant longtemps on a pensé que les rythmes biologiques étaient conditionnés soit par le milieu, soit par l'apprentissage, on tend aujourd'hui à considérer que ces rythmes sont commandés de l'intérieur de l'organisme. D'où le nom d'horloge interne qui a été donné à cette faculté que semblent posséder la plupart des organismes de régler eux-mêmes leurs principaux mécanismes biologiques.

## Les différents rythmes du corps humain

Il existe des rythmes de haute, de moyenne ou de basse fréquence.

— *La période des rythmes de haute fréquence* s'échelonne d'une fraction de seconde à quelques minutes. C'est, par exemple, les cycles chimiques des membranes cellulaires, le cycle du pouls qui dure presque une seconde, ou encore le rythme respiratoire de quelques secondes.

— *Dans les moyennes fréquences*, celles des cycles circadiens, on trouvera toutes sortes de manifestations endocrines ou de sécrétions de l'organisme. Ainsi, F. Halberg, qui a consacré ses recherches aux rythmes biologiques, avait découvert que certaines particules du sang, les éosinophiles, étaient sujettes à des variations de vingt-quatre heures. Vers 1950, A. Reinberg et ses collaborateurs devaient démontrer qu'il existe une «variation statistiquement significative, régulière, prévisible des excrétions urinaires de l'eau, du potassium, du chlore et du sodium[47]».

— *Les rythmes de basse fréquence*, enfin, ont des périodes supérieures à plusieurs jours, ils sont d'environ une semaine, un mois ou un an... Le plus connu est le cycle menstruel de vingt-huit jours. On aura aussi chez les animaux des rythmes plus longs, comme la migration ou l'hibernation.

**Quelques cycles biologiques chez l'être humain[20]**

| Cycle | Longueur approximative du cycle chez l'adulte |
|---|---|
| Cycle de pulsation cardiaque (E.C.G.) | 0,9 seconde |
| Cycle respiratoire | 3-4 secondes |
| Cycle sommeil-rêve | 90 minutes |
| Cycle de certaines maladies mentales et physiques | 2, 7, 9, 14... jours |
| Cycle menstruel | 28 jours |

## Le réglage interne et externe des horloges humaines

La plupart des rythmes circadiens varient à l'intérieur du cycle éveil-sommeil, mais dans l'ensemble ils apparaissent plus ou moins indépendants de la suppression de ce cycle et de sa modification. L'homme dort en moyenne tous les jours de six à neuf heures et prend ses heures de sommeil entre onze heures du soir et huit heures du matin. On a donc d'abord pensé qu'en déplaçant les heures du sommeil, ou en les supprimant totalement, il apparaîtrait des modifications dans les rythmes circadiens accompagnant le sommeil. En fait, on s'aperçut qu'il n'y avait pas une corrélation stricte et que les rythmes circadiens pouvaient se dérouler normalement, que l'on dorme ou non.

[20] *Voir dans la bibliographie au numéro indiqué.*

## Les rythmes corporels obéissent à des lois internes...

**J.** Aschoff, à Munich, qui fut amené à découvrir l'existence de rythmes biologiques en étudiant le problème de l'adaptation de l'organisme au froid, a réalisé de nombreuses expériences montrant l'indépendance de divers rythmes corporels. Il observa, entre autres, les variations de la température rectale, du temps d'adaptation à un son et à son rythme moteur automatique (il s'agissait de frapper un objet métallique avec un crayon), tantôt pendant un jour normal, où la veille et le sommeil alternaient, tantôt pendant vingt-quatre heures sans sommeil. Les épreuves avaient lieu toutes les trois heures. Or, il s'avéra que les courbes obtenues étaient identiques dans les deux cas[58]. Les variations de température, d'adaptation acoustique et de réponse motrice devaient donc être réglées par un mécanisme interne indépendant du sommeil. L'ensemble des recherches en ce domaine amène donc à conclure, avec A. Reinberg, que «les phénomènes biopériodiques, à tous les niveaux d'organisation, ont, à de rares exceptions près, un caractère héréditaire[47]».

## ... des facteurs extérieurs peuvent les influencer, mais non les bouleverser

Mais il faut tout de suite ajouter qu'un certain nombre de facteurs de l'environnement peuvent cependant influer sur les rythmes. Aschoff avait appelé ces facteurs «Zeitgeber» (donneur de temps), Halberg les nommera «synchroniseurs». L'alternance de la lumière et de l'obscurité sera un des plus puissants synchroniseurs; mais, chez l'homme, les facteurs sociaux ont sans doute pris une place très importante. La lumière semble agir comme réveil chez le singe ou chez l'homme, ce sera au contraire l'obscurité qui déclenchera l'activité de la chauve-souris, du rat, de la chouette ou du papillon de nuit. Pourtant, un homme qui ne serait qu'exposé à la lumière et ne connaîtrait pas la nuit continuerait à avoir un rythme alterné veille/sommeil. Les habitants du nord de la Norvège, qui ont un jour continu l'été, dorment normalement de sept à huit heures à cette époque, contrairement à certaines croyances.

## On ne peut pas impunément changer nos rythmes

Pendant longtemps, on pensa qu'il était impossible, sinon très difficile, de changer les rythmes circadiens. La nécessité de savoir comment pouvait réagir l'organisme des cosmonautes, en l'absence de repères spatio-temporels habituels, amena à effectuer des recherches plus poussées dans ce domaine. Mais l'on chercha très tôt à savoir comment varient les rythmes circadiens dans le cas où nous sommes privés de toute référence par rapport au jour ou à la nuit. N. Kleitman devait, en 1938, descendre dans la grotte de Montmouth, au Kentucky, avec un de ses étudiants[31]. Là, n'ayant que la lumière électrique, ils essayèrent d'abord de vivre des journées raccourcies de vingt et une heures; cette semaine de huit jours devait être aisément acceptée par leur organisme. En revanche, lorsqu'ils essayèrent ensuite de passer à des jours rallongés à vingt-huit heures, soit une semaine de six jours, Kleitman, plus âgé que son étudiant, ne put s'adapter et resta déphasé. Il conserva des rythmes de repas, de lever et de coucher qui étaient ceux d'une journée de vingt-quatre heures. Dans d'autres expériences effectuées plus tard en Norvège, au Spitzberg, pendant la période de jour continu, on se contenta de donner des montres truquées aux étudiants[93]. On s'aperçut en analysant les urines de ceux qui s'étaient le mieux adaptés qu'un certain nombre de sécrétions tels le sodium ou le calcium avaient changé leurs rythmes, tandis que d'autres comme le potassium conservaient leur rythme de vingt-quatre heures. Ce décalage possible des rythmes intérieurs ouvre un problème au niveau des conséquences pathologiques qu'il pourrait entraîner.

Ces expériences hors temps se sont multipliées. En France, en 1962, le spéléologue Michel Siffre resta cinquante-huit jours dans le gouffre de Scarasson. J. Aschoff fit construire dans son laboratoire un bunker complètement isolé. Dans presque toutes les expériences, il semble que, privé de repères, le temps de l'homme s'allonge. Par ailleurs, on peut en conclure qu'au-delà de certaines limites et de certaines conditions la plasticité des rythmes biologiques n'est pas infinie.

# La nature cyclique du sommeil

Jusque vers les années 1950, on ne prenait en considération que l'alternance veille-sommeil. Or les recherches électroencéphalographiques devaient faire apparaître différentes périodes à l'intérieur même du sommeil.

L'électro-encéphalogramme, communément noté E.E.G., enregistre donc les manifestations électriques des cellules du cerveau. Une des premières découvertes réalisées dans ce domaine fut celle d'Hans Berger, psychiatre de Breslau, qui vers les années 1930, s'aperçut que lorsqu'un sujet fermait les yeux il produisait un tracé d'ondes spécifiques, différent du tracé de l'éveil actif. Ces ondes furent d'abord appelées ondes de Berger, ou ondes de repos; on les connaît mieux aujourd'hui sous le nom d'ondes alpha.

## Les ondes alpha

Les ondes alpha sont donc une manifestation d'un état de vigilance détendue et s'opposent aux états d'attention ou de stimulation sensorielle. Ces ondes se caractérisent par une fréquence d'environ 10 cycles par seconde, leur limite étant généralement située entre 8 et 13 c/s; elles se manifestent principalement dans la partie postérieure de

**Eveil - yeux fermés**

la tête (région occipitale), et leur voltage est d'environ 30/50 $\mu v$ (microvolt), mais peut aller jusqu'à 150 $\mu v$. Le rythme qui caractérise l'activité de veille est beaucoup plus rapide : 20 à 30 c/s, et a une amplitude réduite. Certaines personnes n'ont pratiquement pas d'ondes alpha.

Ce qui compte dans l'apparition d'un rythme alpha, ce n'est pas tant la diminution d'une intensité quelconque (lumineuse par exemple) que son uniformité. Ainsi l'obscurité complète provoque-t-elle l'apparition d'ondes alpha. Adrian et Matthews avaient montré vers 1934 qu'un disque de verre mat uniformément éclairé n'empêchait pas la production d'ondes alpha lorsqu'il était contemplé. Par contre, si une mouche se posait sur le disque, l'onde alpha disparaissait. Ian Oswald remarque que lorsque l'onde alpha disparaît il est parfois difficile de dire, hors contexte, si «l'individu est maintenant très éveillé ou s'il est somnolent[41]».

## Les pionniers de l'E.E.G. du sommeil

Les premières études importantes de l'E.E.G. du sommeil furent effectuées par Loomis (spécialiste des phénomènes électriques du cerveau), Harvey et Hobart vers 1927[94]. Ces auteurs élaborèrent une classification des différents stades de sommeil en fonction de la profondeur croissante du sommeil. Ces stades s'échelonnaient de A à E, il y en avait donc cinq. Le stade A caractérisait l'état de somnolence, le stade B celui du sommeil léger, le stade C était un sommeil de moyenne profondeur, tandis que les stades D et E correspondaient au sommeil profond.

L'enregistrement continu d'une nuit de sommeil chez l'homme avait conduit Loomis, Harvey et Hobart à remarquer que le sommeil n'est pas progressif, et que les différents stades décrits se reproduisent un certain nombre de fois pendant la durée du sommeil. Le sommeil revient en effet soudainement au stade le plus léger pendant la nuit. Cette classification devait rester classique près de vingt ans. Elle sera remise en question par la découverte par Aserinsky et Kleitman, en 1953, d'une nouvelle phase de sommeil. Cette phase ne s'inscrivant pas dans la classification existante, elle fut bientôt traitée à part. Mais cette découverte devait conduire W.C. Dement et N. Kleitman à proposer, en 1957, une nouvelle classification des stades du sommeil. La nouvelle phase ne fait pas partie de cette classification, mais, comme nous le verrons, surgit périodiquement après le dernier stade décrit par les auteurs.

## Les stades du sommeil

En 1957, Dement et Kleitman définirent donc quatre stades de profondeur croissante du sommeil.

○ Le stade 1 correspond aux stades A et B de Loomis. C'est une période de somnolence et de sommeil léger. Le rythme alpha tend à disparaître, à reparaître, puis à s'annuler graduellement. Chaque fois que l'alpha disparaît, le sujet sent la somnolence l'envahir. Le voltage est bas, et l'activité électrique désynchronisée tend à être remplacée par une activité régulière d'ondes moyennement lentes de 4 à 6 c/s (rythme thêta).

**Stade 1**

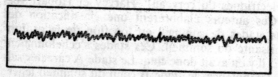

○ Le stade 2 survient quelques secondes ou minutes plus tard. Il conserve un fond d'ondes lentes de 3 à 6 c/s de bas voltage, sur lequel vont apparaître ce que l'on appellera les fuseaux («spindle») du sommeil, ou bouffées («burst»). Ce sont des tracés fréquents en forme de fuseaux de 12 à 15 c/s (ou ondes bêta). Ces bouffées sont surtout marquées sur les dérivations frontales, c'est-à-dire sur les parties antérieures de la tête; elles varient considérablement d'un individu à l'autre. Enfin, pendant ce stade peuvent aussi surgir ce que l'on appelle des

**Stade 2**

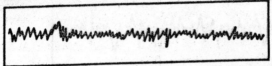

«complexes K». D'après Roth[102], ils sont formés de trois éléments : une petite onde aiguë durant environ un quart de seconde, de grandes ondes lentes de bas voltage et des ondes plus rapides de 12 c/s. Le complexe K est surtout manifeste dans la région frontale de la tête, et peut être déclenché non seulement par un bruit ou par toute stimulation externe, mais aussi par des stimulations internes à l'organisme. Il a donné lieu à nombre d'expériences sur les seuils de perception. Dans l'ensemble, les auteurs le considèrent comme «une réponse partielle de sommeil partiel».

Au stade 2, les yeux du sujet roulent lentement dans leurs orbites. Il peut avoir les yeux ouverts, mais ne voit pas. Cependant un léger bruit peut encore le réveiller et il risque de se figurer qu'il n'a pas dormi du tout. Pourtant il se peut qu'il ait passé dix minutes endormi.

○ Quelques minutes plus tard apparaissent des ondes delta de 0,5 à 3 c/s et de haut voltage. Elles peuvent atteindre 200 à 300 $\mu$v (le rythme alpha de veille tournait autour de 60 $\mu$v). Les fuseaux persistent, mais plus espacés. Ce troisième stade est une transition vers le sommeil profond.

**Stade 3**

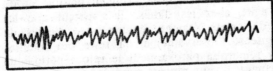

○ C'est le stade du sommeil profond. Les ondes lentes ou delta de 0,5 à 1 c/s dominent, le voltage est haut. Il faut une forte stimulation externe pour modifier l'E.E.G. et l'on ne voit pas les complexes K.

**Stade 4 (S.O.L.)**

Ainsi, le passage de l'assoupissement au sommeil profond est-il globalement marqué par une augmentation d'amplitude des ondes et un ralentissement de leur fréquence. Le tracé du sommeil profond est beaucoup plus large et plus espacé que le tracé étroit et rapide de l'état de veille. Ces quatre stades sont en fait une classification pratique. Ils ne correspondent pas à des barrières réelles du sommeil. On sait aujourd'hui qu'il existe des divisions plus fines à l'intérieur de chacun de ces stades. Mais ces divisions ne se distinguent pas à l'œil nu, et l'on a recours à des rubans magnétiques et à des calculateurs électroniques. On pourra alors peut-être savoir dans quelle mesure le contenu des rêves fait varier l'E.E.G. (Gay Gaer Luce et Julius Segal rapportent que M. Klynes et ses collaborateurs, à l'hôpital de Rockland States, pouvaient savoir, par la seule étude de leur E.E.G., si des sujets voyaient une couleur rouge ou une couleur bleue)[35].

## Le sommeil à mouvements oculaires rapides

Vers les années 1950, Eugène Aserinsky était assistant de N. Kleitman à l'université de Chicago. Aserinsky étudiait alors les périodes de sommeil paisible et de sommeil agité chez les bébés. Il s'aperçut que les périodes de calme étaient régulièrement suivies de phases agitées. Observant par la suite des adultes, Aserinsky remarqua pareillement le retour périodique de mouvements d'yeux rapides pendant le sommeil. Ces mouvements des yeux étaient différents de ceux du sommeil lent. Alors que ces derniers consistent en un simple roulement ou basculement lent du globe oculaire, les mouvements rapides se produisent de gauche à droite ou de haut en bas, les deux yeux prenant parfois une direction dissymétrique. Ces mouvements sont encore rapides, saccadés, et se produisent simultanément dans les deux yeux. On nomma ces mouvements «R.E.M.» (rapid eye movement).

## Les tracés du sommeil comprennent un tracé proche de l'éveil

Lorsque avec Kleitman, en 1953[3], ils étudièrent les électro-encéphalogrammes de ces périodes R.E.M., ils remarquèrent qu'elles possédaient un tracé très semblable à celui de la veille. En effet, l'E.E.G. présente des ondes rapides, désynchronisées, de bas voltage. De plus, ce tracé spécifique est précédé d'ondes en «dents de scie» provenant des régions antérieures du cuir chevelu. On s'est alors aperçu que le tracé R.E.M. n'était pas identique au tracé du sommeil léger de la phase 1. C'est la confusion entre deux sortes de tracés de basse tension qui avait jusque-là fait croire qu'après le stade de sommeil profond le sommeil revenait au stade 1. Il s'avérait, en fait, qu'après le stade 4 survenait un nouveau type de tracé.

**Phase paradoxale (S.O.R.)**

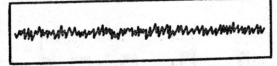

# La double nature du sommeil

La découverte d'un tracé d'éveil se manifestant pendant le sommeil fit alors couler beaucoup d'encre. Le problème principal était de savoir s'il fallait faire de cette phase un cinquième stade du sommeil qui serait en continuité avec le sommeil profond, n'en différant qu'en quantité, ou si, au contraire, la phase R.E.M. s'en distinguait en qualité, et constituait un type différent de sommeil, inconnu jusque-là. De nombreuses recherches sur les manifestations de l'organisme accompagnant la production de R.E.M. et des recherches sur les animaux devaient faire opter pour la seconde solution. Dès lors ce second état du sommeil, ou ce troisième état de notre existence, à côté de la veille et du sommeil, reçut différents noms : sommeil R.E.M., sommeil à ondes rapides (S.O.R.), état D pour «désynchronisé», ou «dream», d'après Hartmann, parce que les rêves s'y manifestent, ou encore sommeil paradoxal selon M. Jouvet ; car, alors que l'électro-encéphalogramme manifeste un tracé d'éveil, il est spécialement difficile de réveiller le sujet en phase R.E.M. Par rapport à ce sommeil rapide, on nommera les quatre phases précédentes : sommeil à ondes lentes (S.O.L.), ou sommeil synchronisé (S).

Quand nous étudierons les centres du sommeil, ou les manifestation physiologiques accompagnant le sommeil, nous serons dès lors obligés de faire une distinction entre le sommeil paradoxal et le sommeil lent.

## Nuit typique de sommeil d'un jeune adulte

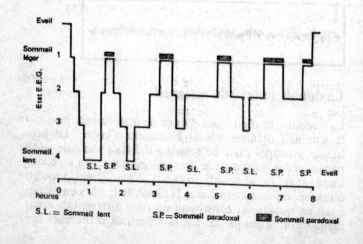

## Le cycle sommeil-rêve

Nous avons vu que déjà Loomis et ses collaborateurs avaient repéré un retour cyclique des différents stades pendant le sommeil. Désormais, c'est l'alternance du sommeil lent et du sommeil paradoxal qui fera l'objet principal de la périodicité du sommeil.

○ *Chez l'adulte,* la première phase de sommeil paradoxal se manifeste environ 90 à 110 minutes après le premier stade d'endormissement. Ensuite, la phase R.E.M. reviendra toutes les 90 minutes, environ quatre à cinq fois au cours de la nuit. La première période R.E.M. est généralement la plus courte, elle dure de 5 à 6 minutes. Au cours de la nuit, elle tend à s'allonger et peut durer de 20 à 40 minutes ; au contraire, le stade 4 du sommeil lent apparaît principalement dans le premier tiers de la nuit. La nuit se termine souvent pendant une période R.E.M., mais en fait cela ne semble se produire que dans 50 % des cas environ. Enfin, le pourcentage du temps de sommeil paradoxal par rapport à la durée totale de sommeil est de 20 %.

# Les aspects concomitants du sommeil lent

Henri Piéron avait fait une distinction dans le sommeil entre l'affaiblissement des fonctions sensorimotrices du cerveau et les modifications d'ordre physiologique accompagnant le sommeil qu'il appellera les «concomitants» du sommeil[44]. Ce sont, pour l'ensemble, des fonctions végétatives tels le rythme respiratoire ou le rythme cardiaque. La plupart de ces fonctions sont sujettes à un rythme circadien et passent par un minimum nocturne.

Bon nombre de ces manifestations étaient déjà connues avant l'application de l'E.E.G., nous considérerons ici les plus notoires.

## Les fonctions sensorimotrices

Le sommeil lent se caractérise d'abord par un certain nombre de phénomènes que l'on peut observer pour ainsi dire directement. On constate ainsi que :

○ Les mouvements du dormeur diminuent peu à peu.

○ Le tonus musculaire tend à baisser par rapport à la veille sans que tous les muscles soient pour autant complètement relaxés. Ainsi un dormeur assis sur une chaise, en état de sommeil lent, peut conserver la tête droite.

○ Les réflexes des tendons diminuent ou s'inversent. Ainsi, le gros orteil aura tendance à se mettre en extension au lieu de fléchir quand on chatouille la plante des pieds.

○ Les globes oculaires sont révulsés, tandis qu'il y a resserrement ou constriction de la pupille (ce que l'on nomme nyosis). Si bien que pendant le sommeil profond la pupille ne se contracte plus à la lumière.

## Les fonctions végétatives

Un domaine de changements moins apparents est celui qui touche les grandes fonctions du métabolisme vital. Ainsi :

○ L'électrocardiogramme manifeste une diminution notoire du rythme cardiaque qui se situe aux environs de 30 à 60 pulsations par minute.

○ La pression sanguine diminue de même.

○ La respiration diminue également, elle est calme et régulière. On croit généralement que la respiration est plus profonde pendant le sommeil. Cela n'est dû, semble-t-il, qu'au fait qu'elle est alors plus bruyante. Cette sonorité plus forte proviendrait de ce que le tonus musculaire des voies respiratoires supérieures est diminué.

Le ronflement a généralement lieu pendant le mi-sommeil ou le sommeil profond. Il est dû à une respiration par la bouche et à une obstruction des voies nasales. Le fait de dormir sur le dos, faisant tomber en arrière la partie postérieure de la lange, le favorise.

Le reniflement ou les grognements, de même que les ronflements, peuvent faire surgir les complexes K sur l'E.E.G. Mais si le ronflement persiste, les complexes K disparaissent, notre cerveau paraissant s'y être habitué.

o On sait enfin que la température passe par un minimum qui se situe entre 2 et 5 heures du matin. Elle remontera le matin, atteindra son maximum dans l'après-midi, puis redescendra le soir. Cette baisse de la température pendant le nuit est due à une augmentation de la transpiration. L'eau ainsi rejetée s'évapore et, ce faisant, refroidit le corps.

o Enfin, la consommation d'oxygène semble se maintenir, ce qui laisse supposer que le cerveau travaille aussi en dormant.

## Les sécrétions

Le sommeil lent ne laisse pas non plus inchangées les sécrétions de nos principales glandes.

o Ainsi les sécrétions salivaires de la bouche, les sécrétions du nez et de la gorge diminuent. Si bien, qu'à la différence des ruminants, nous n'avalons plus pendant le sommeil.

o Il est bien connu des enfants que «le marchand de sable» passe avant qu'ils ne s'endorment. En effet, la sécrétion lacrymale diminuant, les yeux deviennent secs.

o Les sucs gastriques et biliaires décroissent également.

o La résistance cutanée de la peau s'accroît. Cette résistance dépend de l'activité des glandes sudoripares, et on la mesure généralement à la paume de la main. Cette résistance chute soudainement après un stimulus qui nous surprend, ou une émotion. C'est ce que l'on a appelé le réflexe psychogalvanique.

o Enfin, le flux urinaire ralentit pendant le sommeil.

# Les effets du sommeil paradoxal

Les caractéristiques du sommeil paradoxal ont sans doute été plus étudiées ces dernières années. Dans l'ensemble, elles inversent ou modifient les concomitants du sommeil lent. Brooks et Bizzi, ainsi que Moruzzi, proposèrent de différencier les effets du sommeil paradoxal en composantes toniques et en composantes phasiques. Les premières sont celles qui se prolongent tout au long de la phase de sommeil paradoxal; tandis que les secondes sont discontinues et brèves et se manifestent sporadiquement. Nous les étudierons donc séparément, puis nous réserverons une place à part au rapport du rêve et du sommeil paradoxal.

## Composantes toniques

Les composantes toniques manifestent, pour les unes, une activité accrue, pour les autres, au contraire, une baisse de l'activité (nous verrons qu'aujourd'hui on pense que cette baisse est due à une inhibition active plutôt qu'à un simple manque négatif).

Parmi ces composantes, on trouve :

o Une chute du potentiel musculaire beaucoup plus prononcée qu'en sommeil lent (ce fait fut d'abord observé dans les muscles dorsaux du cou du chat. La nuque manquait alors totalement de tonus. Cette atonie des principaux muscles de posture explique pourquoi tous les mammifères doivent, à un moment donné, se coucher pour dormir.) Ce phénomène spécifique du sommeil paradoxal suffit parfois à le déterminer indépendamment du recours à l'E.E.G. On prend généralement dans ce cas les muscles de la houppe du menton comme indice du sommeil paradoxal.

○ Comme nous l'avons vu, le tracé E.E.G. désynchronisé se manifeste tout au long de l'état paradoxal.

○ A l'aide d'électrodes implantées en profondeur chez le chat, on a découvert dans la région de l'hippocampe un rythme thêta de 5 à 6 c/s. Ce rythme apparaît aussi chez l'homme, comme chez le chat, pendant le sommeil paradoxal.

## Composantes phasiques

Les composantes phasiques, qui se manifestent sporadiquement, sont multiples.

○ Les mouvements R.E.M., dont nous avons déjà parlé, se manifestent par à-coups. La phase rapide dure de 100 à 200 millisecondes. Ils sont semblables aux mouvements de fixation des yeux pendant la veille, et pourraient être apparentés à la vision du rêve.

○ Accompagnant les mouvements R.E.M., on remarque aussi l'activité sporadique de tout un ensemble de petits muscles : crispation de la face, grimaces, mais aussi contraction des muscles laryngaux, des doigts, des pieds ou de l'oreille moyenne. Là encore, on pense qu'il y aurait un rapport avec le rêve.

○ Les études faites sur le rythme cardiaque en phase paradoxale ont relevé tantôt un rythme accru, tantôt une baisse de rythme par rapport au sommeil lent. Il apparaît là que ce sont les fluctuations du rythme cardiaque qui sont caractéristiques du sommeil paradoxal. Chez l'homme, on remarque une variation allant de 40 à 100 pulsations par minute. Cette variation se rapproche de celle observée chez un sujet éveillé pris par une activité qui le passionne. Dans le sommeil lent, les variations n'étaient que de quelques pulsations par seconde.

o La pression sanguine subit de même des variations d'intensité d'une minute à l'autre.

o La respiration à son tour devient irrégulière. Jusqu'à présent, ces variations étaient considérées comme étant dues au hasard. Mais Hartmann fait remarquer à la suite d'Aserinsky que «l'irrégularité des données issues de fonctions autonomes peut masquer une certaine régularité[20]». Ainsi, il semblerait que la respiration passe régulièrement par une phase faible. On notera aussi que le ronflement ne se manifeste pas en phase R.E.M.

o Le système nerveux dans son ensemble est le lieu d'une grande activité. La température du cerveau s'élève, le débit sanguin cérébral ainsi que la consommation d'oxygène augmentent. Cette dernière est supérieure à celle de l'éveil au repos. Toutes ces modifications chimiques témoignent d'un métabolisme accru.

o Environ dix ans avant la découverte d'Aserinsky et de Kleitman, soit en 1944, Ohlmeyer et Brilmayer[97] avaient constaté un cycle des érections du pénis pendant le sommeil. La première de ces érections apparaissait de une heure à une heure et demie après le début du sommeil, les autres se succédaient toutes les dix-neuf minutes environ. Ces érections pouvaient durer une demi-heure. Fisher, Gross et Zuch poursuivirent ces expériences à l'hôpital de Mont Sinaï à New York. Ils montrèrent que la plupart des phases R.E.M. étaient précédées d'une érection qui pouvait se prolonger pendant toute cette période[77]. Le sommeil R.E.M. sans érection paraissait exceptionnel. On suppose qu'une stimulation de l'hypothalamus (qui contrôle le comportement sexuel entre autres) doit être responsable de ces érections.

o La dernière composante phasique notoire du sommeil paradoxal est la découverte d'impulsions nerveuses appelées «spikes» ou «pointes», qui précèdent généralement de 10 à 90 secondes l'apparition du tracé du sommeil paradoxal sur l'E.E.G. Ces décharges de spikes se manifestent simultanément en trois endroits du cerveau : au niveau du pont de Varole, dans les corps genouillés latéraux et dans le cortex visuel occipital. Les pointes P.G.O., ainsi nommées en fonction des régions où elles apparaissent (ponto-géniculo-occipitales), sont des manifestations des voies optiques centrales, comme le montrent les zones où elles se manifestent, alors que ni la rétine ni le nerf optique ne réagissent. On pense que ces pointes ont un rôle très important dans l'organisation des différents phénomènes caractérisant le sommeil paradoxal, et peut-être aussi dans l'explication des rapports entre le rêve et ce sommeil.

## Le sommeil paradoxal : un état qui tient du sommeil profond et de l'activité d'éveil

On peut conclure cette description de l'état de sommeil rapide par cette définition de Hartmann : «C'est un état apparemment caractérisé par une intense activation sporadique du système nerveux autonome et de certains muscles fins, combiné à une inhibition tonique presque totale de la musculature somatique[20]».

Le sommeil paradoxal est donc à la fois le sommeil le plus profond, celui où il sera le plus difficile de réveiller l'individu, et l'état le plus proche de l'activité d'éveil. Il est en quelque sorte un éveil ou une vie intérieure.

## Rêve et sommeil paradoxal

Aserinsky et Kletiman puis Dement crurent pendant longtemps que le rêve n'apparaissait que lors du sommeil paradoxal. La méthode la plus simple pour vérifier cette hypothèse consistait à réveiller le sujet pendant les différentes phases de sommeil et à lui faire raconter ce qu'il avait en mémoire. On pourrait penser qu'une telle étude statistique aurait dû donner une réponse simple à la question posée. En fait, il n'en fut rien, et les réponses proposées successivement par différents chercheurs s'étalèrent de 0 % à 54 % de rêve apparaissant pendant le sommeil lent. Les deux positions extrêmes furent défendues l'une par W.C. Dement, l'autre par Foulkes.

Il semble que les différences obtenues par les deux chercheurs tiennent à la méthodologie employée. Les pourcentages dépendant en effet du sujet utilisé, des moments choisis pour le réveiller pendant le sommeil lent et des critères retenus pour définir ce qu'est un rêve.

## Pour certains chercheurs, le rêve n'existe pas hors du sommeil paradoxal...

Pour Dement et Kleitman le sujet «sera considéré comme ayant rêvé seulement s'il peut donner une description cohérente et assez détaillée du contenu du rêve. Une réponse affirmative, sans souvenir du contenu du rêve, ou avec seulement des impressions vagues et fragmentaires, sera classée comme négative[69]». Sur 191 réveils en phase paradoxale, ils trouvèrent 152 réponses affirmatives, soit un pourcentage de 80 % de rêve. Dans l'ensemble, le récit de ces rêves consistait en longues aventures riches en détails, en événements et en émotions. Au contraire, sur 160 réveils en phase non paradoxale seules 11 réponses, soit 7 %, correspondaient aux critères retenus. Un certain nombre des rappels de rêve pendant le sommeil lent pouvait être dû à la confusion provoquée par un réveil brusque ou au souvenir de rêves ayant eu lieu à un autre moment. Kleitman et Dement en conclurent donc que le rêve ne se produisait qu'en phase de sommeil paradoxal.

## ... pour d'autres, le rêve n'est pas exclu du sommeil lent

Or, Foulkes, en 1962, devait montrer que des souvenirs de rêve apparaissent aussi pendant le sommeil lent. Toutefois, la définition qu'il donnait du rêve était beaucoup plus large que celle des premiers chercheurs. En effet, celui-ci considérait comme rêve «toute expérience comportant des impressions visuelles, auditives ou kinesthésiques (sensation de mouvement des parties du corps)» et «tout phénomène dépourvu d'image pendant lequel le sujet soit prend une autre identité que la sienne, soit sent qu'il pense dans une ambiance physique autre que celle qui l'entoure en fait[79]». Foulkes trouva ainsi 54 % de rêve pendant le sommeil lent.

## Des théories plus complémentaires que contradictoires

En fait, ces différents résultats ne sont pas aussi contradictoires qu'ils pourraient le paraître. Foulkes s'oppose à une théorie radicale qui réduirait toute activité mentale pendant le sommeil à la phase paradoxale, et Dement établit l'aspect spécifique du rêve. Ces recherches montrent, finalement, que le rêve en tant que phénomène hallucinatoire a le maximum de chances d'apparaître pendant une phase de sommeil rapide, tandis que ce qui se rapproche de la pensée abstraite ou d'image indéterminées et sans suite se manifestera pendant le sommeil lent. Pour ces raisons, les études du sommeil rapide seront souvent nommées «biologie du rêve».

# Les centres de l'éveil et du sommeil

Nous venons de parcourir un certain nombre de découvertes qui sont dues à la psychophysiologie du sommeil. Les neurophysiologues allaient-ils confirmer ou infirmer les hypothèses d'un double état de sommeil, et d'un sommeil non plus passif mais actif? Ce sont les recherches sur les voies du système nerveux intervenant dans les mécanismes du sommeil et de l'éveil que nous présentons maintenant. Nous verrons qu'elles ont connu différents rebondissements.

## Les structures de l'éveil

Les premiers travaux sur l'anatonie du sommeil cherchaient à repérer des centres semblables aux centres de la vision ou de l'audition. On s'était aperçu, en effet, qu'en stimulant différentes parties du cerveau on pouvait provoquer le sommeil. Ainsi furent successivement considérés comme centre du sommeil : le thalamus, ou couches optiques, puis l'hypothalamus et d'autres régions du tronc cérébral. Mais l'on s'aperçut bientôt que le voltage utilisé dans la stimulation du cerveau avait plus d'importance que la zone choisie. D'autre part, la stimulation électrique de zones très voisines provoquait aussi des effets d'hypnose.

● **L'apport de Bremer**

Afin de différencier les structures de la veille de celles du sommeil, Frédéric Bremer en Belgique fit, en 1935, une série d'expériences sur le chat. Dans une première expérience, il sectionna le cerveau du chat entre la moelle épinière et le bulbe rachidien, c'est-à-dire tout en

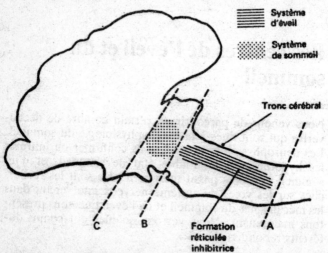

Schéma des sections du tronc cérébral ayant permis de préciser les systèmes de veille et de sommeil.
A. Section basse «encéphale isolé» avec conservation de la veille et du sommeil.
B. Section moyenne «médio-pontine» avec éveil permanent.
C. Section haute «cerveau isolé» avec sommeil continu.
P. Passouant et A. Rechniewski : *Le Sommeil, un tiers de notre vie* (Paris, Stock, 1976).

bas du cerveau, réalisant ainsi «l'encéphale isolé»; il s'aperçut que l'animal, ainsi préparé, continuait à passer par une alternance de veille et de sommeil. Dans une deuxième expérience, il fit une coupe à l'extrémité opposée du tronc cérébral, tout en haut, entre les tubercules quadrijumeaux, préparant cette fois-ci un «cerveau isolé»; l'animal tomba alors dans un état de sommeil jusqu'à sa mort. Bremer en conclut que l'éveil était dû à une convergence d'influx sensoriels venant de la moelle épinière, tandis que le sommeil se manifestait lors de la privation de ces stimulations sensorielles. L'éveil était ainsi dû à une somme d'excitations, tandis que le sommeil n'était qu'un processus passif.

● **Les conclusions de Magoun et Moruzzi : les mécanismes de l'éveil**
En 1949, Magoun et Moruzzi devaient montrer que l'éveil n'est pas dû à une simple convergence d'influx nerveux ascendants, allant de la moelle au cortex, mais qu'il est dû à un processus actif du cerveau. Leur principal apport fut de mettre en évidence le rôle d'une formation du cerveau autrefois négligée, la formation réticulaire du tronc cérébral.

Bremer avait coupé à la fois les fibres sensorielles venant de la moelle et la formation réticulaire. Magoun et Moruzzi montrèrent que l'interruption des grandes voies sensorielles est compatible avec un état de vigilance; tandis qu'il suffit de couper la formation réticulaire pour obtenir l'état léthargique que Bremer avait provoqué avec le «cerveau isolé». Ces résultats étaient confirmés par le fait que la stimulation électrique de cette zone réticulaire provoquait l'éveil.

L'éveil était ainsi le produit d'une activité rythmique permanente de la formation réticulaire, soit le résultat d'influx réticulaires ascendants. De plus, cette activité réticulaire était renforcée par diverses actions : celles des voies sensorielles, celles de conditions humorales ou de substances chimiques, celles de structures nerveuses comme l'hypothalamus, mais aussi celles du cortex (ou écorce cérébrale). Cette action du cerveau logique dans l'éveil n'est pas étonnante, puisqu'un effort volontaire permet de se maintenir éveillé. Le cortex, d'autre part, entretien avec la formation réticulaire une sorte de régulation de l'éveil. La réticulée, en effet, excite le cortex, qui, par rétroaction, modèle ou inhibe l'activité de celle-ci.

## Du sommeil passif au sommeil actif

Si l'on avait fait un pas dans la découverte des mécanismes de l'éveil, on continuait cependant à voir dans le sommeil un phénomène passif, un affaiblissement de l'activité de la formation réticulaire. La conception passive du sommeil faisait de celui-ci un état de fatigue cumulative qui rendait les liaisons entre neurones de plus en plus difficiles. Peu à peu, pensait-on, une région du cerveau s'endormait, communiquant le sommeil à un territoire voisin, et ainsi de suite. Cette conception est aujourd'hui remise en question.

On doit à Moruzzi et à ses collaborateurs[60] la mise en évidence, en 1959, d'une nouvelle structure dans le tronc cérébral qui serait responsable du sommeil lent. Moruzzi s'aperçut en effet qu'en faisant une coupe un peu plus haut que Bremer, dans la région médiopontique du tronc cérébral, il obtenait un éveil persistant chez le chat ; alors que s'il coupait quelques millimètres plus bas, le chat tombait en sommeil profond, ou coma. Il en déduisit que la première coupe avait isolé le cerveau de structures propres au sommeil. Ces structures, comme celles de l'éveil, se situaient dans la substance réticulée, mais dans une partie inférieure (dite du raphé médian de la substance réticulée, située sur la ligne médiane du tronc cérébral).

On put vérifier que la destruction limitée de cette région supprimait le sommeil, tandis que son excitation le provoquait. La soudaineté de l'endormissement chez l'enfant, ou chez certains malades atteints de troubles du sommeil, de même que le fait que le sommeil puisse être induit par une stimulation sensorielle répétitive et monotone plaidaient en faveur d'un sommeil actif. Désormais, on pense que le sommeil a bien une action inhibitrice sur l'activité tonique du système d'éveil.

## Un centre de sommeil paradoxal

La découverte du sommeil paradoxal devait compliquer ce schéma relativement simple d'un système d'éveil et d'un système de sommeil. On se demanda désormais quelles étaient les structures responsables, sinon du rêve, du moins de l'état spécifique qui l'accompagne. Ces travaux furent principalement le fait de l'équipe de M. Jouvet. Par éliminations successives et par induction, en

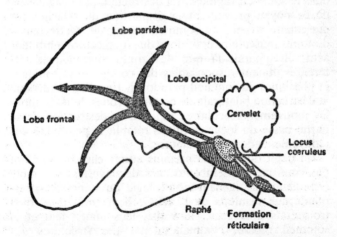

**Localisation schématique des structures nerveuses de l'éveil et du sommeil.**
En noir avec trois flèches, le système réticulaire activateur ascendant de l'*éveil*. Dans la partie moyenne du tronc cérébral, les noyaux raphé en rapport avec le *sommeil lent*, le locus cœruleus en rapport avec le *sommeil rapide* et la formation réticulaire inhibitrice dont l'action sur la moelle est responsable de la perte du tonus musculaire.
P. Passouant et A. Rechniewski : *le Sommeil, un tiers de notre vie* (Paris, Stock, 1976).

opérant des coupes ou des coagulations du cerveau, Jouvet et ses collaborateurs réussirent à localiser un système du rêve. Une des premières expériences avait été de sectionner le cortex du chat. Ils observèrent que le chat ainsi décortiqué conservait les manifestations du sommeil paradoxal. Ils constatèrent ensuite que différentes coupes dans le tronc cérébral inférieur ou supérieur étaient inefficaces. Par contre, lorsqu'ils sectionnèrent au niveau du bord inférieur du pont, ils obtinrent la disparition du sommeil paradoxal, bien que le chat conservât une alternance de veille et de sommeil lent.

Des recherches ultérieures de Jouvet précisèrent qu'un certain noyau du tronc, appelé «locus cœruleus», à cause de ses étranges points bleus, jouait un rôle spécifique dans le sommeil rapide[26]. La destruction par coagulation de ce noyau provoquait la disparition du relâchement musculaire propre au sommeil paradoxal. Cette baisse du tonus musculaire était donc due à un centre inhibiteur actif. Il apparaît là que des zones anatomiques différentes étaient responsables des composantes toniques et phasiques du sommeil paradoxal. En effet, tandis que la destruction bilatérale de certaines zones du pont abolit les mouvements oculaires rapides, la destruction de la partie basse du locus cœruleus rétablit la possibilité des mouvements de la musculature.

En dépit du fait que certains autres chercheurs n'ont pas confirmé l'ensemble de ces découvertes, il semble cependant que la neurophysiologie du sommeil corresponde aux résultats de l'E.E.G. Il y aurait donc bien trois états différents : la veille, le sommeil lent et le sommeil rapide, commandés par des structures différentes. Le tronc cérébral et le pont, parties archaïques du cerveau, seraient donc responsables de la régulation de ces trois rythmes. Pourtant, dans la mesure où les noyaux de ces régions sont constitués de neurones possédant des ramifications à divers étages du cerveau, on ne parle plus aujourd'hui de centre du sommeil, mais de systèmes. Ces systèmes repérés ici anatomiquement seront précisés par la recherche des substances chimiques agissant dans les mécanismes de l'éveil et du sommeil.

# Les hormones de la veille, du sommeil et des rêves

La recherche d'une drogue naturelle provoquant le sommeil, d'une hormone du sommeil ou d'une hypnotoxine
remonte au début de ce siècle. On pensait, en effet,
découvrir un produit résultant de la fatigue musculaire
ou engendré par l'épuisement énergétique du cerveau
En 1913, Piéron et Legendre transfusèrent du liquide
rachidien provenant du cerveau d'un chien atteint d'insomnie à un chien normal. Ce dernier s'étant endormi,
ils pensèrent alors avoir trouvé l'existence d'une telle
hypnotoxine. Cette expérience fut reproduite par la suite
avec plus ou moins de succès. Mais il est difficile de
savoir dans quelle mesure ce n'est pas l'injection en elle-
même qui provoque le sommeil. D'autre part, même si
c'est bien le liquide rachidien ou le sang de l'animal
insomniaque qui procure le sommeil, il faudrait encore
trouver entre les multiples composés du sang celui qui est
responsable du sommeil.

---

**Quel est le rôle des agents chimiques dans le système
veille-sommeil ?**

---

Aujourd'hui, on a tendance à penser qu'il n'y a pas une
seule hormone, mais que différentes hormones ou substances agissent dans les mécanismes neurochimiques de
la veille et du sommeil. La plupart des recherches effectuées portent sur un certain nombre de médiateurs chimiques qui servent à la transmission de l'influx nerveux
au niveau des synapses (régions de contact entre deux
cellules nerveuses). Afin de découvrir le rôle spécifique
de ces médiateurs dans le rythme d'éveil et de sommeil,
on en a soit bloqué sélectivement la présence dans le
cerveau du chat, soit, au contraire, infusé des doses
infimes dans telle ou telle région (une technique très fine
d'implantation de microtubes dans le cerveau du chat
permet en effet d'atteindre à une précision que ne pou-

vait obtenir la simple transfusion du liquide céphalora-
chidien). On s'aperçut ainsi que les structures du sommeil faisaient partie d'un même système non localisé, qui
envoyait des impulsions à la fois vers le cortex et vers la
moelle épinière. Ce système mettait donc en jeu à la fois
des fibres nerveuses ascendantes et des fibres nerveuses
descendantes.

On se pencha alors sur l'étude des neurotransmetteurs
liant ces fibres et, plus précisément, sur les amines du
cerveau. Les amines sont des composés chimiques
apparentés à l'ammoniac, contenant de l'azote et de
l'hydrogène ; elles sont proches des acides aminés qui
forment les protéines. Les principales amines étudiées
furent la noradrénaline, la sérotonine, la dopamine et la
tryptamine. La présence d'une certaine quantité de ces
amines dans le cerveau semble être nécessaire pour la
veille et le sommeil.

R. Hernandez-Peon, à Mexico, et G. Ling, à Ottawa,
avaient constaté que deux transmetteurs chimiques pouvaient jouer le rôle de clé de l'éveil et du sommeil. Ce
sont respectivement l'adrénaline et l'acétylcholine. En
effet, quand on inocule dans l'hypothalamus du chat de
l'acétylcholine, il s'endort, tandis que la noradrénaline
provoque l'éveil.

## Les trois réseaux chimiques

Aujourd'hui, les choses se sont un peu compliquées. On
distingue en effet un système d'éveil catécholinergique,
un système de sommeil sérotoninergique et un système
mixte.

○ *Le système d'éveil catécholinergique.* « Catécholamine »
est un néologisme servant à désigner les hormones des
glandes surrénales. A savoir ici la noradrénaline et la
dopamine. Chacune de ces deux substances est responsable d'un type d'éveil particulier. En effet, la noradrénaline commande l'éveil cortical, c'est-à-dire nos mécanismes d'attention, de pensée et de discrimination perceptible. Si l'on bloque le renouvellement de la noradré-

naline, notre cortex dort. Le système à dopamine contrôle, lui, l'éveil comportemental. Si bien que si l'on supprime les structures contenant de la dopamine, le cortex reste éveillé, mais il n'y a plus de motricité. Ainsi, les difficultés des malades parkinsoniens à effectuer des mouvements proviendraient d'un manque de dopamine.

○ *Le système de sommeil sérotoninergique.* Si l'on bloque la sécrétion de sérotonine, on s'aperçoit que l'animal reste en éveil permanent. Par ailleurs, il apparaît bien qu'en injectant du 5-HT — précurseur de la sérotonine (dans la mesure où la sérotonine est constituée de molécules qui ne passent pas la barrière hémato-encéphalique (elle est fabriqué directement dans le cerveau), on utilise le 5-HT ou 5-hydroxytryptophane, qui passe la barrière) — à un chat dont on a préalablement bloqué la sérotonine, ce chat revient à un sommeil normal. (En 1962, deux Suédois, Falk et Hillarps, ont mis au point une technique de fluorescence qui permet en microscopie ultraviolette de distinguer les neurones à sérotonine, qui auront une apparence jaune, des neurones à catécholamine, qui seront verts.)

Les cellules du raphé médian sont riches en sérotonine, ce qui semble confirmer les données neurophysiologiques. La sérotonine est aussi présente dans l'hypothalamus, dans l'hippocampe, et dans le néo-cortex entre autres.

○ *Le système mixte.* Nous avons vu que lorsqu'on supprime la sérotonine, on obtient un éveil permanent, et donc ni sommeil lent ni sommeil paradoxal. Il semble bien, en effet, que le métabolisme de la sérotonine et donc le sommeil lent doivent précéder le sommeil paradoxal. Cela pour des raisons encore obscures. Mais le sommeil paradoxal met en jeu pour son compte deux autres substances : l'acétylcholine et la noradrénaline. L'acétylcholine semble bien agir sur le sommeil rapide. En effet, Jouvet a constaté que l'administration de composés anticholinergiques réduisait le sommeil rapide.

La présence de la noradrénaline, d'autre part, permet de comprendre les ressemblances entre les phénomènes de la veille et ceux du sommeil rapide, puisqu'elle se manifeste dans les deux. On trouve des neurones riches en noradrénaline dans le locus cœruleus. Jouvet a suggéré que la perte de l'atonie musculaire accompagnant l'état paradoxal pouvait être causée par la destruction des neurones à noradrénaline du locus cœruleus.

Ayant comme objet les milliards de cellules du cerveau, la chimie du sommeil est une science prometteuse mais fragile. En effet, d'une part, la multiplicité des effets des agents chimiques étudiés rend difficile de leur attribuer un rôle précis; cette présentation des systèmes du sommeil a un caractère un peu statique, et l'on connaît encore mal les dynamismes spécifiques. D'autre part, les voies de l'éveil et les deux sommeils sont proches les unes des autres et parfois se confondent, ce qui rend complexe l'analyse de leur régulation mutuelle. Enfin, il faut se souvenir que ces résultats ont été obtenus chez le chat et que, s'ils correspondent aux différentes constatations faites chez l'homme, ils ne lui sont peut-être pas entièrement transférables.

# Origine et nature du sommeil

# De l'animal à l'homme

## Le sommeil et les rêves chez les animaux

Les animaux dorment-ils ? Les premiers auteurs qui se penchèrent expérimentalement sur le sommeil des animaux, tel Bell en 1960, avaient tendance à nier la présence du sommeil chez certains mammifères ; ils pensaient, en effet, que ceux-ci avaient des phases de repos sans sommeil. Aujourd'hui, on a cependant montré que la majeure partie des vertébrés dorment, ou du moins passent par un état équivalent du sommeil. Il est toutefois difficile de définir quand le sommeil apparaît dans la série animale. Jusqu'à présent, on n'a pas enregistré de tracé électro-encéphalographique des poissons ; on peut cependant observer qu'ils manifestent un sommeil comportemental : certains poissons flottent à la surface de l'eau, d'autres se reposent dans des anfractuosités de rocher, ou dans un fond d'aquarium. On trouve chez les poissons, comme chez les divers mammifères, des dormeurs de jour ou de nuit.

Le sommeil est difficilement décelable chez les reptiles ; beaucoup de serpents n'ont pas de paupières et ne peuvent donc pas fermer les yeux. Toutefois, les serpents ont un sommeil à basse fréquence assez semblable au sommeil lent des mammifères. La grenouille n'a pas à proprement parler de sommeil véritable ; pourtant Hobson a constaté chez la grenouille-taureau un cycle de la respiration qui correspondait à des ondes cérébrales tantôt rapides et de bas voltage lors d'une période de repos, tantôt lentes et de haut voltage lors d'une phase d'activité. Ce cycle, on le remarque, est l'inverse de celui des mammifères.

## Le lit des animaux

Avant de recourir aux données de l'électro-encéphalogramme (E.E.G.), on différenciait le sommeil des espèces animales en fonction des rituels ou des postures qu'ils adoptent pour dormir. Les animaux ne dorment ni n'importe où, ni n'importe comment.

○ *Les chiens et les chats*. Tout le monde a pu observer combien les chiens ou les chats adoptent difficilement un nouveau lieu de sommeil. Les chiots marqueront leur territoire du sommeil en urinant, et choisiront un emplacement stratégique dans un coin, roulés en boule et le nez protégé par une patte. Ils établissent ainsi un système de sécurité nécessaire à un état de perceptivité réduite.

○ *Les chats* se faufileront dans les armoires à linge ou se glisseront sous l'édredon ; on remarquera qu'ils dorment rarement au milieu d'une pièce.

○ *Les chevaux*. Charles Kayser observe que la plupart des mammifères se couchent pour dormir, mais que certains peuvent aussi rester debout[30]. Sur quarante-deux chevaux âgés de cinq à vingt-trois ans dont vingt-quatre chevaux de trait et dix-huit de selle, il constate que trois seulement ne se sont pas couchés entre dix-neuf heures et six heures. Il en conclut que les dimensions du box ainsi que la litière ont une importance pour la position couchée. Le cheval passe généralement en moyenne deux heures quarante-cinq couché ; mais il est rare qu'il reste étendu plus d'une heure de suite. D'habitude le cheval, comme l'éléphant ou la girafe, dort sur le côté, mais il peut aussi dormir sur le ventre.

○ *Les oiseaux.* La nidation est un phénomène assez général accompagnant le sommeil ; mais paradoxalement les oiseaux, dans l'ensemble, ne dorment pas dans leur nid, mais perchés sur une branche. L'oiseau est ainsi à l'abri des prédateurs et prêt à s'envoler en cas de danger ; il en est de même pour la chauve-souris qui se pend. L'oiseau est solidement maintenu par ses griffes, non par un effort musculaire, mais par un dispositif mécanique qui resserre sa prise plus le poids de son corps est lourd. L'oiseau met la tête sous l'aile pour éviter les stimulations lumineuses, et se recroqueville afin de maintenir sa chaleur corporelle.

○ *Les singes*, comme les oiseaux, dorment dans les arbres. Cependant, chaque nuit l'orang-outang, le chimpanzé et le gorille se construisent un nouveau nid tandis que le gibbon s'installe confortablement dans les branchages.

Le cheval ou l'âne qui dorment souvent sur trois pattes ne font pas non plus intervenir un effort musculaire supplémentaire, puisque l'articulation de la patte support est alors bloquée. Les flamants ou les cigognes dorment aussi sans contrainte sur une patte.

○ *Les dauphins.* Animal intelligent, le dauphin dort d'une façon qui correspond bien à son tempérament joueur ; il ne dort que d'un œil. En effet, respirant par le sommet de la tête il doit surveiller l'eau pour que les vagues ne pénètrent pas dans son nez. Chaque œil dort environ deux à trois heures, mais toutes les trente secondes le dauphin contrôle la surface de l'eau pour prendre sa respiration. Le phoque, lui, dort quelques minutes sous l'eau avant de remonter à la surface pour respirer.

○ *Les zèbres et les buffles.* Si certaines espèces se

mettent à l'abri en choisissant des lieux stratégiques pour dormir, d'autres préfèrent se rassembler. Ainsi les zèbres et les buffles dorment-ils en groupe. La nécessité pour les animaux faibles d'avoir à protéger leur sommeil a amené à penser que les animaux forts avaient un sommeil plus continu et parfois plus long que les animaux faibles. De tous les animaux, il semble que ce soient l'ours de Ceylan et le lion qui aient le meilleur sommeil.

Toutefois, la somme totale des sommeils discontinus des espèces faibles ne diffère pas sensiblement du temps de sommeil continu des espèces bien armées ou de celui des animaux domestiques qui, protégés par nous, dorment longtemps.

| Activités | Ours, lion | Antilope |
|---|---|---|
| Sommeil | long, profond | possibilité d'absence totale d'état inconscient |
| Boire | activité lente | rapide ; remplit son estomac |
| Copulation | dure des heures chez les ours | durée de quelques secondes |
| Mise bas | l'ours se construit un abri | pas d'abri |
| Croissance du petit | plusieurs semaines au nid dans l'abri, croissance lente | les petits se déplacent vingt minutes après la mise bas |

## Le sommeil paradoxal

Si tous les vertébrés dorment, la plupart ont aussi les deux types de sommeil relevés chez l'homme et chez le chat. De nombreuses études furent faites sur le rat, sur le lapin, sur le singe, le chien ou le mouton pour déterminer les temps relatifs de sommeil paradoxal et de sommeil lent. Mais d'autres espèces moins courantes sont aussi soumises à ces expériences. Frédéric Snyder observa ainsi l'oppossum[56]. L'opossum est un animal de la taille d'un chat, mais dont le cerveau est trois fois plus petit. Il est, d'autre part, l'une des espèces survivantes des temps les plus anciens, et celle qui a le moins changé; on a tendance à le considérer comme un «fossile vivant». Snyder constata en étudiant le tracé électro-encéphalographique du sommeil paradoxal avec mouvements des oreilles, des yeux, des moustaches, de la queue, et autres manifestations associées à cette phase. Ce sommeil dure trois à dix minutes et revient à intervalles variables. L'opossum dort 75 à 95 % du nycthémère, et, sur vingt-quatre heures, le sommeil rapide occupe 28 à 33 % du temps total de sommeil.

## Le sommeil paradoxal apparaît comme très ancien

Le sommeil paradoxal n'existe qu'à l'état rudimentaire chez les oiseaux dont il n'occupe que 1 à 5 % du sommeil total. Chez les tortues et chez le fourmilier, on n'a pas pu le mettre en évidence. Snyder suggère que le sommeil paradoxal serait apparu au stade d'évolution des reptiles avant la différenciation entre oiseaux et mammifères, et qu'il aurait été spécialement développé chez les tout premiers mammifères, comme en témoigne l'opossum.

## Le cas des ruminants

On a longtemps pensé que les ruminants (vaches, chèvres, moutons) n'avaient pas de sommeil paradoxal[59]. La rumination est en effet incompatible avec une relaxation complète des muscles du menton. On sait aujourd'hui que la vache passe cependant 2 à 3 % de son sommeil en phase paradoxale. Des expériences faites avec du foin haché montrent que la chèvre ainsi nourrie passe plus de temps en sommeil lent, mais conserve une proportion identique de sommeil paradoxal. On peut donc en déduire que contrairement à certaines suppositions ce dernier ne dépend pas de la rumination.

## Temps de sommeil et cycles vitaux chez divers mammifères

Différentes études comparatives entre les mammifères montrent que les carnivores semblent avoir un temps de sommeil rapide plus long que les herbivores, et que les omnivores se situent entre les deux.

| Espèces | Sommeil paradoxal ◈ |
|---------|---------------------|
| *Opossum* | 22 — 44 % |
| *Rat* | 15 — 20 % |
| *Lapin* | 1 — 3 % |
| *Mouton* | 2 — 3 % |
| *Chat* | 20 — 60 % |
| *Singe* | 11 — 25 % |
| *Homme* | 20 – 24 % |

◈ (exprimé en % du temps de sommeil total)

Cela semble recouper la constatation précédente que les animaux forts ont un sommeil plus long. Le rat, animal féroce, a beaucoup plus de sommeil paradoxal que le lapin, animal sans défense. Un trait caractéristique du lapin, dans cette phase de sommeil, est la position de ses oreilles qui, dressées pendant le sommeil lent, se couchent alors, ce qui permet un diagnostic aisé. Bien que le temps total passé en sommeil paradoxal soit souvent plus faible chez les animaux que chez les hommes, on remarque cependant chez les premiers un nombre supérieur d'émergences hors du sommeil lent au cours d'une nuit. Ainsi le cheval aura-t-il dix à douze périodes de sommeil rapide, qui ne représentent en fait que 4 à 10 % du sommeil total.

On a donc aussi comparé la longueur du cycle séparant le retour du sommeil rapide chez divers animaux. Dans l'ensemble, on s'aperçoit que la longueur de ce cycle varie avec la taille et le poids des animaux[20].

| Espèces | Longueur moyenne du sommeil paradoxal | Longueur moyenne du cycle (min.) |
|---|---|---|
| Souris | — | 3 — 4 |
| Rat | 4 — 7 | 7 — 13 |
| Lapin | — | 24 |
| Opossum | 5 | 17 |
| Chat | 10 | 20 — 40 |
| Singe | 4 — 10 | 40 — 60 |
| Homme | 14 | 80 — 90 |
| Eléphant | — | 120 |

Des comparaisons entre le cycle sommeil-rêve et différents cycles organiques ont montré un rapport direct avec les rythmes du pouls, de la respiration et la période de gestation, de la souris à l'éléphant en passant par le rat, le lapin, le chat et l'homme. On retrouve un rapport semblable à l'intérieur d'une même espèce, d'un animal jeune à un animal âgé. Ainsi, Hartmann a remarqué un cycle de 96 minutes chez les jeunes éléphants et un cycle de 124 minutes chez les vieux. Mais d'autre part, Hartmann a montré qu'il y a un rapport inverse entre le cycle sommeil-rêve et le métabolisme de ces divers animaux.

La souris, qui a une consommation d'oxygène relativement haute par rapport à son poids, possède un cycle sommeil-rêve très court, tandis que le lapin, dont le taux métabolique est plus bas, revient déjà moins souvent au stade de sommeil paradoxal. Il semblerait donc bien qu'il y ait un rapport entre l'énergie dépensée par une espèce pour se maintenir en vie et son temps de sommeil paradoxal.

## L'animal rêve-t-il ?

Dans l'ensemble, il semble bien que les différents aspects du sommeil paradoxal repérés chez l'homme et le chat se retrouvent dans les diverses espèces. On peut donc conclure que la phase paradoxale a une certaine unité et que les différences entre espèces restent secondaires.

(comme le fait que le rythme thêta de l'hippocampe ne soit pas prédominant chez l'homme et le singe, tandis qu'il l'est chez les rongeurs). Toutefois, il y a un phénomène plus délicat à prouver chez les animaux : c'est celui du rêve.

Aristote puis Lucrèce avaient déjà affirmé, d'après leurs observations des mouvements du cheval endormi, que celui-ci rêvait. On a pu aujourd'hui contrôler que les mouvements de course ou les mimiques expressives du visage des animaux pendant leur sommeil correspondaient bien aux moments de sommeil paradoxal repérés sur l'électro-encéphalogramme.

---

**Le rêve chez l'animal : une hypothèse à ne pas écarter**

---

Une expérience réalisée sur le singe par C. Vaughn[106] conduit à penser que le rêve peut se rencontrer chez l'animal. Vaughn cherchait à savoir dans quelle mesure l'isolation sensorielle provoquait chez le singe des hallucinations. Il avait donc pour cela appris aux singes à appuyer sur une pédale chaque fois qu'ils voyaient une image sur l'écran placé devant eux, sinon ils recevaient une décharge électrique. On projetait ainsi des paysages, des aliments ou des hommes. Lors des expériences, il s'avéra que les singes privés de sensations extérieures s'endormaient rapidement dans ces cages insonorisées. Or, pendant leur sommeil, ils appuyaient régulièrement sur la pédale, comme s'ils voyaient des images. Il est donc très vraisemblable qu'au moins certains animaux supérieurs possèdent une faculté de voir des images pendant leur sommeil, sinon de suivre des scénarios plus élaborés.

# Le sommeil, de l'enfant à l'adulte

Adultes, nous passons environ un tiers de notre existence à dormir ; à notre naissance, nous en passions deux tiers.

Mais le sommeil semble être un rythme plus originel encore qui accompagnerait déjà le fœtus dans son développement. Dès la formation embryonnaire d'un système nerveux cérébral, un rythme de sommeil commencerait alors à se développer. On sait, en effet, qu'à la moitié de la grossesse le fœtus possède déjà toutes les cellules nerveuses qui formeront le système nerveux de l'adulte. Mais de plus, bien avant, dès la première semaine de nidation de l'œuf sur la paroi utérine, alors que l'embryon n'est encore qu'un germe, le système nerveux commence à se différencier à partir d'un repli intérieur de la peau de ce germe. Ce repli formera le tube neural. Le tronc cérébral et le cerveau postérieur sont parmi les premières formations qui se détachent de ce tube neural. Or, ce cerveau postérieur ou rhombencéphale sera directement impliqué dans le sommeil fœtal, comme plus tard dans le sommeil paradoxal de l'adulte.

On a, d'autre part, remarqué que le sommeil de la mère subissait des changements dès la fécondation de l'ovule. On suppose qu'un plus grand besoin de sommeil chez la mère, pendant la grossesse, sert à équilibrer le développement du sommeil de son enfant. On n'a guère d'information sur les rythmes du fœtus avant six mois ; toutefois Sterman à l'aide d'appareils destinés à mesurer les pressions et les mouvements exercés par le fœtus sur le ventre de sa mère a mis en évidence, chez celui-ci, un rythme de repos et d'activité. Plus marqué dans les derniers mois, le rythme d'activité correspondra la nuit avec le sommeil paradoxal de la mère.

**Le fœtus connaît un rythme d'activité et de repos, mais qui ne coïncide pas avec l'alternance jour/nuit**

Cependant, le fœtus dans sa vie intra-utérine est protégé à la fois des excitations extérieures et des influences de la lumière. Il ne connaît donc pas le rythme circadien du jour et de la nuit, ni par conséquent l'alternance d'un sommeil de nuit et d'un éveil de jour. Il en sera de même pendant les premiers jours pour le nouveau-né. Cette vie de vingt-quatre heures privée de repère d'orientation cosmique entre autres est nommée aujourd'hui «vie nycthémérale». On fait commencer le nycthémère à trois heures du matin et non à minuit, dans la mesure où à cette heure la vie, dans son ensemble, passe par un temps faible ou une dépression. Les périodes d'activité et de repos de fœtus, comme du nouveau-né, sont donc réparties tout au long du nycthémère.

## L'électro-encéphalogramme du nouveau-né

Les différents travaux effectués par C. Dreyfus-Brissac, en France[73], et par O. Petre-Quadens, en Belgique, à l'aide de l'électro-encéphalogramme sur le nouveau-né ont permis de retrouver les deux types de sommeil propres à la vie. Petre-Quadens décrit quatre stades dans le sommeil de l'enfant[99] :
— Le stade A est celui de l'endormissement. L'électro-encéphalogramme présente des ondes relativement lentes sur un fond activé, la respiration est calme mais irrégulière, le sommeil se caractérise par la vivacité de la succion, l'enfant se réveille pour un rien, pleure ou se rendort facilement.
— Les stades B et C caractérisent un sommeil calme, la succion tend à disparaître, la respiration est régulière.
— Le stade D correspond à la phase paradoxale. C'est un sommeil agité qui s'amorce parfois directement après l'éveil, il est accompagné de mouvements oculaires et d'érections, mais aussi de sourires. Ainsi, le sourire existe-t-il bien avant d'être provoqué par l'image de la mère, et spécifiquement pendant le sommeil paradoxal. Sur cinquante-deux sourires observés par Petre-Quadens chez les nouveau-nés, tous apparurent pendant cette phase.

Le schéma de l'organisation successive des différents stades entre deux états d'éveil montre que chez le nou-

$E — A (D)$   $B$   $(A)$ — $E$ = réveil
$D$
$C$   $(B)$ — $D$ = nouveau cycle

veau-né la phase paradoxale peut suivre ou être suivie de n'importe quel stade.

## L'expérience du berceau

Pris dans ce cycle du sommeil, le petit enfant ne se réveillera que lorsqu'il aura faim, pour téter. L'alternance de tétée et de sommeil se succédera ainsi tout au long du nycthémère. En même temps, il apprendra à sentir et à percevoir un nouveau monde. Dans cet apprentissage l'expérience du berceau est sans doute une des premières acquisitions culturelles de l'enfant. «Qu'il soit prématuré ou qu'il ait atteint la maturité, l'homme, dit Jeannette Bouton, cherche la nidation qui au moment du passage au sommeil, lui procure l'intimité, le confort dont il a surtout besoin[8].» En cela l'homme ne diffère pas des animaux. Il explore et marque le nid qu'on lui attribue.

---

### Les bébés ont bon nez

Jeannette Bouton remarque que le sens olfactif est encore très développé chez le bébé et que cette faculté lui permet de s'identifier et de se repérer. C'est en effet à l'aide de son nez que le nourrisson va explorer les nouvelles odeurs, les nouvelles chaleurs, ou textures, qui constituent son berceau. Jeannette Bouton rapporte à ce sujet cette expérience faite dans une école maternelle : «Parmi les enfants d'une même classe, on prit un groupe échantillon de vingt mamans, qui acceptaient de porter, pendant quarante-huit heures, le même type de maillot de corps uniformément blanc. Après deux jours de contact corporel, le nom du porteur fut indiqué sur chaque maillot. L'ensemble déposé dans la classe fut livré en tas aux enfants analphabètes. «Quel tricot préférez-vous? fut-il demandé. Ce fut la mêlée générale, elle fut de courte durée, car sans trop d'hésitations, chaque enfant choisit et retrouva le linge qu'avait porté sa mère[8].»

---

Déjà dans le ventre maternel l'enfant avait appris à se placer de manière à ne pas heurter les vertèbres de sa mère lorsque celle-ci se couchait. Maintenant l'enfant apprendra à se blottir dans un coin du berceau et à reconstituer un univers sécurisant, qui lui rappelle celui d'avant sa naissance. Il éprouvera la chaleur de sa main, l'humidité de sa bouche, il fera des bruits en suçant un pouce ou un drap. L'enfant, qui a vécu neuf mois au contact d'une vie sensorielle particulièrement confortable, a peur du silence et de la solitude. C'est pourquoi l'enfant pris sur les genoux ou contre le ventre de sa mère retrouvera à l'écoute de son rythme cardiaque, de sa respiration et de sa voix la sérénité du bonheur.

Assis à califourchon, porté sur le dos ou sur la hanche de sa mère dans de nombreuses cultures, bercé au rythme de la marche et au gré d'une euphorisante caresse génitale, l'enfant ne sucera plus son pouce. Plus tard, le tourbillon d'images et de musique du manège remplacera d'une certaine façon le balancement rythmé du berceau et des bras d'une mère.

## L'évolution du sommeil au cours de la vie

Le berceau n'a qu'un temps et la vie sera courte qui ramènera le sommeil à un nouveau rythme polyphasique, c'est-à-dire comportant plusieurs phases de sommeil et d'éveil[9].

La personne âgée, comme l'enfant, s'endormira à différentes heures du jour. Pourtant, de l'enfance au troisième âge, il y a une diminution continuelle des rythmes de sommeil. Dans les premiers mois de la vie, on dort environ seize heures. A deux ou trois ans, le sommeil sera réduit à douze heures, pour atteindre, vers quinze ans, la moyenne de huit heures habituelle pour l'adulte. Mais de nouveau, à partir de soixante ans, le sommeil reprendra son rythme décroissant pour tourner autour de six heures chez les personnes plus âgées. Contrairement à ce que l'on pourrait croire, la capacité d'éveil n'est donc pas moindre chez ces dernières.

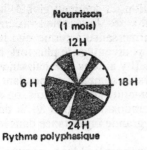

**Nourrisson**
**(1 mois)**

Rythme polyphasique

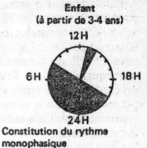

**Enfant**
**(à partir de 3-4 ans)**

Constitution du rythme monophasique

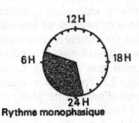

**Adulte**

Rythme monophasique

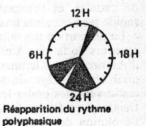

**Personne âgée**

Réapparition du rythme polyphasique

| Sujets | Temps de sommeil paradoxal (en % du temps total de sommeil) | Temps de sommeil paradoxal total par 24 h (données approxim.) |
|---|---|---|
| *Enfant prématuré* | 50 — 80 | 12.0 h |
| *Nouveau-né (1 à 15 j.)* | 45 — 65 | 9.0 h |
| *Enfant en des. de 2 ans* | 25 — 40 | 4.5 h |
| *Enfant de 2 à 5 ans* | 20 — 30 | 2.6 h |
| *Enfant de 5 à 13 ans* | 15 — 20 | 1.7 h |
| *Adolescent (13-18 ans)* | 15 — 20 | 1.6 h |
| *Jeune adulte (18-30 ans)* | 20 — 25 | 1.6 h |
| *Adulte (30-50 ans)* | 18 — 25 | 1.4 h |
| *Adulte âgé (50-70 ans)* | 13 — 18 | 1.0 h |

Parallèlement à cette évolution du sommeil global, la proportion respective des deux types de sommeil variera aussi. C'est normalement à la naissance à terme que le sommeil paradoxal atteint son pourcentage le plus fort, à savoir 50 % du sommeil total. Il y a donc à la naissance une équivalence des deux types de sommeil. Cependant, en étudiant le sommeil des prématurés de sept mois, on a pu montrer que le sommeil paradoxal occupait 80 % du sommeil total. Cela indique sa grande importance dans le sommeil fœtal.

Chez les nouveau-nés, le cycle sommeil lent - sommeil rapide n'est que de quarante-cinq à soixante minutes. Il atteindra assez vite le cycle de quatre-vingt-dix minutes de l'adulte, et l'ensemble sommeil lent plus sommeil rapide formera alors une période d'environ deux heures.

La proportion des autres stades de sommeil varie aussi au cours de la vie. Ainsi, après soixante ans, le stade 4 d'Aserinsky et Kleitman n'est plus que de 55 % de ce qu'il était à l'âge de vingt ans. Les personnes âgées conservent des ondes lentes, mais d'amplitude plus restreinte. Les études faites par Feinderg et Carlson sur l'évolution des types de sommeil en fonction de l'âge montrent l'existence de deux sortes de courbes retraçant

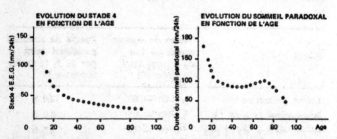

La première courbe est dite courbe hyperbolique. Ce genre de courbe caractérise les grandes fonctions du corps, comme le métabolisme de base.

La seconde courbe est ce que l'on appelle une courbe à fonction cubique. Ce genre de courbe caractérise les fonctions propres au cerveau, comme la consommation d'oxygène du cerveau. Dans les deux cas, le sommeil paraît ainsi profondément lié aux différentes fonctions de la vie.

ces variations[76]. La première courbe est celle caractérisant le sommeil lent, ou stade 4. Elle chute rapidement,
très tôt dans la vie de l'enfant. La seconde courbe est
celle du sommeil paradoxal. Elle diminue à la fois dans la
jeunesse et dans la vieillesse de l'individu.

La question de savoir si l'enfant a une expérience psychologique du rêve est aussi peu avancée que pour les
animaux. Les premiers indices datent de l'âge de quinze
mois et l'on a des récits de rêves d'enfants de deux ans. Il
est toutefois vraisemblable que dès que l'enfant peut
organiser sa perception visuelle à l'état de veille, il doit
aussi pouvoir avoir l'expérience d'images construites
pendant son sommeil. Encore une fois, l'expérience du
rêve dépendra de la définition même du rêve.

# De la veille au sommeil

Depuis Henri Piéron, en 1912, jusqu'aux recherches
actuelles de M. Jouvet et W.C. Dement, en passant par
N. Kleitman, s'est poursuivie une ligne de recherche sur
le sommeil qui a délibérément privilégié les informations
neurologiques aux dépens des données psychologiques.
Dans cette mesure, on trouve chez ces auteurs peu d'analystes concernant l'activité mentale précédant le sommeil, ainsi qu'un faible intérêt pour les fonctions de
l'attention et de l'imagination pendant le sommeil ou le
présommeil. (Alors que, au contraire, les ouvrages du
XIXe siècle comme ceux de A. Maury et de Hervey de
Saint-Denis fourmillaient en matériel introspectif sur
l'imagerie mentale.) Aujourd'hui, J.P. Sartre, I. Oswald
en Angleterre et H. Fischgold en France, de même que
l'école de Chicago avec D. Foulkes et A. Rechtschaffen
ont remis à l'honneur les manifestations du demi-sommeil et des «confins de la réalité».

○ *La vigilance*
De la veille au sommeil, il n'y a pas normalement de saut

brusque, mais un changement qualitatif qui atteint progressivement notre capacité d'éveil. On sait aujourd'hui que l'éveil n'est pas synonyme de conscience, et qu'un animal dont on a enlevé l'écorce cérébrale continue à avoir des rythmes d'éveil et de sommeil. A la suite de Head (1923), I. Oswald a repris le terme de «vigilance» pour décrire la sensibilité particulière de certaines régions du cerveau (c'est-à-dire le tronc cérébral et la formation réticulée), sensibilité qui interfère avec le cortex si on ne l'a pas préalablement enlevé. (En effet, pendant la veille, la formation réticulée facilite la sensibilité des structures nerveuses supérieurs et du cortex cérébral; au contraire, lors du sommeil, cette influence est réduite.) Nous conservons cependant en dormant une certaine vigilance, sans en avoir conscience. Nous passons ainsi au cours de vingt-quatre heures par des élévations ou des baisses du seuil de vigilance.

## La profondeur du sommeil

La classification des stades du sommeil proposée par Dement et Kleitman a eu pour effet de réduire l'intérêt porté à l'endormissement. Elle n'y consacrait, en effet, qu'un seul stade. Loomis et ses collaborateurs avaient au contraire accentué cette période en distinguant un stade A et un stade B. Le stade A marquait des différences dans la modulation du rythme alpha, tandis que le stade B caractérisait sa disparition. Or, lorsqu'on s'endort, notre esprit va et vient de A en B, et un sujet exercé peut sentir ces alternances. Sensation de plongée ou de flottement avec des visions lorsque l'alpha s'absente quelques secondes ou ralentit de un ou deux cycles, puis remontée vers la surface avec le retour de l'alpha.

### La profondeur du sommeil suit une courbe descendante

Jusqu'à la découverte du sommeil paradoxal, on considérait que les courbes de profondeur du sommeil croissaient d'abord rapidement au début de la nuit pour décroître progressivement jusqu'au réveil. Ainsi le seuil de sensibilité était-il très élevé dans les premières heures du sommeil, pour être au minimum lors de l'éveil. Ce schéma linéaire est aujourd'hui brisé par une série de cycles et par la distinction entre deux séries de sommeil profond : celui du stade 4 et celui du sommeil rapide ; ce dernier est celui qui atteint le seuil de sensibilité le plus élevé des deux. Toutefois, du premier au dernier cycle de la nuit, la profondeur globale de sommeil a toujours tendance à décroître.

○ *Les potentiels évoqués*

Afin de déterminer la profondeur du sommeil et afin de tester le degré de vigilance pendant celui-ci, on a eu recours à la méthode dite des «potentiels évoqués». Cette méthode consiste à stimuler momentanément un organe des sens, soit l'œil par un éclair lumineux, soit l'oreille par un clic, et à enregistrer le bref changement de potentiel électrique produit alors sur le système nerveux. Pour un stimulus constant, on constate des variations de grandeur des potentiels évoqués, ce qui montre bien qu'il y a des mécanismes internes au cerveau pour régler l'arrivée du flux d'information en provenance des organes des sens. On a découvert ainsi que le seuil de sensibilité à un clic auditif est très élevé pendant le sommeil paradoxal. De même une lumière de 150 watts passée devant les yeux maintenus ouverts d'un dormeur peut ne pas le réveiller pendant la phase paradoxale ; on pourra encore le secouer ou le pincer sans obtenir plus de résultat.

D'autre part, on a remarqué que, pendant le sommeil paradoxal, ces potentiels évoqués sont plus semblables à ceux de l'état de veille qu'à ceux du stade 4. On peut supposer que l'activité propre au cerveau pendant cette phase contribue à le détourner des stimulations extérieures. C'est un phénomène apparenté qui semble se produire à l'état d'éveil dans l'attention. Ainsi un chat captivé par une souris ou attiré par une odeur de poisson sera-t-il bien moins réceptif à des stimuli lumineux qu'on chercherait à lui transmettre. Les expériences électro-encéphalographiques de Hernandez-Peon ont confirmé qu'à l'état d'attention l'homme montre une réaction atténuée aux stimuli qui ne l'intéressent pas présentement ; cette réaction est bien analogue à celle du sommeil paradoxal. La profondeur de sommeil apparaît donc aujourd'hui comme une notion délicate à manier.

○ *Temps de réaction et activité discriminatoire pendant le sommeil*

Avant de recourir à des mesures électriques, la profondeur du sommeil avait été appréciée en fonction du temps de réaction à diverses stimulations (sons, lumières) d'un individu s'endormant. Les résultats confirment bien un seuil élevé de sensibilité du premier sommeil. Il apparaît toutefois que les réponses des sujets endormis à ces sons ou ces lumières, comme dans la vie éveillée, sont fonction de leurs motivations. Les dormeurs rémunérés ont beaucoup plus de facilité à répondre aux injonctions de l'expérimentateur...

Un des phénomènes propres à la vigilance en général est celui de l'«habituation» : tendance à ne plus répondre à un stimulus externe ou interne parce que l'organisme s'y est habitué. M. Jouvet remarqua qu'un son qui provoquait le réveil, chez le chat, finissait au bout d'un certain nombre de répétitions par n'entraîner ni réveil comportemental ni réponse sur l'électro-encéphalogramme. Par contre, un son légèrement différent suffisait à faire disparaître l'habituation et à réveiller l'animal.

## Le cerveau conserve bel et bien une activité mentale pendant le sommeil

Des expériences sur la sensibilité furent alors poursuivies afin de savoir si le cerveau de l'homme ou de l'animal endormi était capable d'une activité de discrimination. La technique classique consistait à présenter à un sujet éveillé un ensemble de sons dont l'un était accompagné d'une décharge électrique. On reproduisait ensuite ces mêmes sons pendant le sommeil, et l'on observait si le phénomène d'habituation à ce dernier son (qui évidemment n'était plus accompagné de la décharge électrique) était plus lent que pour les autres. Il s'avéra que le cerveau endormi tenait compte des expériences pénibles effectuées pendant l'éveil. Cela fut confirmé par le fait que ce son provoquait plus facilement que les autres des complexes K sur l'électro-encéphalogramme.

Oswald fit aussi des expériences avec des stimuli auditifs de la parole[41]. Il enregistra sur une bande magnétique «cinquante-six prénoms différents, chacun paraissant seul huit fois en tout, puis sans interruption les noms se succédaient répétés deux fois (Alain-Alain, Etienne-Etienne...) sur le reste de la bande». Cette bande fut passée aux sujets à de nombreuses reprises, de jour et de nuit, et à divers stades du sommeil. Les sujets devaient remuer la main chaque fois que leur nom était prononcé ainsi que celui d'une autre personne déterminée. Les noms étaient énoncés par des voix masculines et féminines. Il apparut, d'une part, que les voix des femmes provoquaient plus facilement une réponse que celles des hommes, ce que l'on peut attribuer à la hauteur différente du timbre de la voix; d'autre part, que le prénom du sujet entraînait significativement plus de complexes K ou même d'éveils que les autres prénoms. Le prénom du sujet peut même le sortir du sommeil paradoxal; et l'on sait qu'un gémissement de son enfant, pas plus fort qu'un éternuement, peut aussi tirer une mère de cette phase de sommeil. Le cerveau a donc bien une activité mentale pendant le sommeil (dont l'efficacité est évidemment inférieure à celle de la veille) et opère un certain choix sur les excitations auxquelles il veut bien répondre.

## Les secousses corporelles

L'assoupissement ou l'endormissement est non seulement un état spécifique de la vigilance dont témoigne l'électro-encéphalogramme, mais aussi le lien d'un ensemble de manifestations de la sensibilité corporelle, de l'imagerie mentale, ou de pensées bizarres. Oswald leur a consacré différentes descriptions[41]. Il arrive souvent, lorsque nous nous endormons, ou plus rarement lorsque nous nous réveillons, d'être secoués par une violente secousse corporelle. Ces secousses, appelées spasmes «myo-cloniques», sont plus ou moins fréquentes, et il semble que les gens nerveux y sont spécialement susceptibles. Elles sont vraisemblablement dues à des variations brusques de décharges électriques dans le cerveau, les neurones passant d'un état d'agitation électrique à un autre (l'absence de ces secousses chez le chat décortiqué laisse supposer que l'excitation des cellules du cortex serait impliquée dans ce phénomène).

Le plus souvent ces spasmes se produisent lors de la phase B de Loomis; le sujet nie parfois avoir dormi jusque-là. En fait, ces convulsions sont généralement associées à un réveil pendant l'endormissement, et l'on pourrait supposer que c'est ce changement de régime qui le provoque. Mais une simultanéité n'est pas forcément une causalité. Quoique apparenté à une décharge épileptique, ce spasme est tout à fait normal; semblablement au réflexe de peur qui, lui aussi, provoque une telle décharge et n'est pas non plus pathologique.

## L'impression de chute et les chocs sensoriels

Associée à ces secousses, apparaît assez fréquemment l'expérience d'une chute. On tombe d'une échelle, on rate une marche, on saute du haut d'une falaise. Quelquefois la secousse semble résulter de ce que l'on se rattrape pour ne pas tomber; d'autres fois, elle est la conséquence de la chute elle-même. Freud pensait que chez la femme elles avaient un sens érotique, tandis que chez l'homme elles manifesteraient le plaisir infantile de tomber pour être relevé par sa mère. Tout aussi séduisante est l'idée ancienne, rapportée par I. Oswald, que nos ancêtres arboricoles, dormant sur des branches, avaient parfois soudainement peur de tomber et s'accrochaient alors brusquement à la branche qui les soutenait.

---

**Dans le sommeil, la moindre sensation de choc, de bruit, de lumière fonctionne comme un signal d'alarme**

---

De nombreux autres chocs sensoriels spécifiques peuvent aussi se produire pendant l'assoupissement. Bruit de verre cassé, son de cloche, coups de pistolet, petite musique étrange, éclair lumineux, sensation d'un courant électrique. Chaque fois le scénario est le même. Nous nous réveillons l'œil en alerte et l'oreille aux aguets, souvent même avec des sueurs froides ou le cœur battant la chamade, pour peu que l'on soit inquiet, nerveux, ou que l'on vienne de s'endormir en lisant un roman policier. Parfois, comme mû par l'appel de son nom, le dormeur s'assoira en sursaut, répétant peut-être là l'absence coupable qu'il a souvent eue jadis à l'école. Des sensations de distorsions des membres, d'un bras qui s'allonge, d'un pied qui enfle, d'une tête qui grossit jusqu'à exploser sont plus rarement associées à cet engourdissement général qui précède le sommeil.

## Les visions du demi-sommeil

Si le XIX<sup>e</sup> siècle portait un intérêt tout particulier aux visions de demi-sommeil et aux images, ces descriptions s'appuyaient cependant sur une fausse théorie. Pour l'associationnisme, en effet, l'image n'était qu'une copie de la réalité conservée dans notre mémoire. Or, l'on sait aujourd'hui que l'image est une construction à laquelle participent différents systèmes du cerveau et qu'il n'y a pas de réservoir d'images. Même les sujets qui ont la possibilité de reproduire les images quasi photographiques des objets, images dite «eidétiques», qui s'imposent par leur présence et leur réalité, ont construit ces images. Une image eidétique n'est pas forcément une image exacte. Certains sujets ont ainsi au réveil de telles images très nettes, très vivantes et très colorées, mais qui, si on devait les décrire, apparaîtraient très différentes de leur supposé original.

Les images de l'endormissement, ou du demi-sommeil, quoique très répandues, sont souvent, à cause de leur qualité évanescente, moins retenues que les rêves; et l'imagerie populaire leur a consacré une place mineure. Ce fut Maury qui, en 1848, créa le terme

d'«hallucination hypnagogique», c'est-à-dire qui introduit le sommeil[37]. J. Leroy, en 1926, y consacra les
«Visions du demi-sommeil[92]» et Sartre, poursuivant
cette tradition française, devait leur faire place dans
«l'Imaginaire[52]».

De ces visions de la somnolence, on distingue généralement plusieurs sortes :

— *Les lueurs entoptiques* apparaissent lorsqu'on a les
yeux fermés dans l'obscurité ; on ne voit pas alors du
noir, mais des taches plus ou moins colorées, plutôt
amorphes.

— *Les phosphènes* sont des images créées par une excitation de la rétine, on peut les produire en pressant le
globe oculaire avec son doigt lorsque l'œil est fermé ; il
en résulte des formes aux contours peu définis, des
étoiles, des trajets phosphorescents.

— *Les images consécutives ou «hypnopompiques»*,
selon la terminologie de F.W.H. Myers, sont des images
de rêve ou de demi-sommeil, qui persistent un court
moment après l'éveil, même si les yeux sont ouverts. Il
arrive ainsi qu'au réveil après un rêve inquiétant ou
menaçant, on conserve un moment comme une hallucination la dernière image vue. Ce sera parfois une présence humaine dans la chambre, parfois une araignée
courant sur l'oreiller.

— *Les images hypnagogiques* proprement dites (c'est-à-
dire qui précèdent le sommeil ou lui succèdent immédiatement), enfin, s'entendent de figures géométriques
apparentées aux phosphènes, jusqu'à de petites saynètes
qui se rapprochent du rêve.

En dépit de l'infinie variété de ces images, on peut
distinguer avec I. Oswald[41] : des visages et des sil-
houettes qui regardent le dormeur, parfois même des
squelettes ; des formes amorphes et abstraites, on se voit
porté par une lame de fond, écrasé par des masses
informes qui s'avancent vers vous ; des scènes de la
nature, paysages, arbres, fleurs, roseaux.

○ *Rêve et image hypnagogique*

On s'est souvent demandé dans quelle mesure l'image

hypnagogique était apparentée au rêve. Dans l'ensemble, l'esprit y saute d'une image à une autre, d'un genre à d'autres genres, sans avoir la continuité relative propre au rêve. D'autre part, on trouve rarement de référence à des événements du jour même. Ces scènes paraissent donc beaucoup plus loin de la réalité vécue du sujet que le rêve. Cependant, Leroy remarque qu'étant étudiant en médecine, il lui arrivait souvent de voir le soir avec une grande netteté la préparation à laquelle il avait travaillé dans la journée. Il faut peut-être classer ce fait avec le type particulier d'image qui survient le soir lorsqu'on a accompli dans la journée une tâche répétitive, de longue durée. Tout conducteur d'auto, ayant fait un long voyage, aura été sujet avant de s'endormir à des images où il voit défiler des kilomètres de routes, ou une multiplicité de voitures.

---

**Dans le rêve, le sujet est souvent acteur, il n'est que spectateur dans l'image hypnagogique**

---

Une des différences caractéristiques entre les images hypnagogiques et le rêve est que dans ce dernier le dormeur lui-même est souvent présent; dans un rêve de bataille, par exemple, le sujet participe souvent à l'action. L'image hypnagogique est un phénomène beaucoup plus passif et l'on a remarqué que le dormeur assiste en quelque sorte en spectateur étranger à ces images. Vagues, floues, discontinues, coupées du réel, les images hypnagogiques semblent avoir un autre principe de constitution que le rêve. Certains auteurs, comme W.C. Dement, ont donc établi une véritable distinction entre le rêve et les images hypnagogiques.

Pourtant, d'autres, au contraire, tels Oswald ou Fischgold, pensent que le rêve n'est pas en rupture radicale avec ces phénomènes, et conçoivent une évolution graduée à la fois de la perception de veille aux images du demi-sommeil et de ces dernières au rêve. L'image hypnagogique apparaît en effet comme le rêve dans un état de baisse de la vigilance, et l'électro-encéphalogramme prouve bien que l'individu qui y est sujet passe par des moments de sommeil léger du type du stade 1 ou B selon les classifications.

○ *Origine des images hypnagogiques*

Si le matériel des hallucinations du demi-sommeil est différent quoique relativement proche de celui du rêve, on a aussi pensé que les phosphènes pouvaient être à l'origine de ces images. A. Maury et A. Binet avaient ainsi déjà affirmé que les visions hypnagogiques étaient un développement des taches lumineuses qui les précé-daient[37]. Jean-Paul Sartre reprendra cette hypothèse en l'adaptant. La thèse célèbre de Sartre à l'encontre de celle de Bergson est que les images hypnagogiques ne sont pas simplement le fait d'un affaiblissement de la tension face à la vie, comme le croyait ce dernier, mais d'une certaine orientation de la conscience. La conscience, dit Sartre, est alors une conscience fascinée, et il fera du rêve «une conscience captive». Captivée par elle-même, la conscience peut alors se laisser fasciner par le champ des phosphènes. Les points brillants devien-nent des étoiles, les étoiles des lignes, les lignes des formes, puis tout d'un coup apparaît l'image hypnagogi-que. Sartre insiste sur ce fait qu'il n'y a pas de mise au point, mais que l'image hypnagogique se donne d'un seul coup à la conscience. Ce type de genèse de la conscience imageante, Sartre le retrouvera dans le marc de café, ou dans la boule de cristal : «Rien de précis, rien de fixe dans cette boule de verre. L'œil ne peut s'arrêter nulle part, aucune forme ne le maintient. Lorsque la vision paraît, sollicitée par ce déséquilibre constant, elle se donne spontanément comme image : c'est, dira le sujet, l'image de ce qui doit m'arriver[52].»

Chez Sartre, comme chez Leroy, c'est la rétine qui était à l'origine des phosphènes, et qui le sera aussi à celle des images hypnagogiques. Or, Oswald remarque que les voies visuelles ne se limitent pas à la rétine, et qu'il n'y a pas de raison que celle-ci soit plus concernée par une décharge électrique qu'une autre partie du cer-veau. D'autre part, pour Oswald, les images hypnagogi-ques peuvent avoir lieu indépendamment d'une excita-tion des organes des sens, et ne sont donc pas directement provoquées par la rétine. L'examen de malades atteints de lésions des voies afférentes des organes des sens, et conservant pourtant des images hypnagogiques, semble bien confirmer cette dernière thèse.

Les remarques faites pour les visions sont valables pour les hallucinations auditives du demi-sommeil. Les pensées elles-mêmes qui surviennent dans ces états de somnolence sont souvent peu intellectuelles, pompeuses, avec parfois un caractère d'aphorisme ou de versification. Toutefois, le va-et-vient entre la veille et le sommeil fait que l'on peut intercaler des réflexions faisant le point sur la journée passée avec ces pensées «déréistiques» (d'après Bleuler, 1924), c'est-à-dire qui ne tiennent pas compte de la réalité.

---

**Les productions du demi-sommeil ne peuvent être assimilées ni à la conscience éveillée ni au rêve**

---

L'ensemble de ces phénomènes hallucinatoires et des productions imaginaires de l'endormissement étant plus fréquent chez certains individus, et d'autres semblant même prendre goût à les prolonger, on s'est demandé dans quelle mesure ils ne pourraient pas remplacer chez eux la phase paradoxale. Hartmann dans sa «Biologie du rêve[20]» conclut cependant qu'il ne lui semble pas qu'ils puissent se substituer aux composantes biologiques de cette phase. Ainsi, les moments fugitifs entre veille et sommeil conservent leur particularité physiologique et leur fragilité psychologique qui les différencient à la fois de la conscience éveillée et du rêve. Nous verrons toutefois qu'ils se rapprochent de certaines hallucinations pathologiques.

# La vie sans sommeil

Certains prétendent qu'ils pourraient très bien se passer de sommeil, d'autres ont entendu parler de l'homme qui ne dort pas; pourtant les savants ne semblent pas avoir rencontré cet homme, et les avis de ceux qui considèrent que le manque de sommeil provoque la mort sont aussi nombreux. On sait que des animaux sont morts parce qu'ils ne dormaient pas. G.G. Luce et J. Segal rapportent qu'une des tortures les plus cruelles de l'Inquisition était celle de l'éveil forcé[35]. Par un éveil forcé, on provoquait chez les femmes accusées de sorcellerie des troubles mentaux de plus en plus pénibles, jusqu'à ce que la mort soit leur dernier refuge. Tout service de renseignements a encore recours aujourd'hui à une pratique qui consiste à user la résistance ou la vigilance de l'inculpé en réduisant son temps de sommeil et en soumettant son système nerveux, ainsi affaibli, à des stimuli auditifs ou visuels violents. Allié à la suggestion, cet ensemble de techniques formera ce que l'on appelle le lavage de cerveau.

## Les techniques de la privation de sommeil

Cette méthode de la privation de sommeil est aujourd'hui utilisée expérimentalement afin de déterminer notre besoin de sommeil, et de préciser les fonctions qui se ressentent de son absence. Pour cela tout un ensemble de techniques est appliqué pour tenir l'homme ou l'animal éveillé. Mais rester éveillé devient, à partir d'un certain seuil, particulièrement difficile. N. Kleitman, qui avait essayé sur lui-même la privation de sommeil, était obligé de marcher constamment pour éviter de s'endormir. Une des difficultés pour interpréter les résultats de ces privations de sommeil sera justement de faire la part entre les effets de la technique elle-même et les effets du manque de sommeil. Ainsi, il est évident que le simple fait de marcher sans arrêt peut induire sur la musculature des effets spécifiques indépendants du manque de sommeil.

○ *La vogue des marathons du sommeil*

Les recherches sur le manque de sommeil prirent une

certaine ampleur à la fin de la Seconde Guerre mondiale, lorsque les psychiatres entreprirent des expériences sur des soldats qui avaient souffert du manque de sommeil. Ces expériences eurent lieu au centre de recherche de l'armée américaine (l'Institut Walter Reed) sous la direction de H.L. Williams[108]. De nombreuses autres expériences devaient être menées par la suite jusqu'à celles, spectaculaires, qui se déroulèrent en direct à la radio américaine. En 1959, à New York, Peter Tripp devait, à trente-deux ans, rester éveillé deux cents heures, tout en parlant régulièrement à la radio. Ses auditeurs auraient difficilement pu remarquer un changement dans sa façon de parler. Ce record de deux cents heures fut plus tard largement dépassé, puisqu'un jeune garçon de dix-sept ans, Rendy Gardner, devait tenir deux cent soixante-huit heures sans repos. Comme on l'a déjà vu pour les rats, il semble bien que l'âge soit un facteur important dans la résistance au sommeil.

### Une expérience sur le rat

Comme l'on ne peut expérimenter sur l'homme que dans certaines limites, on a imaginé un certain nombre d'appareils pour maintenir éveillé le rat ou le chat. On place, par exemple, un rat sur un tapis roulant qui lui envoie une décharge électrique lorsqu'il arrive au bout, si bien que le rat est obligé de se déplacer continuellement s'il veut éviter cette décharge. On a aussi inventé un système de roue d'écureuil qui tourne lentement au-dessus de l'eau. La fatigue aurait dû normalement amener les rats à tomber rapidement dans l'eau froide. On s'aperçut cependant que certains d'entre eux, les plus jeunes, réussirent à tenir vingt-sept jours. Les rats les plus âgés ne tenaient, en revanche, que quelques jours. Cette résistance incroyable des jeunes rats fut expliquée plus tard lorsqu'à l'aide d'électro-encéphalogrammes plus précis on s'aperçut qu'ils arrivaient à faire des sommes très brefs de 10 à 15 secondes, tandis qu'ils remontaient la roue.

## Des signes de fatigue qui se dissipent plus vite qu'ils ne s'installent

L'évolution de ces marathons de sommeil apparaît relativement constante. Le sujet commence d'abord par se sentir fatigué, par avoir des périodes d'inattention, puis il perd progressivement son intérêt pour le monde extérieur. Il aura des démangeaisons ou des irritations des yeux, et sentira son crâne se rétrécir. Au bout d'une cinquantaine d'heures, surviendront des troubles de la perception : les objets grandiront ou rétréciront, bougeront. Enfin, après quatre-vingt-dix heures, des hallucinations apparaîtront. On rapprochera alors le comportement de l'homme privé de sommeil et celui du schizophrène, malade mental qui vit dans un monde coupé de la réalité.

Pourtant il suffira de douze à treize heures de sommeil pour que le sujet du marathon retrouve une vision normale. En dépit des conséquences dépressives qui peuvent subsister à la suite d'un tel rythme de vie, on est toutefois amené à remarquer qu'il n'y a pas de rapport direct entre le temps passé à ne pas dormir et le temps nécessaire pour récupérer, du moins au niveau du sommeil global.

## Les effets physiologiques de l'absence de sommeil

Les modifications chimiques et physiologiques dues à la privation de sommeil ne sont pas encore très bien connues. On a remarqué une diminution de la température après plus de six jours ; une baisse de la force musculaire ; une réduction du temps passé en ondes alpha. Le rythme alpha réapparaîtra si l'on présente au sujet une stimulation nouvelle. L'électro-encéphalogramme varie donc en fonction de la situation ou de la tâche à accomplir. Souvent le sujet tombe dans un état de sommeil léger qui fait qu'il se cogne aux murs ou qu'il marche de travers. Enfin, on a découvert récemment que, lors de la privation de sommeil, le sujet produit un agent chimique apparenté au L.S.D. (diéthylamine de l'acide lysergique); cette découverte donne un commencement d'explication des rapports possibles entre les psychoses et le manque de sommeil.

## Les effets psychologiques de l'absence de sommeil

Les effets psychologiques et comportementaux du manque de sommeil font l'objet de nombreuses études. On a soumis, en effet, les non-dormeurs à toute une série de tests pour mesurer leurs performances lors de l'accomplissement d'une tâche difficile. Oswald rapporte différents tests effectués par Williams et Wilkinson[41]. Dans l'un d'eux, les sujets de Wilkinson devaient surveiller un écran sur lequel une tache lumineuse se produisait seize fois au hasard parmi huit positions. Les sujets avaient pour ordre d'avertir s'ils repéraient la tache. Or, en moyenne, l'attention des sujets tendait à diminuer pendant dix minutes consécutives. On s'aperçut que, même en gardant les yeux ouvert, le non-dormeur pouvait avoir de brefs épisodes de sommeil léger.

Toutefois après des jours de privation, un sujet peut arriver à faire parfois des scores aussi bons qu'un sujet normal. Cela est en rapport avec le fait que l'exécution d'une tâche est plus ou moins bien remplie selon que le sujet est libre de choisir son temps de réponse ou selon, au contraire, qu'il doit suivre les instructions de l'expérimentateur. En effet, dans le premier cas, le sujet ayant tout son temps peut faire une bonne performance, tandis que dans le second les erreurs seront dues à ce que l'expérimentateur peut lui faire des demandes pendant des périodes de microsommeil. I. Oswald pense que ces microsommeils sont moins des absences soudaines et totales de vigilance que la position extrême d'un glissement périodique de la vigilance cérébrale. Dans cette courbe décroissante de la vigilance, il y aura des soubresauts ou des irrégularités dus aux aléas de la tâche à accomplir, ou à des stimulations propres à l'environnement. A chaque fin de période, on reviendrait à une

vigilance plus élevée[41]. Finalement, il apparaît que ce
sont les tâches qui demandent à la fois le plus d'attention, de temps et d'ennui qui seront le moins bien
réussies.

## Le manque de sommeil altère gravement le caractère et le comportement

A côté des erreurs ou des retards provoqués dans les
tests de performance, la manque de sommeil se caractérise aussi par toute une série d'altérations du caractère,
de la pensée ou du comportement moteur. Au bout de
trois ou quatre jours d'état de non-sommeil, des rats se
battaient entre eux jusqu'à ce que mort s'ensuive. L'ir-
rascibilité, la mauvaise humeur sont en effet caractéristiques du manque de sommeil. D'autre part, un peu
comme un homme ivre, le non-dormeur se met à bre-
douiller, à marmotter, n'écoute pas les autres et pro-
nonce des paroles ou fait des gestes incontrôlés. Un des
sujets d'Oswald était devant la table d'électro-encéphalographe lorsqu'il se baissa et embrassa la feuille du tracé

| Test | Niveau de performance sans sommeil |
|---|---|
| Vigilance (nombre de signaux perçus) Ensemble du test | 34 |
| Vigilance (nombre de signaux perçus) Dernière moitié du test | 4 |
| Prise de décision codée (erreurs) | 45 |
| Echecs (jeu d') | 51 |
| Sortie de cartes (erreurs) | 60 |
| Sortie de cartes (vitesse) | 76 |
| Tennis de table | 100 |
| Prise de décision tactique (erreurs) | 100 |

«Effet d'une privation de sommeil d'une durée allant jusqu'à
60 heures, sur des tests variés et des jeux, tous d'une durée de
20 à 30 minutes. Le niveau de performance sans sommeil est
exprimé par un pourcentage du niveau — contrôle de performance après sommeil normal.»

E.E.G. Il avait alors pensé à sa petite amie qui refusait de l'épouser.

Enfin, surviennent souvent des hallucinations assez semblables aux images hypnagogiques précédant le sommeil. Sorte de microrêve, où le soldat américain voyait souvent des filles ou des femmes. Un homme qui avait cru voir une femme qui attendait dehors, debout, ouvrit la porte d'un réfrigérateur, expliquant qu'on ne laisse pas une femme sous la pluie. D'autres deviennent grandiloquents ou pensent que l'expérimentateur est un espion qui va les trahir. Généralement, arrivés à ce point, les médecins arrêtent l'expérience. Certains pensent, en effet, que le manque de sommeil pourrait avoir des conséquences irréversibles sur la dégradation du système nerveux.

## La privation de rêve

Les expériences que nous venons de considérer éliminaient à la fois le sommeil lent et le sommeil de rêve. Or, dès 1960, Dement et le psychiatre Fisher, à l'hôpital de Mont Sinaï à New York, se demandèrent si, comme les psychanalystes le pensaient, le rêve avait une fonction vitale ou si, au contraire, la privation de rêve laissait inchangé notre organisme[68]. En fait, on ne peut pas éliminer sélectivement le rêve, mais l'on peut agir sur l'ensemble des manifestations qui caractérisent le sommeil paradoxal. Les premières expériences de privation de ce sommeil consistaient à réveiller le dormeur chaque fois que son électro-encéphalogramme manifestait un tracé de sommeil paradoxal. Cette méthode laissait cependant échapper 20 à 40 % de rêves.

Dement trouva ensuite le moyen de faire sonner un réveil avant l'apparition du mouvement R.E.M. Pour empêcher le chat d'entrer en phase paradoxale, on avait mis au point un système qui consistait à l'installer sur une pierre étroite au milieu d'un bassin d'eau. Le chat pouvait ainsi dormir assis, mais dès qu'il entrait en phase paradoxale les muscles de sa nuque se relâchaient, et il basculait dans l'eau. Plus récemment enfin, M. Jouvet a découvert qu'une injection de réserpine[67] pouvait supprimer le sommeil paradoxal chez le chat pendant quatre ou cinq jours.

---

**Après une privation de sommeil paradoxal, on assiste à une surenchère de rêves**

---

Les expériences faites sur l'homme montrèrent que plus le temps de privation de sommeil paradoxal augmente, plus il est difficile d'empêcher cette phase d'apparaître. En effet, alors qu'il suffisait de quatre à cinq réveils pour l'éliminer lors de la première nuit (ce qui correspond au nombre de phases R.E.M. dans un cycle normal), au bout de cinq nuits il fallait vingt à trente réveils. Cette augmentation de rêves après privation sera vérifiée lorsque le sujet pourra redormir normalement. On s'aperçoit, en effet, que, les premières nuits, il y a comme une orgie de rêves pour rattraper ce qui a été perdu. On obtient, en effet, 30 à 40 % de sommeil rapide, alors que la normale n'est que de 20 %. Une expérience de contrôle, qui consistait à réveiller le sujet au hasard en sommeil lent, n'eut pas d'influence sur le sommeil rapide.

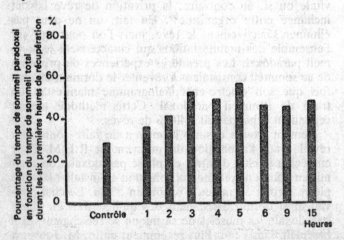

### Etude de la privation de sommeil paradoxal chez le chat[20]

Les expériences faites sur l'homme dépassent rarement dix à quinze jours, et généralement, au bout du dixième jour, il faut aider le sujet avec des amphétamines. Au bout de quinze jours, le sujet aussitôt réveillé aura tendance à retomber immédiatement en sommeil paradoxal. Le chat lui-même devient complètement apathique et ne tient plus sur ses pattes. Toutefois, on peut, chez le chat, atteindre des périodes de trente à soixante-dix jours. Ces expériences montrent que la phase de récupération de sommeil à mouvements oculaires rapides ne dépasse pas un certain seuil (voir figure) et qu'après quelques jours on ne récupère jamais plus de 60 % du temps de sommeil perdu.

---

### La privation de rêve a les mêmes effets négatifs sur le comportement que la privation de sommeil

---

Dans l'ensemble, les effets psychologiques de la privation de l'état de rêve se rapprochent de ceux examinés pour la privation de sommeil global : fatigue, irritabilité, instabilité mentale. On a observé que les chats ont des comportements sexuels qu'ils n'auraient pas en temps normal, comme de tenter de copuler avec des partenaires endormi(e)s. Enfin, Cohen et Dement remarquèrent que l'excitabilité du système nerveux central s'accroissait en cas de privation de sommeil paradoxal. Ainsi, une petite décharge électrique dans l'oreille du rat provoquait une convulsion beaucoup plus forte qu'à l'état normal. De plus, fait étrange, les rats ainsi soumis à des décharges électriques passaient ensuite moins de temps à récupérer le manque de sommeil paradoxal. On supposa alors que l'électrochoc avait peut-être un rôle semblable à celui des décharges du sommeil rapide lui-même.

Il y a donc un besoin d'état de rêve, et vraisemblablement d'une certaine quantité de celui-ci. Mais cet état n'est pas, comme certains chercheurs l'ont affirmé, le seul élément nécessaire du sommeil. En effet, le stade 4 du sommeil lent apparaît tout aussi important, et lors d'une privation de sommeil total la première nuit de récupération contient toujours un pourcentage élevé de stade 4, l'augmentation de sommeil rapide ne se manifestant que les nuits suivantes. (Il faut tenir compte du fait que les différentes composantes du sommeil paradoxal n'ont pas le même comportement lors de l'état de privation. Ainsi, après quelques jours de privation, les érections se manifesteront pendant le sommeil lent, tandis que les pointes P.G.O. réapparaissent chez le chat, même si celui-ci est privé de la chute du tonus musculaire.)

# Les fonctions du sommeil

## Psychologie et physiologie du sommeil

Nous avons jusqu'à présent surtout décrit les mécanismes du sommeil; or, comme la faim, le sommeil doit
avoir une ou des fonctions précises dans le maintien en
vie d'un organisme. Kleitman dans son ouvrage général
sur le sommeil[31], en 1939, ne faisait cependant pas allu-
sion aux fonctions du sommeil. On admettait en effet
alors une fonction globale d'adaptation du cycle sommeil-éveil, mais pas de fonction spécifique du sommeil.
Aujourd'hui, au contraire, on a presque autant d'hypothèses sur les fonctions du sommeil que de chercheurs
qui s'y sont consacrés. Cela provient en fait de ce que
chaque niveau d'appréhension du sommeil a permis de
développer une fonction qui lui est propre. On peut
penser, d'autre part, qu'il y a au moins deux fonctions
différentes du sommeil qui répondent aux deux types de
sommeil connus aujourd'hui, même si ces fonctions ne
sont pas purement indépendantes l'une de l'autre. Parmi
l'ensemble des théories actuelles sur le sommeil nous
distinguerons trois catégories de fonctions possibles : des
fonctions d'adaptation, des fonctions de restauration et
des fonctions psychologiques.

# Les fonctions d'adaptation

C'est essentiellement le sommeil paradoxal qui a fait l'objet d'hypothèses concernant le système d'alerte ou de vigilance d'un individu pendant son sommeil. C'est aussi au sommeil paradoxal que se rapporteront les hypothèses sur la maturation du système nerveux et la consolidation des fonctions de mémorisation et d'apprentissage.

## Le système de guet

Ephron et Carrington, en 1966, ont supposé que le sommeil était un état de repos pendant lequel le cortex cérébral était désafférenté, ou du moins peu sollicité; il pouvait être dangereux que ce sommeil se prolonge trop longtemps (désafférenté : état où les excitations venant par les fibres nerveuses afférentes au cerveau seraient coupées). Ils attribuèrent alors au sommeil paradoxal le rôle épisodique de ramener au cortex l'excitation nécessaire afin d'équilibrer les effets du sommeil lent. F. Snyder en étudiant le sommeil chez les animaux a, dans une optique semblable, émis l'hypothèse que les réveils intermittents de la phase paradoxale permettaient à l'animal d'être prêt à réagir rapidement en cas de danger[56].

---

**Chez les animaux, le sommeil paradoxal remplirait notamment une fonction d'alerte**

---

En effet, les animaux qui doivent se défendre des prédateurs sont souvent ceux qui dorment aussi le plus. Ce sommeil long a sans doute l'avantage de leur faire dépenser moins d'énergie, et de les soustraire, du moins la plus grande partie du jour, aux prédateurs; dormir s'apparente en effet à faire le mort, qui est souvent une conduite de défense et de protection chez les animaux. Toutefois, Snyder suppose qu'un sommeil lent trop prolongé desservirait au contraire ces animaux, et donc que le sommeil paradoxal est nécessaire afin de leur servir de système de guet. En effet, on constate souvent chez les animaux que le sommeil paradoxal est suivi d'un réveil. Snyder appuie son hypothèse par la constatation que, chez l'homme, le réveil pendant le sommeil lent s'accompagne d'une certaine confusion d'esprit, tandis qu'au contraire on est beaucoup plus dispos si l'on est réveillé lors d'une phase de sommeil paradoxal. E. Hartmann objecte cependant que l'hypothèse de Snyder semble difficilement conciliable avec le fait que le seuil d'excitation externe est alors très élevé ; et il ajoute qu'il vaudrait mieux que l'animal se réveille sans passer par la phase paradoxale. Cette fonction d'alerte reste séduisante, mais il est probable que le retour cyclique du guet et les différentes durées de ce cycle dans les espèces correspondent à une fonction plus large qu'une simple surveillance des prédateurs. Rien n'empêcherait un prédateur stratège de surgir entre les phases de sommeil paradoxal.

## La maturation du système nerveux

Roffwarg, Muzio et Dement, en 1966, remarquant la forte prédominance de sommeil paradoxal chez le nouveau-né et chez le fœtus, en ont conclu que ce sommeil devait être en rapport avec l'excitation du cortex[101]. Le fœtus ne pouvant recevoir de stimulations externes, de même que le nouveau-né qui dort beaucoup, tous deux auraient besoin d'excitations internes qui leur seraient procurées par la phase paradoxale. Il y aurait ainsi une sorte de bombardement du cortex cérébral en train de se former, par des stimulations internes.

Toutefois, cette différence entre excitation interne et externe reste douteuse ; Charles Kayser remarque que le prématuré arrivé à l'âge du nouveau-né, soit neuf mois, n'a pas moins de sommeil paradoxal que celui-ci[30].

Le surplus d'excitation dont il a bénéficié n'a donc pas influé sur l'évolution de son sommeil paradoxal. Il n'en reste pas moins qu'il y a vraisemblablement une relation entre le sommeil rapide et la maturation du système nerveux.

D. Jouvet-Mounier, qui a comparé les quantités de sommeil paradoxal chez le chat, le cobaye et le raton nouveau-nés, en déduit que le facteur de maturation à la naissance semble déterminer la proportion de sommeil paradoxal chez les mammifères nouveau-nés[88]. En effet, le raton qui naît immature a beaucoup de sommeil paradoxal, tandis que le cobaye qui naît presque à maturité en a très peu. Denise Jouvet-Mounier constate aussi que le sevrage implique chez l'animal né immature une diminution du sommeil paradoxal et une augmentation du sommeil lent.

Une découverte de Berger en 1969 impliquerait le sommeil paradoxal dans le développement et le maintien de la vision binoculaire[62]. Berger appuie son hypothèse sur le fait que l'on peut relever dans différentes espèces une corrélation entre l'entrelacement des fibres du nerf optique et la quantité de sommeil paradoxal. Ainsi le cobaye, la poule ou le pigeon ont-ils peu de sommeil paradoxal et un faible entrecroisement des fibres, tandis que, du mouton à l'oppossum et du singe à l'homme, cet entrecroisement augmente parallèlement à l'augmentation du sommeil paradoxal. Le sommeil paradoxal associé aux mouvements oculaires rapides et aux décharges électriques qui se manifestent dans les voies optiques contribuerait donc à l'entretien des neurones de la vision. Cette hypothèse reste toutefois controversée.

## La durée du sommeil n'est pas sans influence sur l'espérance de vie

S'il est difficile de définir une fonction spécifique du sommeil dans le système nerveux, il y a cependant une fonction plus générale qui affecte la longévité des espèces. Le sommeil, en effet, économise l'énergie dépensée par le système nerveux, et l'on remarque que pour une taille et un poids approximativement identiques les animaux qui dorment plus longtemps vivent aussi plus longtemps. Ce sommeil prolongé correspond généralement à une température corporelle basse, celle-ci caractérise l'hibernation. La chauve-souris, qui dort beaucoup, vit plus longtemps qu'un oiseau qui a une dépense d'énergie beaucoup plus élevée par unité de poids. Paradoxalement, le sommeil semble donc favoriser des espèces dont le système nerveux est déjà réglé sur un registre économique et ne compenser que relativement les espèces dépensières. On retrouvera ce paradoxe lorsqu'on étudiera les variables psychologiques du sommeil chez l'homme. Si le sommeil aide à la maturation du système nerveux, nous pensons aussi que le dynamisme propre du système nerveux conditionne le temps de sommeil et la proportion relative des deux types de sommeil.

## Mémoire et apprentissage

En 1932, le neurologue Jackson suggérait déjà que le sommeil avait un rapport étroit avec la mémoire[87]. Il pensait en effet que le sommeil effectuait un tri parmi les souvenirs de la journée, qu'il effaçait ceux qui étaient superflus et sans intérêt et, au contraire, qu'il classait les souvenirs nécessaires à conserver.

Cette hypothèse, fondée sur une consolidation de la mémoire pendant le sommeil, a été souvent reprise sous diverses formes. Dans l'ensemble, les chercheurs pensent que le sommeil aurait un rôle dans le traitement de l'information, un peu comme un ordinateur ; cela à la fois en emmagasinant l'information passée et en préparant l'individu à recevoir une information nouvelle. En effet, on peut supposer qu'à partir d'un certain seuil la mémoire serait trop encombrée pour recevoir de nouvelles informations, sans une période de répit qui lui permettrait ensuite d'assumer de nouveau son service. Ainsi les souvenirs à moyen terme seraient-ils enregistrés sur les circuits à long terme de la mémoire. Le sommeil semble bien une situation privilégiée pour effectuer cette organisation des souvenirs, puisque la sensibilité aux excitations extérieures y est faible, et puisque les commandes corporelles y sont bloquées.

Moruzzi pensait que dans le sommeil certaines synapses (région de contact entre deux cellules nerveuses) nécessaires à la formation d'engrammes (trace laissée dans le cerveau qui sous-tendrait la fixation d'un souvenir) étaient remises en service. Les connaissances actuelles sur les mécanismes du sommeil et ses rôles apportent des preuves indirectes des hypothèses concernant cette fonction de mémorisation. Tout d'abord, Greenberg a fait un rapprochement entre le rythme thêta de l'hippocampe (partie du cerveau ancien impliquée dans la mémorisation des événements) qui se manifeste parfois pendant le sommeil paradoxal et le fait que, dans la vie d'éveil, l'hippocampe est associé aux conduites de mémorisation et d'apprentissage.

## Le manque de sommeil compromet directement les facultés d'attention, d'apprentissage et de mémorisation

Ensuite, les travaux sur la privation de sommeil prouvent qu'effectivement ce sont les processus d'attention et d'apprentissage qui sont atteints par le manque de sommeil. La privation de sommeil paradoxal semble toucher plus spécifiquement l'individu qui a de nouvelles tâches à accomplir. Lecomte, Hennevin et Bloch ont montré qu'un rat privé de sommeil paradoxal devenait incapable de retenir longtemps ce qu'il avait appris[90].

Diverses considérations relatives aux vieillards et aux malades mentaux viennent corroborer ce fait que la quantité de sommeil paradoxal est fonction du nombre de tâches intellectuelles qu'un individu a eu à résoudre pendant la journée précédente. Feinbert et Evarts, s'appuyant sur les courbes d'âge, remarquent en effet qu'avec l'âge diminuent à la fois la capacité intellectuelle et le temps passé en sommeil paradoxal. Feinberg découvrit, d'autre part, que certaines personnes âgées atteintes de déficience mentale passent moins de temps que les autres en sommeil paradoxal[76]. Différents travaux, portant sur des enfants ou des adultes atteints de troubles intellectuels ou de troubles du langage, prouvent qu'inversement le sommeil paradoxal de ces patients augmente lorsque leur état s'améliore. Hartmann et ses collaborateurs ont observé ce fait sur des patients atteints de la maladie chronique de Korsakoff «qui entraîne des défections de la mémoire récente et une très faible capacité de nouvel apprentissage[21]».

## Une expérience classique mais guère concluante

Une expérience classique afin de tester le rapport entre apprentissage et sommeil paradoxal fut de faire porter en permanence à un sujet des lunettes à prismes qui donnent du monde une image renversée. Cela demandait, bien sûr, un important effort d'adaptation de la part du porteur de lunettes pour se diriger et s'orienter. Malheureusement, cette expérience ne fut pas concluante, certains chercheurs, comme Hartmann, trouvant effectivement une corrélation positive, et d'autres chercheurs n'en trouvant pas.

## La mémoire intervient-elle ou non pendant le sommeil lent ? La question reste posée

Toutes ces recherches s'appuyèrent sur des tests de mémorisation et d'apprentissage portant globalement sur les capacités d'un individu, mais l'on fit aussi diverses expériences de mémorisation pendant le sommeil. Le résultat général de ces expériences montre que la mémoire est à l'œuvre pendant le sommeil léger et le sommeil paradoxal, mais fait défaut pendant le sommeil lent. Il faut toutefois préciser que d'autres chercheurs, comme Fowler, nient cette relation et affirment au contraire que ce sont les stades 3 et 4 du sommeil lent, et non pas le sommeil paradoxal, qui ont le rôle le plus important dans la consolidation des souvenirs. Nous nous garderons ici de trancher ce débat.

On peut cependant remarquer que le rêve lui-même semble apporter une des preuves les plus notoires de ce que les circuits de la mémoire seraient mis en jeu pendant le sommeil paradoxal. Le rêve n'est peut-être que l'aspect manifeste des circuits de réverbération de l'information emmagasinée pendant la veille ; la nuit, cette information circule entre les différents étages de notre système nerveux cérébral.

Note : il est vraisemblable que pendant le rêve le cortex est alors stimulé par le thalamus ; or, le thalamus joue un rôle important dans le triage des informations sensorielles. Le thalamus serait alors lui-même assailli par une multitude de souvenirs rappelés, entre autres,

par les structures de l'hippocampe. Les circuits sensori-
moteurs du système nerveux étant alors plus ou moins
démontés et certaines inhibitions de la veille n'ayant pas
lieu, cela expliquerait le caractère inaccoutumé du rêve.

# Les fonctions de restauration

Le rêve montre ainsi le jeu des souvenirs pendant le
sommeil, mais il attire aussi l'attention sur le fait que le
système de connexion entre les informations propres à
l'éveil est alors en panne. Que le sommeil soit réparateur
et ait une fonction de restauration est sans doute la
conception la plus ancienne et la plus populaire de ses
fonctions. La recherche moderne ne la remet pas en
question, mais précise ce que le sommeil est chargé de
réparer.

## La fatigue

Pour Edouard Claparède, en 1908, le sommeil remédiait
simplement à la fatigue et à l'épuisement. Mais Claparède n'identifiait pas plus la fonction du sommeil.
Hartmann propose de distinguer deux types de fatigue :
la fatigue physique et la fatigue mentale[21].

○ *La fatigue physique* se traduit par une sensation de
relâchement des muscles du corps et du visage ; elle est
généralement agréable, et s'associe à un endormissement
facile et rapide.

○ *La fatigue mentale* est due à une activité intellectuelle,
des soucis ou des émotions ; au lieu d'être détendus, les
muscles sont alors raides et tendus ; elle s'accompagne
souvent de maux de tête, et s'exprime dans un comportement irrité ou agressif ; le petit enfant fatigué ne contrôle
plus alors ses désirs ou ses impulsions et régresse vers des
comportements que l'éducation avait fait disparaître :
frapper, donner des coups de pied ou répéter inlassable-
ment les mêmes phrases.

## Deux types de fatigue requérant le sommeil[21]

| | Fatigue 1 | Fatigue 2 |
|---|---|---|
| *Désignation grossière* | « Physique » | « Mentale » |
| *Suit typiquement* | Une journée d'activité physique, du sport, ou un mélange d'activité physique et intellectuelle sans souci ni angoisse | Une journée de tension émotive ou de travail intellectuel difficile et pas très agréable, ou de l'activité intellectuelle et émotive. |
| *Muscles* | Habituellement relâchés | Souvent tendus |
| *Symptômes physiques* | Aucun | Parfois maux de tête, d'yeux, crampes ou sensation de tension dans les muscles |
| *Ressentie affectivement* | Neutre ou agréable | Neutre ou souvent désagréable |
| *Endormissement* | Rapide, facile | Parfois lent, difficile |
| *Modifications mentales* | Pas de modifications précises. | Inconfort, irritabilité, colère, manque d'énergie, incapacité à se concentrer, perte de sociabilité, perte d'aptitude à planifier à long terme ou à établir des schémas soigneux |
| *Rapport hypothétique avec le sommeil* | Représente un « besoin » de sommeil à ondes lentes | Représente un « besoin » de sommeil-D |

A chacun de ces types de fatigue Hartmann fait correspondre un genre de sommeil. Comme on pouvait s'y attendre, les stades 3 et 4 du sommeil lent restaureront la fatigue physique, tandis que le sommeil paradoxal réparera les dégâts faits à l'intégrité de la personnalité psychique.

On a pu vérifier que l'exercice physique augmente le sommeil lent et que de fortes émotions agissent sur le sommeil paradoxal ; même chez les animaux, des stress émotionnels accroissent le sommeil paradoxal. Notre organisme à l'état normal de veille est ainsi le produit d'un équilibre fragile, qui est périodiquement plus ou moins remis en question selon les expériences auxquelles il est confronté. Le sommeil assure le rééquilibrage nécessaire à un bon fonctionnement de notre personnalité.

## Le dépannage chimique

La psychologie de la fatigue est aujourd'hui complétée par de nouvelles données physiologiques sur les systèmes cérébraux impliqués dans cette restauration. La pharmacologie et la chimie du sommeil permettent progressivement de déterminer les fonctions respectives des deux sommeils.

On ne connaît pas actuellement de réaction chimique qui ne se produirait que pendant le sommeil, ou que pendant la veille. Mais on a découvert que certains médiateurs chimiques, facilitant la conduction de l'influx nerveux au niveau des synapses, subissaient des variations importantes selon l'état de veille ou de sommeil.

Les catécholamines, par exemple, sont fortement responsables du système d'éveil. Certaines d'entre elles (la noradrénaline) sont plus spécifiquement impliquées dans l'enregistrement de l'information et dans les mécanismes d'apprentissage, ainsi que dans la mémoire immédiate de tâches associées à des récompenses ou des punitions. Par ailleurs, un taux élevé de catécholamines accompagne généralement des périodes de manies, tandis qu'un taux trop abaissé caractérise les dépressions.

Diverses expériences ont permis de faire un rapport entre le sommeil paradoxal et les catécholamines. Selon Hartmann, l'exercice physique ou mental épuiserait le système de catécholamines, et le sommeil paradoxal aurait pour fonction de le restaurer. Si cette hypothèse est fondée, la privation de sommeil paradoxal devrait affecter le fonctionnement du système à catécholamines pendant l'éveil. Or, il semble bien, comme nous l'avons vu, que ce sont les processus d'apprentissage nerveux et d'attention soutenue qui sont le plus affectés par le manque de sommeil paradoxal.

Le sommeil paradoxal aurait donc pour fonction de restaurer les systèmes de neurones qui contrôlent la mémoire, l'apprentissage ou l'équilibre affectif à l'état de veille. Ce qui est rétabli n'est pas le contenu d'un réservoir de substances chimiques mais les circuits qui permettent la production et l'utilisation de ces substances.

| Les principales fonctions physiologiques du sommeil | |
| --- | --- |
| *Sommeil paradoxal* | *Sommeil lent* |
| Production du rêve | Restauration de la fatigue physique |
| Restauration de la fatigue mentale ou intellectuelle | Facilitation de la guérison des maladies physiologiques ou de la cicatrisation des blessures |
| Facilitation des mécanismes d'apprentissage | Production de nouvelles molécules et de protéines |
| Fixation et reprogrammation de la mémoire | Préparation du sommeil paradoxal |
| Maturation du système nerveux | |
| Système de guet chez les animaux | |
| Développement de la vision binoculaire | |

Si le sommeil paradoxal s'occupe de tout ce qui a mis en jeu notre orientation ou notre «guidage» socioculturel dans le monde, le sommeil lent restaure notre condition physique. Cette fonction, il l'accomplit sans doute en synthétisant des macromolécules ou des protéines. Toutefois, on a encore peu d'informations sur cette fonction reconstituante du sommeil lent. La disparition du sommeil à ondes lentes chez les personnes âgées permet de penser qu'il aurait bien un rôle dans la régénération biologique des tissus ou dans leur croissance. Cela est confirmé par différents rapports entre la maladie et le sommeil lent. Ce dernier est en effet accru par les maladies physiques même légères, tels les rhumes. I. Oswald a remarqué, d'autre part, qu'une diète prolongée augmentait le sommeil lent, tandis que Spitz, Emde et Metcalf ont découvert en 1970 qu'après la circoncision du nouveau-né de sexe masculin il y avait aussi une augmentation notable du stade 4. Toute atteinte de notre organisation biophysique sera donc prise en considération par le sommeil lent.

D'autre part, par sa position antérieure au sommeil paradoxal dans le cycle du sommeil, le sommeil lent entretient un rapport spécifique avec ce dernier. W.C. Dement et d'autres chercheurs émirent l'hypothèse que le sommeil paradoxal aurait pour fonction de débarrasser le cerveau de toxines ou de substances chimiques qui s'accumuleraient pendant le sommeil lent et l'éveil. On peut supposer, en effet, que le sommeil lent synthétise une ou des substances qui seront ensuite utilisées, métabolisées par le sommeil paradoxal.

On peut ainsi, si l'on suit E. Hartmann, revenir à une conception unitaire des fonctions du sommeil, puisque la fonction de synthèse du sommeil lent se prolonge dans celle de métabolisme et de restauration du sommeil paradoxal. Il est toutefois difficile de prouver définitivement cette théorie en l'absence d'une technique de microscopie électronique qui permettrait de vérifier ce qu'il en est réellement pour tel ou tel neurone à catécholamine pendant le sommeil.

# Les fonctions psychologiques

Il y a une psychologie du sommeil qui est celle que le dormeur entretient avec la qualité ou la quantité du temps où il dort; c'est le problème des bons ou des mauvais dormeurs. Mais du point de vue fonctionnel que nous considérons ici, c'est essentiellement le rêve qui a fait l'objet d'hypothèses psychologiques. Cette prééminence du rêve fut même cautionnée par des neuropsychiatres qui pensaient que la fonction essentielle du sommeil paradoxal serait justement de permettre la réalisation des rêves. On sait pourtant que le sommeil paradoxal se manifeste même en l'absence de rêves; mais il est vraisemblable que certains de ses mécanismes, telles les décharges produites dans les voies optiques, ont favorisé l'apparition de ce que nous appelons rêve.

## Les rôles du rêve

Les fonctions psychologiques que l'on a accordées aux rêves sont aussi nombreuses que les hypothèses sur les fonctions du sommeil. La plupart sont issues de la réflexion de Freud dans «l'Interprétation des rêves». Mais un certain nombre de psychanalystes dissidents, tels Jung ou Adler, ont émis d'autres hypothèses; elles furent l'objet d'une vive polémique du vivant de Freud. Ces dernières années, deux congrès des psychanalystes de langue romane ont fait le point sur les fonctions du rêve, avec en 1962 le rapport de M. Fain et C. David sur les «Aspects fonctionnels de la vie onirique[15]»; et en 1974 l'intervention de Réné Diatkine, «rêve, illusion et connaissance[11]», ainsi que «Les Rêves comme unité et continuité de la vie psychique» par J. Rallo Romero et ses collaborateurs[50].

○ *Un principe d'équilibre*
Fain et David relevaient chez Freud trois pôles fonctionnels principaux du rêve : éviter des conflits, procurer un

sentiment de détente à travers une activité symbolique et le désir d'un retour à nos origines organiques. L'ensemble de ces vecteurs est soumis au principe freudien que le rêve est la réalisation d'un désir et qu'il a pour fonction de protéger le sommeil contre des excitations ou des pulsions inconscientes qui risqueraient de l'interrompre.

Le rêve paraît ainsi avoir une fonction équilibrante ou homéostasique ; ou encore, comme le disait déjà Robert au XIXᵉ siècle, une fonction purgative (cathartique). Sur ce dernier point toutefois la pensée de Freud est ambiguë. S'il dit bien que «le rêve sert à l'esprit de soupape de sécurité[16]», il rejette cependant les thèses qui font du rêve un moyen de résoudre les conflits psychiques actuels.

A la suite de Freud, les psychanalystes s'accordent pour dire que, de même que nous avons un besoin de dormir, nous devons avoir un besoin de rêver ; et que le rêve a une ou des fonctions qui s'intègrent dans la continuité de notre vie psychique. Le rêve est donc, selon Fain et David, «une fonction psychique indispensable à l'équilibre mental».

Les recherches modernes qui mettent l'accent sur un espace du rêve — scène imaginaire sur laquelle se jouent nos fantasmes, nos désirs, nos rêveries et nos rêves — posent la question de savoir si tel ou tel individu a construit son espace de rêve ; c'est un peu comme les enfants qui s'inventent un espace où jouer. Or, souvent le manque d'un espace de rêve fera qu'un patient se servira de ses séances de psychanalyse pour créer un tel espace.

Il semble donc que, si les fonctions psychologiques du rêve ne sont pas remplies, elles doivent trouver d'autres lieux et d'autres moments pour pouvoir s'exprimer.

On rencontre chez l'enfant deux types de rêve : soit des rêves liés à des objets extérieurs, qui seront alors investis de désir, soit des rêves liés à des pulsions infantiles angoissantes ; celles-ci reflètent les difficultés de l'enfant à intégrer sa sexualité infantile. Dans ce cas, le rêve élabore cette angoisse afin de la maîtriser. Plus tard, dans les rêves de l'adulte, ces rêves infantiles se mêleront à la représentation des objets de l'environnement. Chez l'adulte, en effet, le rêve devient un compromis entre ses désirs inconscients et son langage appris.

## Un rêve dont on se souvient traduit presque toujours un conflit

En rêve, nous savons que nous rêvons, mais le matin nous aurons peut-être oublié que nous avons rêvé. Freud considérait que les rêves dont nous ne nous souvenons pas étaient ceux qui avaient accompli leur mission. En effet, le rêve qui a permis la réalisation hallucinatoire d'un désir ne laisse pas de trace. On en arrive alors à ce paradoxe que la psychanalyse s'est élaborée à partir de rêves qui avaient manqué leur but. Ces rêves avaient donc un caractère symptomatique. En fait, il semble bien que la plupart des rêves dont on se souvient, lorsqu'on n'est pas spécialement préoccupé ou intéressé par les rêves, ont un caractère conflictuel.

Le rêve est donc au service de notre équilibre psychique ou au service de notre moi et les meilleurs rêves «sont ceux, dit Freud, dans lesquels la transformation symbolique se réalise le plus complètement».

○ *Une fonction primitive*
Mais le rêve a déjà une fonction psychologique avant l'organisation symbolique du monde, lorsque l'enfant ne fait pas encore la différence entre son moi et la réalité extérieure.

Selon Freud, afin d'établir au plus court la décharge pulsionnelle, le rêve ramènerait l'excitation au circuit plus primitif de l'hallucination visuelle. La genèse de l'hallucination onirique correspondrait à l'expérience de satisfaction faite par le petit enfant. En effet, quand il a faim, le nourrisson crie et s'agite. Mais peu à peu, dans son esprit, il va associer l'aliment qu'il réclame à une image de cet aliment.

Avec le langage et l'accession à la réalité, les contenus oniriques seront réorganisés, et notre désir n'en restera pas à une satisfaction hallucinée (mais ce fonctionnement persiste dans les états psychotiques qui ne passent pas par l'épreuve de la réalité).

L'hallucination n'est cependant qu'un palliatif pour obtenir la satisfaction et, bien sûr, si la réalité ne venait pas combler le désir de l'enfant, la tension réapparaîtrait. Les «soins maternels», l'attention exagérée ou, au contraire, trop légère sont alors décisifs pour l'avenir de l'enfant. Winnicot puis Diatkine ont montré, en effet, que les soins maternels conditionnent pour une part importante la manière dont l'enfant vivra plus tard, le rapport entre sa vie onirique ou fantasmatique et la réalité.

L'aspect primitif du processus onirique a amené certains chercheurs à penser que le rêve était un état de retour à notre origine ou à la matrice. Le rêve permettrait ainsi de retrouver une expérience archaïque perdue, ou de refaire l'expérience d'une certaine sensibilité qui précède la langage. Au fondement de ces recherches se profile la notion de narcissisme, c'est-à-dire de repli sur soi-même de l'individu.

## Le rêve : un retour au monde du fœtus ou du nouveau-né ?

Les psychanalystes se refèrent souvent à la célèbre comparaison que Freud faisait au début du «Complément métapsychologique à la théorie du rêve[81]» en 1915. Chaque soir, l'homme se dépouille de ses vêtements, de ses postiches, de ses lunettes, mais il «dévêt aussi de façon tout à fait analogue son psychisme, renonçant à la plupart de ses acquisitions psychiques de sorte que (...) il se rapproche à l'extrême de la situation qui fut au point de départ de son développement». On peut penser qu'ainsi tout nu l'homme a peur; craintif, il retournera en rêve aux premières sensations sécurisantes qu'il a éprouvées, celle de la sensibilité diffuse qu'il a connue dans l'utérus ou celle plus tardive du sein maternel.

A ce sujet, Bertram D. Lewin avait élaboré dans les années 1946 à 1950 une séduisante théorie qui fait du sein de la mère l'écran sur lequel le rêve projette ses images[33]. Le premier endormissement que nous connaissons est en effet celui qui survient lorsque, petit enfant, nous nous

endormons sur le sein de notre mère. Dans l'hallucination hypnagogique du bébé, le monde se réduit alors à
l'aplanissement d'un sein pris dans la bouche. L'écran du
rêve, fond blanc qui accompagne tout rêve et qui peut se
manifester seul dans certains rêves sexuels blancs sans
images lors d'un orgasme, aurait une telle origine.

Lewin appuie son hypothèse sur les travaux de Federn
qui montraient que dans le rêve les frontières du corps
sont perdues. Ce corps sans frontières de l'enfant devien-
drait alors une gigantesque bouche. «Le dormeur, dit
Lewin, s'est identifié avec le sein et a mangé et retenu
toutes les parties de lui-même qui n'apparaissent pas
condensées ou symbolisées dans le contenu manifeste du
rêve. Le dormeur s'est mangé lui-même complètement
ou partiellement (...). Il est comme dépouillé de son
corps, qui alors se trouve perdu, noyé, dans son identification avec le sein élargi et aplati : l'écran du rêve[33].»

Garma, psychanalyste espagnol qui s'est intéressé aux
rêves depuis 1930, remonte encore plus loin que Lewin.
Pour lui, le rêve est à la fois le produit d'une composante
sensible intra-utérine et d'une luminosité qui serait le
souvenir du moment traumatisant de la naissance[85].

En fait, rien ne peut décider si les impressions sensibles de nos rêves actuels sont réellement des résidus
archaïques de notre personnalité, ou si ce sont nos fantasmes ou ceux de l'analyste qui cherchent à se raccro-
cher à une origine. Freud opposait déjà à Otto Rank, qui
avait bâti une théorie des névroses sur le traumatisme de
la naissance, que pour être consciente une représentation
doit posséder non seulement l'image de la chose, mais
aussi un langage qui lui donne un nom[82]. Il est difficile à
l'heure actuelle de savoir dans quelle mesure des excitations sensorielles précédant notre organisation symbolique du monde persistent telles quelles ou, au contraire,
suivent l'évolution de notre système nerveux. Si la sensibilité non verbale a bien, selon nous, une importance
toute particulière dans le rêve, il n'est peut-être pas
nécessaire d'en chercher si lointainement la genèse.

Si l'on reste à l'intérieur du domaine de la psychologie,
il est difficile sinon arbitraire de vouloir trancher au

profit de l'une ou l'autre des fonctions du rêve. On
pourra toutefois, de l'extérieur, voir en quoi les nouvelles données de la physiologie du sommeil infirment ou
confirment les données essentielles de la psychanalyse.

# Biologie du rêve et psychanalyse

Pendant longtemps les recherches physiologiques et la
psychanalyse se développèrent indépendamment l'une
de l'autre avec même parfois un certain mépris réciproque. Jung, réitérant la pensée que l'esprit n'est pas un os,
écrivait : «Le phénomène psychique doit être considéré
sous son aspect psychique et non pas comme un processus organique et cellulaire[27]», tandis que Jouvet, encore
récemment, répondait lors d'une interview : «Je me suis
efforcé de relire "l'Interprétation des rêves". Que voulez-vous que les interprétations du rêve de l'"injection
faite à Irma" apportent à un neurobiologiste ! Le bilan de
cinquante ans d'études des rêves par les méthodes psychanalytiques est décevant.» Cependant, ces dernières
années, divers neuropsychiatres ou physiologistes ont
cherché à rapprocher psychanalyse et biologie. Dans
cette confrontation, il faut garder à l'esprit l'avertissement de A. Bourguignon : «Ces deux domaines sont
irréductibles l'un à l'autre et il ne faut donc pas chercher
à en faire un rapprochement terme à terme[63].»

## Concordances psychologiques et physiologiques

Un des premiers apports des expériences de laboratoire
fut de montrer que notre activité mentale se poursuivait
pendant tout le sommeil. La psychanalyse, en effet, s'appuyait seulement sur le rêve remémoré. Notre vie nocturne apparaissait beaucoup plus riche que le simple récit
des données cliniques. Mais dans l'atomisation des fonctions mentales de notre sommeil, il fut sans aucun doute
utile pour les physiologistes de pouvoir se référer à une
certaine structure du rêve. Même si le rêve, tel que

Freud en a démonté les mécanismes, n'est qu'un des processus mentaux mis en jeu par le sommeil, il était nécessaire d'en connaître le fonctionnement logique et le dynamisme psychologique.

On put ainsi associer la phase paradoxale à ce type particulier d'activité mentale. Mais, dans la mesure où le sommeil paradoxal est un phénomène plus vaste que le rêve et vraisemblablement antérieur du point de vue génétique, on est amené à remanier la formule de Freud considérant le rêve comme gardien du sommeil. De plus les expériences de laboratoire n'ont jamais montré qu'un stimulus menaçant de troubler le sommeil ou de réveiller le dormeur ait induit nécessairement un rêve. Il est cependant plus difficile de réveiller le dormeur en phase paradoxale, phase où le dormeur rêve. On pourrait donc corriger la formule de Freud en disant que le rêve est peut-être bien le gardien du sommeil paradoxal, mais associé à tout un ensemble de mécanismes chimiques et neurobiologiques. On ne peut pas toutefois exclure la formule inverse qui ferait du sommeil paradoxal lui-même le gardien du rêve. Car c'est bien, en effet, cet état physiologique particulier qui doit faciliter le phénomène du rêve.

Les rapprochements entre la physiologie et la psychologie du sommeil ont porté non seulement sur les mouvements oculaires, mais aussi sur l'ensemble des activités toniques et phasiques du sommeil paradoxal :

— On a ainsi émis l'hypothèse que les variations des rythmes cardiaques et respiratoires pourraient être associées à la possibilité de se souvenir du rêve, ou encore, pour Snyder et Fisher, à l'aspect dramatique ou angoissant du rêve.

— L'aspect désynchronisé de l'activité corticale manifestée par le tracé électro-encéphalographique a été mis en relation par Ephron et Carrington en 1966 avec un haut degré d'activité mentale.

— La même année, Fisher a relié l'érection au contenu sexuel exprimé par les rêves.

— Toutefois, Salzarulo et ses collaborateurs font remarquer justement que la plupart des corrélations sont faites sans considérer la qualité du sommeil qui a eu lieu avant le réveil et le récit du rêve, ni la qualité du «saut» précédant le réveil.

On doit aussi tenir compte du fait que, comme le remarquent les auteurs précédents : «s'il y a une corrélation entre un état physiologique et un état psychologique, pendant la veille, entre la réflexion et, par exemple, une certaine activité corticale, ce parallélisme n'est peut-être pas valable pour le sommeil[103].»

## La psychanalyse face à la biologie

Les confrontations entre la psychanalyse et les données récentes de la neurophysiologie ont porté principalement sur deux notions de la théorie freudienne : sur les processus primaire et secondaire et sur la théorie des pulsions.

○ *Processus primaire, processus secondaire*
Freud pensait que dans le rêve se manifestait essentiellement un type d'activité logique qui avait recours à l'hallucination, et qui parlait un peu à la manière d'une œuvre d'art. Il appela ce type de pensée processus primaire, réservant le terme de processus secondaire pour la pensée préconsciente ou consciente, plus abstraite et différemment structurée. Les psychanalystes contemporains s'accordent à penser que les deux formes de logique sont présentes dans le rêve. Certains auteurs, comme Fisher (1965) ou Bourguignon (1968), trouvèrent dans les découvertes physiologiques une confirmation de ces deux types d'activité mentale.

Bourguignon pense, en effet, que la phase paradoxale et la présence de mouvements oculaires rapides confirment le caractère hallucinatoire de la représentation dans le rêve[6]. Selon lui, l'augmentation de l'état de veille développerait le processus secondaire, qui se surajouterait au désir hallucinatoire du nourrisson pour former le rêve que nous connaissons. D'autres auteurs ont rapproché le processus secondaire du type d'activité mentale en cours pendant le sommeil lent. Allant plus loin, Molinari et Foulkes (1969)[80] ont identifié les aspects phasiques et toniques du sommeil paradoxal comme correspondant respectivement aux mécanismes de condensation et de déplacement repérés par Freud dans le processus primaire.

○ *Les pulsions*

Freud attribuait aux pulsions inconscientes un rôle primordial dans sa théorie du rêve. Le rêve était en effet pour lui le lieu de décharges instinctuelles. La physiologie a montré qu'effectivement la phase paradoxale se caractérisait par des décharges électriques dans différentes régions du cerveau. En 1970, Jouvet mettait en rapport les décharges des pointes P.G.O. avec des décharges instinctuelles. La privation de ces décharges intermittentes a révélé qu'elles pouvaient survenir soit pendant le sommeil lent, soit pendant l'état de veille; elles étaient alors associées à des comportements instinctuels et hallucinatoires. Il est séduisant de penser qu'elles pourraient effectivement sous-tendre notre inconscient.

Bourguignon a donné quelques éléments permettant de relier ces décharges aux pulsions d'autoconservation et aux pulsions sexuelles de la première théorie freudienne. Les premières sont essentiellement liées à la faim et à la soif. Or, Petre-Quadens a remarqué que chez le nourrisson le sommeil paradoxal peut être provoqué par la faim, ainsi que par la stimulation des lèvres et de la bouche avec une sucette. En fait, ces réactions sont indépendantes du besoin réel de manger, puisqu'elles surviennent même si le nourrisson est rassasié. Il semble donc légitime de parler, comme Freud le fait, de sexualité orale. L'érection elle-même est alors faible chez le bébé.

**La biologie tendrait à confirmer l'hypothèse freudienne d'une relation entre rêve et pulsion sexuelle**

Différentes informations semblent corroborer un lien entre les pulsions sexuelles et la phase paradoxale. Les constatations de Fisher sur l'homme, si elles peuvent appuyer cette présence de pulsions sexuelles, ne permettent cependant aucune conclusion définitive sur le rapport entre l'érection et les rêves[77]. En effet, celle-ci se manifeste pendant toute la période de sommeil paradoxal et survient pendant le sommeil lent si l'on est privé de sommeil paradoxal. Mais Sawyer et Kawakami montrèrent qu'il y a un rapport entre les hormones des glandes sexuelles de la lapine et le sommeil paradoxal[104]. Quelques minutes après avoir copulé, la lapine entre dans un état de sommeil rapide. D'autre part, les hormones sexuelles semblent pouvoir induire des périodes de sommeil rapide chez le lapin. Enfin, les agents anti-ovulatoires réduisent le temps de sommeil paradoxal postcopulatoire chez la lapine.

Il faut remarquer que le lapin est un animal chez qui la copulation provoque systématiquement l'ovulation. Or, chez la femme enceinte, on observe aussi une augmentation de sommeil paradoxal pendant la grossesse et l'allaitement. Hartmann s'est intéressé, en outre, aux variations de sommeil paradoxal pendant le cycle menstruel[20]. Si la quantité totale de sommeil ne varie pas pendant ce cycle, il n'en est pas de même du sommeil paradoxal; réduit pendant les deux premières semaines, il atteint son maximum à la fin du cycle. Hartmann en déduit que les hormones féminines (œstrogènes et progestérone) sont impliquées dans la régulation du sommeil paradoxal. Quant à l'hormone masculine (la testostérone), elle semble, si on l'administre à des personnes âgées, augmenter légèrement leur quantité de sommeil paradoxal. Tout cela donne donc une forte présomption à l'hypothèse freudienne d'un lien entre les pulsions sexuelles et le rêve.

Plus arbitrairement, A. Bourguignon assimile les pulsions de mort freudiennes au sommeil et la pulsion de vie au rêve. Il cite la phrase de Gérard de Nerval dans «Aurélia» : «Le rêve est une seconde vie (...) les premiers instants du sommeil sont l'image de la mort[6].»

## Le sommeil vu à travers le rêve

La plupart des neuropsychiatres ont cherché dans la biologie des confirmations des découvertes psychanalytiques. Et même lorsqu'elle ne faisait pas un amalgame entre les deux sciences, leur démarche consistait généralement à éclairer la psychanalyse par des notions neurophysiologiques. Hartmann eut l'idée inverse[21]. Constatant que la biologie du rêve a peu modifié nos connaissances sur la structure du rêve, il considère le rêve comme un processus concomitant du sommeil et qui a beaucoup à nous apprendre sur ce dernier. Regardant ainsi le sommeil à travers le rêve, Hartmann s'appuie sur la structure du rêve telle qu'elle a été décrite par Freud. Il montre que cette dernière confirme bien les fonctions du sommeil qu'il avait formulées à partir des expériences chimiques ou physiologiques.

## La biologie conclut comme la psychanalyse que le rêve a son langage

Freud avait mis l'accent sur le phénomène de télescopage des images dans le rêve, ce qu'il avait nommé condensation. Cette surimpression d'éléments consistait essentiellement, pour Freud, en un rapport entre des événements récents et des événements passés. Hartmann suggère que ce processus témoigne de connexions entre des voies de mémorisation anciennes et des voies récentes. Les images très soutenues ou «surdéterminées» sont ainsi la marque d'un point de rencontre entre ces différentes connexions. Hartmann affirme donc avec Freud que le rêve n'est pas une suite absurde d'images sans lien. Reconnaissant l'importance de la liaison dans les images étranges et bizarres du rêve, il en déduit une activité nerveuse spécifique pendant le sommeil paradoxal. D'autre part, à côté des phénomènes de déplacement ou de condensation, on peut aussi se demander ce que signifie l'aspect linéaire du rêve. Le rêve, en effet, est à la fois une forme de récit ou d'histoire, et en même temps une histoire brisée, qui saute sans prévenir d'un plan à un autre. Ce phénomène pourrait être expliqué par deux découvertes de la physiologie du cerveau.

○ En 1954, Penfield faisant une opération dans le cerveau de patients anesthésiés localement, et donc conscients, s'était aperçu qu'en touchant une certaine partie du cortex, le cortex temporal, il provoquait chez le malade une suite organisée de souvenirs[98]. On vérifia alors qu'une stimulation du cortex temporal pouvait évoquer dans l'esprit un scénario imagé tout fait en l'espace de quelques secondes.

○ Plus récemment, Watson a démontré que les sautes d'images étaient en relation avec les variations des potentiels électriques des muscles des yeux[107]. Sachant que chez le chat ces variations au niveau des yeux sont liées à des décharges électriques plus dispersées venant du tronc cérébral et des voies optiques (pointes P.G.O.), Hartmann a supposé que les séquences d'histoires interrompues et discontinues qui caractérisent la structure logique du rêve correspondent à un mécanisme bioélectrique, déclenchant dans le cerveau les centres qui développent des souvenirs.

Le cortex répondrait alors par des séquences d'images. A celles-ci viendraient s'enchaîner ou se surajouter d'autres images. La richesse de notre vie mentale éveillée et l'accumulation dans le temps de structures et de connexions nouvelles dans notre cerveau font que, chaque jour, les pièces de rechange et les pièces montées du rêve diffèrent.

---

### Les lois du rêve sont comme le négatif de celles de la veille

Freud avait relevé méthodiquement tout un ensemble de défaillances du rêve par rapport à la pensée éveillée : absence de conjonction, de lien logique, de relation de cause à effet, de continuité dans le temps. Hartmann propose un recensement un peu différent, mais qui recoupe pourtant les structures logiques décrites par Freud[21] :

— Tout d'abord, sont absentes dans le rêve «les fonctions d'attention focalisée». Le rêve ne peut pas, en effet, se fixer sur un objet ou un événement déterminé en excluant l'interférence d'événements étrangers (Freud disait que le rêve ne connaît pas la négation) ; il ne peut pas non plus maintenir durablement son intérêt pour un sujet donné.

— Ensuite, le rêve n'éprouve pas la réalité pour construire sa pensée ou son récit (pour Freud, le rêve ne pouvait pas recourir au «jugement de réalité»). Si bien que l'espace et le temps y sont souvent flous et peu organisés.

— Enfin, les réactions émotionnelles ou affectives face aux événements obéissent à des critères différents de ceux de la veille. Ainsi y a-t-il une sorte d'absence de surprise devant des événements inhabituels; et la variation, ou la gradation des émotions ressenties en rêve, ne correspond pas forcément aux scènes présentes (ce que Freud appelait «déplacement de l'affect»).

Cet ensemble de déconnexions entre les représentations et la réalité et entre les représentations et notre sensibilité fait que dans le rêve il n'y a pas de but ou de projet possible, du moins au sens où l'entend notre conscience éveillée occidentale. Si l'on se rappelle que ces différentes fonctions absentes du rêve dépendent des systèmes à catécholamines de l'éveil, on pourra dire que le rêve confirme bien les diverses hypothèses fonctionnelles qui avaient supposé que ces systèmes sont alors en réparation.

Une approche synthétique des découvertes biologiques et des connaissances cliniques de la psychanalyse reste encore embryonnaire, et l'on peut finalement penser avec Hartmann que «certains concepts psychanalytiques expriment dans des raccourcis importants les processus cérébraux complexes que nous pouvons maintenant commencer à spécifier[21]»

D'autre part, les conclusions du biologiste du sommeil rejoignent le projet des psychiatres : il faut désormais «voir si l'organisation verbale de ce qui était en train de se passer dans l'esprit du sujet avant le réveil présente des différences suivant les divers moments physiologiques du sommeil ou lors du réveil spontané[103]». Une analyse plus fine du contenu du rêve à des périodes diverses de la nuit permettra de le préciser. Mais nous verrons que bien d'autres facteurs, contexte socioculturel, état de santé, etc., interfèrent dans les phénomènes du sommeil.

# Tout pour un bon sommeil

## Les bonnes et les mauvaises habitudes

Lorsque la nuit tombe nous ne délaissons pas notre corps comme une dépouille inutile, et les gestes mêmes que nous effectuons pour ôter nos vêtements ne sont pas sans rapport avec notre sommeil. Notre sommeil ou nos troubles du sommeil manifestent aussi directement notre personnalité et nos modes de vie que nos activités de la journée et nos pensées. Pour une part, nous venons au monde avec une configuration de sommeil spécifique ; pour une autre part, ce seront notre vie sociale et notre culture qui façonneront nos manières personnelles de dormir.

Même si dormir est un comportement inné, on nous a appris à dormir de telle ou telle façon, dans telle ou telle condition. Lorsque nous avons des difficultés pour dormir, il nous faudra donc réapprendre à dormir. Pour cela, on devra aménager l'espace où l'on dort, gérer le bon fonctionnement des rythmes de notre corps, ou avoir recours à des techniques non médicamenteuses ou non chimiques qui favorisent le sommeil.

# Notre personnalité de dormeur

Pour apprendre ou réapprendre à dormir, il faut d'abord savoir à quelle catégorie ou à quelle classe de dormeurs on appartient, connaître son besoin réel de sommeil, savoir si l'on a un sommeil fragile ou un sommeil à toute épreuve, pouvoir apprécier la coïncidence ou la non-coïncidence entre notre rythme naturel de sommeil et le rythme que nous impose notre vie sociale ou familiale.

Notre besoin de sommeil dépend de notre physiologie et de notre psychologie, il dépend aussi des variables sociales, culturelles et quotidiennes qui peuvent influencer notre tempérament. La durée moyenne de sommeil de sept à huit heures varie peu d'une culture à une autre ; il n'en reste pas moins que le besoin individuel de sommeil peut être différent d'une personne à l'autre. Diverses recherches, comme celles de Monroe ou de Hartmann[21], permettent de tracer les portraits physiologiques du bon et du mauvais dormeur, ainsi que du gros et du petit dormeur.

## Bon ou mauvais dormeur

Contrairement à un préjugé habituel, un bon et un mauvais dormeurs ne se distinguent pas par une quantité de sommeil en plus ou en moins. Un mauvais dormeur ne dormira généralement que trente à quarante-cinq minutes de moins qu'un bon dormeur.

Monroe constate que le bon dormeur n'a besoin, en moyenne, que de six heures trente de sommeil, tandis que le mauvais dormeur dort environ cinq heures quarante-cinq minutes.

En revanche, la qualité de leur sommeil est différente : ainsi, chez le mauvais dormeur, l'ordre des cycles du sommeil est perturbé, le sommeil rapide écourté, et dans l'ensemble le sommeil sera léger. Pratiquement, un mauvais dormeur se réveillera trois fois pendant la semaine, tandis qu'un bon dormeur ne se réveillera qu'une fois tous les quinze jours; il sera, en outre, plus sensible à des stimulations de l'environnement

Cet aspect plus éveillé d'un mauvais dormeur se traduit aussi au niveau physiologique. Si l'on prend son pouls, on s'apercevra qu'il bat plus rapidement que chez un bon dormeur : soit, environ, soixante pulsations par minute, au lieu de cinquante-six. Sa température est aussi sensiblement plus élevée. Et tandis que nous nous réveillons normalement une heure ou deux après que notre température a commencé de remonter (puisque la température passe par un minimum quotidien normalement situé entre 2 et 5 heures du matin), le mauvais dormeur se réveillera alors que sa température est encore basse.

L'insomnie du petit matin survient ainsi dans des conditions physiologiques différentes d'un réveil normal.

## Notre sommeil nous ressemble

Enfin, des enquêtes menées auprès de gros et de petits dormeurs et auprès de gens qui dorment tantôt bien, tantôt mal on permis d'établir un lien entre notre personnalité psychologique et notre sommeil.

Sheldon faisait sans doute assez arbitrairement découler notre type de sommeil de notre aspect morphologique. Hartmann a recherché plus scientifiquement les constantes psychologiques et sociales qui accompagnent un sommeil long ou un sommeil court[21]. On sait ainsi maintenant qui dort beaucoup ou qui dort peu, et quand tel type de dormeur aura besoin de plus ou de moins de sommeil.

## Portrait du petit dormeur

Les petits dormeurs dorment en moyenne cinq heures trente minutes par nuit, mais certaines personnes peuvent avoir un rythme normal tout en ne dormant que trois heures. On connaît des grands hommes qui dormaient peu, Edison, Napoléon (mais la petite histoire

### Les trois dormeurs de Sheldon

On peut citer à titre anecdotique la classification imagée de W.H. Sheldon[105]. Selon lui, il y aurait trois types de personnalités et trois types de dormeurs leur correspondant :

— *Les «endomorphes»* sont des gens gros, à l'air bonhomme, aimant les plaisirs élémentaires comme manger et dormir. Ils s'endorment rapidement, dans n'importe quelle position, dorment profondément, et n'auront pas envie de se réveiller.

— *Les «mésomorphes»* sont, au contraire, sportifs et musclés. Ils s'endorment aussi facilement, mais dorment peu, d'un sommeil agité, et se réveilleront alertés et pleins d'entrain.

— *Les «ectomorphes»* sont secs, fragiles et très nerveux. Ils se couchent tard, sont sujets aux insomnies et traînent au lit, même quand ils se sont réveillés tôt.

raconte que Napoléon entretenait cette légende en laissant allumés des chandeliers toute la nuit dans son cabinet de travail, tandis qu'il se reposait dans le boudoir avoisinant...). Petits et gros dormeurs ont à peu près autant de sommeil lent, mais les petits dormeurs ont moins de sommeil paradoxal.

Les tests psychologiques montrent que ceux qui ont besoin de peu de sommeil ont un tempérament plus énergique, plus réaliste et plus efficace que les gros dormeurs. Ils paraissent dans l'ensemble plus confiants en eux-mêmes. «Prendre la vie comme elle vient», «Ne pas se charger l'esprit de choses inutiles», «Effacer les problèmes» sont des maximes qui reviennent souvent dans leurs propos. Ils sont généralement conformistes tout en étant ouverts et tournés vers l'extérieur.

## Portrait du gros dormeur

Les gros dormeurs dorment plus de huit heures par nuit et passent au moins neuf heures au lit. Ils ont plus de sommeil paradoxal (cent vingt et une minutes en moyenne par nuit pour soixante-cinq minutes chez un petit dormeur). Les gros dormeurs auront environ deux fois plus de sommeil de rêve et trois fois plus de mouvements oculaires que les petits dormeurs. En conséquence, le gros dormeur se souvient de plus de rêves que le petit dormeur. Il se réveille plus souvent et est moins reposé que ceux qui dorment moins.

Ce surplus de sommeil de rêve est lié à un comportement psychologique plus fragile. Ils sont anxieux, soucieux, parfois inhibés sexuellement ou dépressifs. «Je ne sais pas ce que je veux faire», «Un rien me dérange», «J'aime le monde, mais pas trop» marquent, dans leurs propos, leur caractère indécis et leur introversion. Ils sont parfois artistes.

## Variations du besoin de sommeil chez des gens normaux

En moyenne :
— 5 à 8 % des individus dorment moins de cinq heures :
— 15 % entre cinq et six heures;
— 62 % entre sept et huit heures;
— 8 à 13 % entre neuf et dix heures;
— 2 % seulement plus de dix heures.

La diminution ou l'accroissement du sommeil chez des gens normaux suit des motivations semblables à celles relevées pour distinguer les deux types de dormeurs extrêmes. Toute tension, tout souci accroissent le temps que nous passons à dormir; au contraire, en période faste et heureuse, nous dormons moins. On remarque souvent notre difficulté à nous lever en période de travail, tandis qu'en vacances nous ne profitons pas nécessairement de tout le temps que nous pourrions prendre pour dormir : nous nous levons tôt et dispos. Toutefois, il faut distinguer entre des soucis internes et un travail extérieur prenant mais intéressant. Dans ce dernier cas, en effet, la motivation et l'intérêt se conjuguent pour faire diminuer notre sommeil.

Il y a donc tout un ensemble de cas dans lesquels il faudra tenir compte d'un besoin supplémentaire de sommeil imposé par nos activités ou par notre état général. Dans la mesure du possible, il faudra essayer de satisfaire ce besoin. Vouloir le surmonter directement sous prétexte que l'on dort habituellement moins ne ferait que cumuler notre dette de sommeil.

Les statistiques confirment, ce qui peut nous sembler évident, que le besoin de sommeil augmente :
— avec des efforts physiques inhabituels ;
— avec un travail intellectuel accru ;
— lors d'un changement d'activité ou de style de vie ;
— lors de périodes dépressives ;
— lors de périodes de tension ;
— pendant une maladie ;
— pendant une grossesse ou pendant la menstruation.

---

*Claude, ouvrier, faisait un travail physique moyennement dur qui lui demandait peu de concentration et lui apportait un minimum de tracas. Il dormait alors six heures trente environ. Lorsqu'il décida de suivre des cours à l'université, il vit subitement son besoin de sommeil s'accroître. Deux ans après, ayant obtenu une bourse, il arrêta son travail physique. Or, le travail intellectuel, les tensions et le surplus d'émotions dus à sa vie universitaire faisaient qu'il avait besoin de huit heures trente de sommeil, s'il voulait mener à bien ses nouvelles tâches.*

*Hélène est une jeune femme sensible et émotive qui dort normalement huit heures par jour. Or, chaque fois qu'elle a une discussion un peu vive avec son mari, ou simplement chaque fois qu'elle assiste à une scène entre deux personnes de son entourage familial, elle éprouve le besoin de se coucher tôt. Le matin, elle ne pourra pas se lever. Si bien qu'elle peut passer dix à douze heures au lit.*

# Le manque de sommeil dans la vie courante

Notre personnalité, notre style de vie déterminent ainsi pour une part notre sommeil. Mais il ne faut pas oublier que, pour une autre part, notre sommeil influence aussi notre personnalité. On ne peut changer impunément son rythme de sommeil. On pourra, certes, sans inconvénient avancer ou reculer l'heure de son coucher d'une heure. Mais nous ne pourrons pas longtemps réduire notre sommeil à cinq ou six heures, si nous avons normalement besoin de huit heures. Le manque de sommeil pertubera notre bonne humeur et notre confiance en nous-mêmes, nous deviendrons vite hypernerveux et susceptibles ; notre efficacité dans le travail diminuera.

Nos réflexes, mais notre mémoire aussi, sont ainsi affaiblis par une carence de sommeil. On perd tout, on ne se souvient plus de ce que l'on veut faire ou de ce que l'on cherche. Plus on est fatigué, plus on accomplit de gestes inutiles, imprécis et sans but ; on marche de long en large, on heurte les objets, on perd le fil de ses idées.

## Ne soyez pas victime de votre manque de sommeil

Il y a alors un certain nombre de conseils de prudence à suivre. On sait, en effet, que les accidents du travail, les accidents de la route, ou les crises familiales sont très souvent provoqués par un manque de sommeil. Au lieu de chercher à lutter à tout prix contre la fatigue, il vaut mieux être attentif aux signes de cette fatigue, et en tirer des conséquences pratiques. La plupart des accidents sont dus au fait que l'on ne sait pas apprécier son degré de fatigue. Chacun devrait avoir un code de fatigue personnel, tel que lorsque certaines défaillances se sont reproduites deux ou trois fois il arrête le travail en cours pour se reposer.

— *Sur la route, de nuit,* lorsque plusieurs voitures croisées vous ont fait des appels de phare parce que vous aviez oublié de vous mettre en code, il vaut mieux vous arrêter ou passer le volant.

— *Dans tout travail mécanique* comportant des risques, il faudrait pouvoir appliquer des consignes de sécurité individuelles ; ne plus considérer les fautes ou les erreurs de travail comme motif à sanction mais comme l'indice d'une fatigue corporelle, et donc comme un signal d'arrêt, ou de passage à une activité moins dangereuse ou demandant moins d'attention.

— *La plupart des sports* comportent des risques. Un Parisien d'âge moyen passait toujours sa première journée à la montagne à dormir. Il ne commençait à skier que le deuxième jour. C'est une bonne habitude à observer pour le ski, certes, mais aussi pour la voile, l'alpinisme, etc.

— *Au niveau familial*, il est de constatation courante que le manque de sommeil renforce les prises de décision que l'on croit irrévocables. Les soirs de grande fatigue, avant d'avoir dormi, on punira ses enfants en imagination ou en réalité, on se séparera de son mari ou de sa femme, on rejettera ses parents. Le lendemain matin, après avoir dormi, on reviendra souvent sur ses pensées et ses actes de la veille. Ce n'est pas tant la nuit qui porte conseil que le manque de sommeil qui est de mauvais conseil. On devrait toujours éviter une discussion importante lorsque l'on est fatigué.

## Ne sous-estimez pas le rôle du sommeil, il n'y a pas de miracle !

Dans tous ces cas, il faut se méfier de l'«ivresse» provoquée par le manque de sommeil. En effet, lorsqu'on lutte contre le manque de sommeil, on passe souvent par une phase d'excitation où tout nous paraît possible. C'est alors qu'on décide que l'on pourra tenir le coup et que l'on se croit «plus fort que les autres».

Il faut aussi savoir que la fatigue due au manque de sommeil n'est pas progressive, mais désordonnée. Nos absences ou nos défaillances s'intercalent dans des moments d'attention et de contrôle de nous-mêmes. Il est donc difficile de prévoir notre dernière limite, et dangereux de chercher à l'atteindre.

## La question se pose

On voit parfois à la télévision nos dirigeants politiques, pâles et défaits annoncer des décisions importantes ou débattre publiquement des questions sociales. On peut se demander, à juste titre, jusqu'à quel point, il est possible d'accorder notre confiance à des personnes surmenées. Si la guerre crée les insomnies, le manque de sommeil n'a-t-il pas souvent dans l'histoire provoqué des déclarations de guerre?

# Sommeil et travail social

Les rythmes de travail imposés par la société ne facilitent pas toujours nos rythmes de sommeil. Il y a des gens qui sont du matin, d'autres du soir, des alouettes ou des oiseaux de nuit, des gens qui se lèvent tôt et d'autres qui se lèvent tard. Mais la société se préoccupe peu de ces différences, tout le monde doit être au travail à la même heure.

Nos horloges biologiques internes sont pourtant différemment réglées. Nous pourrons vérifier ces différences individuelles en prenant notre température. Si nous avons l'habitude de nous coucher vers 1 heure, 2 heures ou 3 heures du matin, et de nous réveiller seulement à 11 heures du matin, notre température passera par son maximum quotidien en fin d'après-midi ou dans la soirée. Si nous nous couchons tôt, vers 10 ou 11 heures, et nous levons vers 6 ou 7 heures, notre température atteindra ce maximum en début d'après-midi. Il en est de même de la plupart de nos rythmes physiologiques.

**Essayez d'accorder votre rythme de sommeil à votre rythme de travail**

Un travail normal de jour peut donc, en dépit d'un horaire considéré comme sain, ne pas convenir à toute une partie de la population. On aura beau se lever comme tout le monde, notre seuil de vigilance restera élevé (c'est-à-dire qu'il faudra des stimuli plus forts pour que nous les remarquions); et nous aurons peu d'entrain dans notre travail. De même que l'on sent venir le sommeil, on sent venir l'éveil. En prêtant attention à ce phénomène, nous pourrons noter tous les jours le moment de la journée où nous sentons que nous sommes en forme et que nous nous éveillons.

A partir d'un seuil de déphasage trop grand de nos rythmes, nous risquons cependant de ne pas nous éveiller et de rester endormis toute la journée. Nous connaissons occasionnellement ce phénomène à la suite d'une soirée ou d'une fête qui s'est prolongée tard dans la nuit. Mais certaines personnes sont toute la semaine peu en forme et ne récupèrent leur rythme de sommeil naturel que pendant le week-end ou les vacances. Il n'y a là aucune maladie en soi, mais une inadaptation entre leur vie sociale et leur besoin de sommeil.

On a pu constater que ces rythmes de sommeil étaient en partie héréditaires. Les vrais jumeaux, même si leur situation sociale les oblige à adopter des horaires de sommeil différents, conservent des tracés électro-encéphalographiques du sommeil semblables. Il ne faut donc pas croire que nous pouvons toujours à la longue plier notre sommeil à notre mode de vie.

## Evitez d'intervertir les temps de sommeil et de veille

Le travail de nuit, les «trois huit» perturbent aussi notre organisation du sommeil :

— On ne dort jamais autant le jour que la nuit; la moyenne de sommeil de jour est de six heures environ. On accumule donc une dette de sommeil que l'on ne récupère pas toujours en fin de semaine.

— D'autre part, la qualité du sommeil de jour est différente; il y a moins de sommeil lent et relativement plus de sommeil rapide. De plus, l'ensemble du sommeil est plus léger et facilement perturbé.

## Laissez à votre organisme le temps de s'adapter aux changements de rythme

Une inversion des heures de sommeil permanente permet à l'organisme de s'adapter plus ou moins à ces nouveaux rythmes. Mais dans le cas du travail en équipe des trois huit, d'une variation hebdomadaire des heures de travail, ainsi que chez les personnes dont ces heures sont tantôt de jour, tantôt de nuit, il est pratiquement impossible à l'organisme de suivre ces changements. L'Institut des sciences sociales estime que 70 % des travailleurs en équipe souffrent de perturbations mentales.

«Antoine M..., *trente-quatre ans, infirmier, commence son service à 22 heures à l'hôpital; il le termine le matin suivant à 6 heures. Les délais de transport jusqu'à son domicile lui prennent trois quarts d'heure; il se retrouve donc à la maison, où sa femme apprête les enfants pour l'école, s'informe de l'état de chacun, bavarde une demi-heure. Il gagne finalement son lit vers 8 heures, à un moment où le jour est largement perceptible à travers des rideaux insuffisamment opaques, les bruits de la rue et de l'ensemble de l'immeuble sont suffisants pour empêcher un endormissement rapide, et à 12 heures 30 Antoine M. s'éveille, fatigué, irritable. Au fil des semaines, ce retard de sommeil s'accumule. Cet homme, par ailleurs solide, supporte plus difficilement les astreintes du service, il s'en inquiète et sollicite auprès de son médecin un repos nécessaire*[9].»

Les rythmes physiologiques normaux ne disparaissent pas lors de ce travail de nuit. Si bien que vers 2, 3 ou 4 heures du matin, le travailleur ressentira les effets de faiblesse et de dépression dus à sa baisse de température. C'est vers ces petites heures du matin qu'ont lieu les accidents des chauffeurs de poids lourds. Il faut donc être spécialement prudent lorsque nous approchons des «heures creuses» de notre cycle journalier.

Pour résoudre ces difficultés, on a proposé des horaires de travail de nuit portant sur quinze jours ou trois semaines et non plus sur une semaine. Notre organisme aurait ainsi le temps de s'adapter. Mais pour que l'expérience soit concluante, il aurait aussi fallu supprimer les jours de congé, car ceux-ci brisaient le nouveau rythme.

Avant d'entreprendre un travail de nuit, il est donc nécessaire d'en connaître les aléas. On doit aussi savoir qu'avec l'âge notre organisme supporte moins le manque de sommeil et s'adapte plus difficilement aux changements d'horaires.

---

Les horaires de sommeil imposés dans les hôpitaux sont souvent aussi aberrants. On réveille le malade de bonne heure pour la toilette et la prise de température, sans se préoccuper de son sommeil. S'il a la chance de se rendormir, la visite du médecin viendra alors de nouveau interrompre son repos.

---

## Sommeil et vie moderne

Les voyages en avion et les changements de fuseaux horaires sont particulièrement éprouvants pour l'organisme. Avant les moyens de transport modernes, on mettait des jours ou des mois à changer de fuseaux horaires. Aujourd'hui, en une demi-journée, nous pouvons voir nos heures de veille s'allonger de plusieurs heures. En allant vers l'ouest nous passerons ainsi à table à l'heure où nous devons nous coucher, et nous nous réveillerons en pleine nuit, en ayant faim, comme si c'était l'heure du petit déjeuner. L'adaptation est cependant plus facile dans le sens est-ouest, que dans le sens ouest-est. Le personnel aérien souffre à la fois de la longueur de certains vols, et des décalages horaires. Pour y remédier, le pilote ou l'hôtesse de l'air devront s'imposer une discipline stricte. Ne pas se promener pendant les escales, si c'est l'heure de se coucher en France ; c'est-à-dire chercher à conserver, quelle que soit l'heure du pays où ils font escale, un rythme régulier de repos et d'activité.

## Le problème du réveil

L'irrégularité dans les heures du coucher, ou l'imposition d'une régularité artificielle, entraîne la peur de ne pas pouvoir se réveiller le matin. Combien de personnes redoutent de ne pas arriver à l'heure à leur travail, de manquer un rendez-vous ou un train, parce qu'elles n'ont pas pu se réveiller à temps.

### Entraînez-vous à obtenir un réveil naturel

Il n'y a pas de miracle, et ceux qui semblent posséder un réveil dans la tête et pouvoir se réveiller quand ils veulent, sans réveil-matin, ont généralement un rapport au sommeil beaucoup moins angoissé ou inquiet que les autres. Le réveil-matin, avec sa sonnerie brutale, ne procure pas un réveil naturel, il surprend notre sommeil sans tenir compte de ce qui lui plaît ou non. Certains ne supportent pas le réveil-matin, d'autres ne peuvent s'en passer ; d'autres encore seront toujours réveillés avant que le réveil ne sonne, tandis que d'autres, enfin, ne l'entendront pas. En fait notre organisme peut très bien se passer de réveil-matin. Toute personne ayant un rythme régulier de sommeil peut faire l'expérience de ne pas remonter son réveil pendant une semaine. Très vite, elle se rendra compte de l'inutilité d'un stimulus aussi violent.

En dormant, nous percevons en effet des variations sonores ou lumineuses beaucoup plus subtiles. Le jour qui se lève, les oiseaux qui chantent, la ville qui s'anime, les bennes à ordures passent, le voisin allume sa radio... Il y a une variété infinie de signaux sur lesquels nous pouvons régler notre réveil naturel.

# Les conditions matérielles pour bien dormir

Le lit et la chambre à coucher sont les premiers éléments qui doivent retenir notre attention pour bien aménager l'espace de notre sommeil. On se souviendra du conte de *la Princesse et le petit pois* qui, couchée sur sept matelas, ne put fermer l'œil de la nuit parce qu'il y avait un petit pois sous le premier matelas.

## Le lit et la chambre à coucher

Le lit comme la chambre à coucher privée sont une invention récente. Nos ancêtres dormaient nus ou tout habillés, par terre ou sur de la paille. Il était si rare que quelqu'un garde une chemise pour dormir que, quand il le faisait, on le suspectait de vouloir cacher une infirmité ou une tare physique. Ce n'est qu'à partir du XVI<sup>e</sup> siècle jusqu'au XVIII<sup>e</sup> siècle que, d'abord dans les couches supérieures, puis chez le peuple, vont se codifier les rituels du sommeil que nous employons encore aujourd'hui.

Les Romains connaissaient déjà une certaine sophistication du sommeil : les lits suspendus. L'un des lits suspendus en forme de berceau contenait de l'eau; si bien que le Romain se prélassait dans son bain avant de s'endormir dans le second lit, bercé par des esclaves.

Nous avons nous aussi aujourd'hui à notre disposition un certain nombre de lits qui conjuguent détente et sommeil :

— les lits qui procurent un massage par vibration. Fixé aux ressorts du sommier, un mécanisme apparenté aux vibromasseurs commandera un bercement général du sommier. Toutefois, nous sommes déjà soumis pendant la journée aux vibrations continuelles des moyens de transport et des machines. Il y a un risque supplémentaire à dormir sur un lit à vibrations dont le réglage est identique pour tout le monde;

— les lits dont on peut régler l'inclinaison (ce qui permet, par exemple, de surélever les jambes, ce qui est excellent pour la circulation sanguine);

— les «waterbeds» ou matelas d'eau qui prétendent redonner les sensations de flottement que nous éprouvions dans le ventre de notre mère; malheureusement certains n'en retireront qu'une impression de mal de mer;

— enfin, on étudie «une sorte de cercueil en fibre de verre qui, en nous immergeant dans un bain chimique, devrait nous soustraire à la pesanteur et réduire nos heures de sommeil[34].»

○ *Le matelas et le sommier*

En général, il faudra éviter deux écueils : prendre un matelas trop mou ou trop souple, car alors le corps est soumis à des déformations qui exercent à la longue des courbatures et des tensions; prendre un matelas trop dur, car dormir sur une planche n'a pas que l'avantage de redresser le dos, cela entraîne en effet une résistance trop forte pour les muscles et les os. Les spécialistes conseillent généralement pour un bon repos un matelas plutôt dur que mou. Un matelas et un sommier représentent toujours un gros investissement. Mais mieux vaut attendre et ne pas lésiner sur la qualité, le sommeil en dépend!

Parmi les trois catégories de matelas existants : matelas de laine, matelas à ressorts, matelas de mousse, les matelas à ressorts sont sans doute actuellement les plus reposants, bien que souvent les ressorts peuvent se déplacer rendant le matelas rapidement inutilisable. Les matelas de laine, traditionnellement employés, seront parfait à condition d'être souvent retournés et recardés. En effet, un peu usagés, ils se creusent au milieu, et, si l'on y dort à deux, on tombera l'un sur l'autre. Les matelas de mousse, enfin, sont souvent trop mous ou, s'ils sont de mauvaise qualité ou pas assez épais, ils se tassent très vite, si bien que l'on dort presque directement sur le sommier ou par terre. Toutefois, quand on choisit un matelas en mousse de latex de très bonne qualité, on peut être assuré qu'il ne se déformera pas. Il faut toutefois observer une précaution indispensable : ne pas l'exposer à la lumière qui, à la longue, risque de le désagréger.

Le choix du sommier est tout aussi important et répond à des critères identiques à ceux des matelas. Il faudra s'arranger pour qu'il y ait un équilibre entre le sommier et le matelas choisi. Il ne faudra ainsi ni poser un matelas mou sur un sommier trop rigide (par exemple un matelas de laine sur un socle en bois), ni allier un matelas à ressorts avec un sommier tapissier classique dont les ressorts seraient détendus. De préférence, il faut acheter ensemble le matelas et le sommier. Si nous possédons déjà un des éléments, il faudra alors consulter un spécialiste pour orienter le choix.

○ *La couleur des draps et des murs*

La couleur des draps, comme celle de la chambre à coucher, peut être importante pour notre repos. Certaines couleurs sont plus calmantes que d'autres. Ainsi, le bleu, le gris ou le rose par opposition au rouge; les couleurs pâles et non les couleurs violentes. Les draps imprimés sont à la mode. Il faut se méfier toutefois de certains motifs géométriques qui peuvent créer une fatigue visuelle. Pour la même raison, il vaut mieux bannir pour une chambre les papiers peints aux dessins ou au coloris trop agressifs. Il est essentiel de créer une atmosphère douce, feutrée, reposante.

○ *L'emplacement de la chambre et du lit*

Pour les gens nerveux il faudra éviter que la chambre à coucher serve à autre chose qu'à dormir. Il est indispensable qu'elle puisse être considérée comme un lieu de calme et de retraite, où l'on ne risque pas d'être dérangé. Il faut aussi qu'elle ne nous rappelle pas nos préoccupations, ou nos activités.

L'orientation du lit dans la chambre intervient également. Traditionnellement on considère qu'il vaut mieux dormir la tête au nord, et les pieds au sud, dans le sens du magnétisme terrestre. A la rigueur, la tête à l'ouest, mais jamais au sud ou à l'est. Toutefois, l'orientation du lit reste un choix personnel : il faut savoir que nous avons chacun une préférence particulière pour une orientation et ne pas installer définitivement un lit au hasard.

Mieux vaut aussi placer son lit dans un coin de la chambre ou dans une alcôve, si l'on est d'un tempérament nerveux ou angoissé. Comme tous les animaux, l'homme s'endort mieux dans un site protégé qu'en plein milieu d'une chambre, ou dans un lieu de passage. Cependant, si l'on est sujet à la claustrophobie ou si l'on a des difficultés de respiration, un emplacement central et bien aéré facilitera au contraire le sommeil. Certaines personnes ont ainsi un sommeil agité simplement parce qu'elles dorment du côté du mur.

## Dormir à deux

Il n'y a pas une façon de dormir à deux. Certaines personnes s'endorment dans les bras l'une de l'autre, d'autres dorment en se tournant le dos, et en laissant un certain intervalle entre elles. Certains psychologues disent que la position respective des conjoints dans un lit reflète leurs rapports. Par exemple, si l'homme a la tête plus haut que celle de sa femme cela voudrait dire qu'il la domine. En fait, nos sensibilités respectives diffèrent. Les seuils de température ou de réceptivité épidermique variant d'une personne à l'autre, un contact prolongé peut provoquer alors chez certaines un excès de chaleur ou de sensations qui empêchent la venue du sommeil.

D'autre part, notre respiration, notre haleine peuvent indisposer notre partenaire. Il n'y a là rien de honteux. L'haleine d'un fumeur peut incommoder un non-fumeur.

**Pensez pratique : un même lit mais deux matelas**

Enfin, il faut considérer le fait que nous avons tous une tolérance différente à la proximité d'autrui. On remarque dans la vie quotidienne que certaines personnes pourront nous parler de près, tandis que d'autres, au contraire, devront se tenir éloignées ; sinon elles détourneront les yeux ou la tête. Il en est de même au lit. Repoussés par un conjoint dans un coin du lit, certains ne pourront pas dormir. La solution la plus pratique consiste à avoir des lits jumeaux. On trouve maintenant des lits à deux matelas et deux sommiers, mais d'un seul montant, qui permettent de ne pas dormir seul, tout en évitant de subir les mouvements violents d'un partenaire agité. On ne peut que recommander ces lits dans le cas où l'un des deux dormeurs est nerveux ou malade. Il faut compter une largeur minimale de 80 cm pour une personne, de 130 cm pour deux personnes (les normes classiques sont de 140 cm de large. Mais de plus en plus on tend à les dépasser et l'on trouve désormais chez différents fabricants des lits de 150 cm ou de 160 cm de large) et la longueur du lit doit dépasser d'au moins 15 cm la taille du dormeur. La longueur standard est de 190 cm. Mais on peut commander des lits de 200 cm, voire de 210 cm. Il faut savoir faire respecter ses propres normes de sommeil sans vexer l'autre.

## L'aération

Une bonne aération de la chambre à coucher est nécessaire pour que nous ayons une respiration calme et régulière pendant notre sommeil. En effet, notre respiration réclame un certain équilibre entre l'oxygène de l'air et le gaz carbonique. Si la chambre est mal aérée, elle risque de contenir un taux d'oxygène trop faible. Nous brûlons environ 165 litres d'oxygène au cours de la nuit et rejetons 130 litres de gaz carbonique. Les plantes vertes respirent aussi la nuit, et feront concurrence à notre propre besoin d'oxygène. Il faudra donc éviter de les garder dans la chambre.

L'air doit également contenir une certaine quantité d'eau. Sans humidité suffisante, notre bouche, nos lèvres, notre gorge s'assèchent. Picotements et irritations ne feront alors que se surajouter à nos inquiétudes nerveuses. Le taux d'humidité devrait se situer entre 50 et 60 % pour une pièce chauffée à 20 °C. Or, très souvent, dans des lieux surchauffés, ce taux tombe à 8 ou 10 %.

On peut augmenter le degré d'humidité en accrochant aux radiateurs un récipient contenant de l'eau. Ce moyen traditionnel est cependant peu efficace. On lui préfère aujourd'hui les appareils à pulvériser des gouttelettes d'eau dans l'atmosphère, ou les appareils à évaporation.

## La température

Nos grands-parents dormaient généralement dans des chambres non chauffées. Ils se contentaient de bassinoire ou de briques chauffées pour éviter l'humidité du lit en hiver. Aujourd'hui on a tendance à dormir dans des pièces surchauffées dépassant parfois 25 à 28°C. Cette température excessive affaiblit nos défenses contre des maladies microbiennes qui se répercuteront sur notre sommeil (rhume, grippe, etc.).

La meilleure température pour dormir est 14 ou 15 °C. Cependant la température optimale variera selon les personnes de 12 à 20°C. En tout cas, il est toujours préférable de dormir à une température inférieure à celle que l'on supporte dans la journée. Cela quitte à se couvrir un peu plus. Il faudra toutefois éviter les couvertures trop lourdes qui gêneraient notre circulation.

---

**Pour ou contre l'oreiller ? Tout dépend si vous dormez à plat ventre ou sur le dos**

---

Une bonne circulation du sang demande que l'on ait les pieds un peu plus haut que le bassin. Il vaut mieux dormir à plat en position ventrale, et la tête légèrement surélevée lorsqu'on est couché sur le dos. Cette position facilite notre respiration. Mais il faut éviter d'avoir un traversin plus un oreiller, ce qui entraîne des tensions de la nuque et de la colonne vertébrale.

Dormir sur le dos, la tête légèrement rejetée en arrière est donc la position la plus indiquée pour dormir. Mais selon notre tempérament et surtout selon certaines indispositions, d'autres positions peuvent être conseillées. Ainsi, si l'on a mal au foie ou des difficultés de digestion, on dormira sur le côté droit. La position en chien de fusil sera recommandée pour les personnes angoissées, car elle est le symbole de la nidation; elle est toutefois déconseillée aux personnes qui auraient des troubles de la circulation (varices). Enfin, on dormira à plat ventre en cas d'aérophagie ou de maux de tête.

## Le bruit

Le bruit est un des principaux facteurs qui dérangent notre sommeil. Il est difficile, surtout en ville, de l'éliminer totalement. Certaines précautions permettent cependant de s'en prémunir.

Le bruit se mesure en décibels. Trente décibels correspondent à des voix qui chuchotent ou au tic-tac d'une montre, c'est-à-dire pratiquement le silence. Jusqu'à quarante décibels on pourra dormir sans être gêné et jusqu'à cinquante-cinq se reposer de jour. Malheureusement, notre environnement nocturne dépasse souvent cette limite. Le son d'un transistor dont le volume est un peu élevé, le passage d'un train, la circulation à un carrefour, un klaxon s'échelonnent de soixante à cent vingt décibels. Au-delà, par exemple le bruit d'un avion, notre organisme risque d'être dangereusement perturbé.

○ *Les boules de cire*
Le plus simple remède contre le bruit est de recourir à ces boules de cire que l'on pétrit à la forme de notre conduit auditif. Les plus connues sont les boules Quiès, mais il y a différentes sortes de boules, certaines sont en matière élastique. Les meilleures permettront de réduire les sons de vingt à trente décibels, ce qui, dans bien des cas, peut être suffisant.

Elles comportent cependant certains inconvénients. Elles peuvent se déformer lorsqu'on appuie la tête sur l'oreiller. Si on les met trop rapidement, on emprisonnera de l'air dans le conduit auditif, ce qui nous fera entendre battre nos artères. Certaines personnes peuvent ressentir de l'échauffement ou des démangeaisons.

Les boules ne sont donc pas une solution miracle, et il ne faudra pas s'étonner d'entendre à peu près normalement quelqu'un qui parle.

○ *L'isolation*
Les autres moyens pour se protéger du bruit reviennent à des questions d'aménagement, d'équipement. Différentes techniques permettent d'empêcher son intensité.

Afin de s'isoler des bruits de la rue, on pourra soit faire poser aux fenêtres des carreaux plus épais, d'au moins 5 mm d'épaisseur, soit mettre des doubles vitres espacées de 5 à 10 cm et de densité différente. La couche d'air qui sépare les deux vitres arrête alors les sons. Il est plus difficile d'empêcher les bruits d'un voisin ; doubler un mur est une affaire compliquée. Il faut, en effet, que la cloison à doubler ne soit touchée ni par des clous, ni par du plâtre. Entre l'aggloméré de bois, les plaques de plomb ou les plaques de plâtre et le mur à isoler, on pourra mettre de la laine de verre et des matières élastiques. On peut également recouvrir les murs de plaques de liège qui feutreront les bruits. Bien posées, les cloisons isolantes permettront d'arrêter vingt à quarante décibels.

Pour isoler un plafond, l'idéal est évidemment de faire de son voisin du dessus un inconditionnel de la moquette... Sinon il est toujours possible de prévoir un double plafond. Mais le son risque de continuer de se propager par les murs, il est alors conseillé d'isoler toute la chambre.

Les bruits de salle de bains ou de cuisine se répercuteront généralement à travers les tuyauteries. On peut alors entourer celles-ci d'une gaine isolante en laine de verre.

Nous savons tous, enfin, que tout résonne davantage dans une pièce vide que dans une pièce meublée. Tentures, tapis, revêtements muraux, portières amortiront et absorberont efficacement le bruit.

## L'environnement

Non seulement l'environnement matériel, mais aussi la géographie peuvent influencer notre sommeil. Il est connu qu'au bord de la mer on dort moins, et si l'on vivait sous l'eau, cette durée serait encore réduite ; tandis qu'à la montagne on dort plus. Cela est du moins vrai pour les habitants des montagnes qui en moyenne dorment vingt à soixante minutes de plus que les habitants des plaines. C'est moins évident pour les vacanciers chez qui l'altitude peut, les premiers temps, engendrer un sommeil léger.

## Les rituels du coucher

La toilette de la nuit a pris aujourd'hui une grande importance. Se laver le visage et les dents, prendre un bain, se démaquiller sont autant de gestes qui préparent au sommeil. D'une part, ils sont une période de transition entre la vie active et la nuit, d'autre part, si on les accomplit de manière calme et posée, ils nous permettent de détendre les muscles de notre visage et de nos membres, en nous faisant ressentir un bien-être qui est déjà l'annonce d'un bon sommeil.

Quelles que soient les origines morales du port de la chemise de nuit, puis aujourd'hui du pyjama, le vêtement de nuit participe au confort nécessaire à beaucoup de personnes. Nous aimons, enfants, être bordés, nous aimons aussi que l'on nous déshabille puis que l'on nous habille pour la nuit. Lorsque, adultes, nous refaisons ces gestes, nous nous sentons alors conditionnés au sommeil. La liberté de dormir nu n'est pas toujours pour la majorité d'entre nous quelque chose de naturel, il faudrait une nouvelle éducation des rites de la nuit pour que nous puissions y parvenir sans gêne.

Très souvent nos rituels du coucher suivront un certain ordre : on ferme les volets, on tire les rideaux, on s'assure que la porte est fermée à clé, on ouvre son lit, on se brosse les dents, on va aux toilettes, puis on se couche.

Pour certains, il sera important que cet ordre soit respecté et que chaque geste quotidien soit accompli avant qu'ils puissent s'endormir. Certaines personnes, en effet, se relèveront une fois couchées, parce qu'elles ont omis de faire l'un des gestes qui accompagnent leur sommeil. Il ne faut pas alors les en empêcher. Les rites intimes du coucher des adultes sont aussi insolites que ceux des enfants, et sont aussi nécessaires à leur sommeil. Enfin, la prière peut constituer le dernier rituel précédant l'endormissement.

# Apprendre à dormir à son enfant

Pour tous nos comportements, la période d'apprentissage de l'enfance est essentielle. Le sommeil n'y échappe pas. Or, la conduite des parents en ce qui concerne le sommeil de leur enfant est la plupart du temps fondée sur des opinions erronées. Ainsi, on sait qu'un bébé dort beaucoup, soit environ dix-huit heures, mais l'on ne sait pas que certains nourrissons dorment seulement dix heures par jour, tout à fait normalement. Les parents d'un tel enfant chercheront mille causes à une maladie qui n'en est pas une, et plus tard continueront à vouloir que l'enfant dorme autant qu'eux.

Aussi bien la mère de famille qui impose à son enfant de se coucher en même temps qu'elle, et n'accepte pas qu'il lise au lit quand elle dort, que celle qui se lève le matin pour l'accompagner à l'école, puis se recouche, et le soir se plaint d'insomnie, font preuve d'incohérence dans l'organisation de leur sommeil et de celui de leur enfant.

Dans la majorité des familles occidentales, le rituel du coucher de l'enfant est l'objet de tension, d'anxiété ou d'irritation, à la fois pour l'enfant et pour les parents. L'enfant a peur de dormir, peur de rester seul; les parents ont peur qu'il ne dorme pas assez, peur qu'il ne puisse pas se passer d'eux. Demain, l'enfant travaillera mal, ce soir, il empêche les parents de s'amuser. L'enfant fait ainsi les frais d'une civilisation du rendement où il est honteux de dormir quand ce n'est pas l'heure et où les parents ont à peine le temps de se voir.

---

**Trop souvent les heures de sommeil de l'enfant sont calquées sur celles des parents**

---

Nous ne nous rendons pas toujours compte des contraintes que nous imposons au sommeil de l'enfant. L'enfant doit suivre les horaires de travail de ses parents. Si le père et la mère travaillent, il sera réveillé vers 7 heures du matin, puis confié à une voisine qui le conduira ensuite dans une garderie ou à l'école. Si l'enfant est jeune, il aura droit à une sieste après le déjeuner; mais s'il est plus grand, il aura été astreint à suivre une journée continue aussi longue que celle de ses parents. D'autant plus que le soir, il voudra rester avec eux pour regarder la télévision, par exemple.

Pendant la semaine, l'enfant ne voit pour ainsi dire pas ses parents, mais lors du week-end, par réaction, il deviendra soudain l'objet d'un intérêt privilégié pour ses parents. Il faudra qu'il les suive dans leurs promenades, leurs visites. Le dimanche soir, excité par ce surplus d'affection, de déplacements et de jeux, il aura des difficultés à s'endormir ou s'effondrera épuisé. Si bien que le lundi matin tous les instituteurs affrontent une classe d'enfants fatigués et endormis.

---

**La chambre et le lit doivent être adaptés aux besoins de l'enfant**

---

Lorsqu'on reproche à un enfant de ne pas dormir, il faut tenir compte de l'emploi du temps qu'on lui a imposé dans la journée précédente. Mais c'est aussi le cadre de la chambre à coucher qui, souvent, ne convient pas à l'enfant.

Le lit-cage est le symbole d'une attitude ségrégatrice à l'égard de l'enfant. Cette attitude est souvent inconsciente et peut s'appuyer sur un type de pédagogie erronée. Nous donnerons quelques exemples de comportements trop rigides au sujet du coucher et du sommeil de l'enfant qu'il faut éviter. Pour soigner nos insomnies d'adulte, il faut d'abord comprendre le sommeil de l'enfant.

— *Faut-il fermer les portes de la chambre de l'enfant? Eteindre toutes les lumières?*

Ceux qui enferment l'enfant pour dormir affirment qu'il est nécessaire pour son autonomie de connaître tôt l'expérience de la séparation. Or la plupart des enfants redoutent ce moment du coucher; une porte entrouverte, une lumière allumée ne peuvent que faciliter l'installation du sommeil. Contrairement à ce que certains pensent, les bruits de voix ou de vaisselle ne gêne pas l'enfant dans son sommeil; au contraire, ils le sécurisent.

— *Doit-on l'empêcher de sucer son pouce, son drap ou sa couverture?*

Sûrement pas. Sucer son pouce disparaîtra de soi, dans la majorité des cas, sans laisser de déformation de la bouche ou des dents, comme on en menace les enfants. Le drap n'est pas plus sale parce que l'enfant le suce, et aucune maladie ne sera entraînée par cet acte. De plus, ces attitudes sont essentielles à l'enfant pour se trouver bien dans son lit et s'endormir facilement. Elles expriment, d'une part, un mouvement rythmique monotone et répétitif qui facilite l'endormissement, et, d'autre part, elles participent du phénomène de nidation : l'enfant reconnaît l'odeur spécifique du drap ou de la couverture qu'il suce. On remarquera que certains enfants ont toujours des difficultés à s'endormir le jour où l'on a changé leurs draps. Déjà chez l'enfant la plus petite infraction au rituel du sommeil peut créer des insomnies.

---

**Les conclusions d'une pédagogue célèbre : Maria Montessori**

En 1936, Maria Montessori* s'élevait déjà contre le lit que nous donnons aux enfants :

---

\* Maria Montessori : médecin et pédagogue italienne, née en 1870, morte en 1952. L'un des principaux promoteurs de l'école active. Extrait de *L'Enfant* (Paris, Gonthier, 1936)

«Le lit des enfants qui savent déjà se mouvoir seuls est une hérésie. Différent du berceau qui a sa beauté et son moelleux, différent du lit des grandes personnes fait pour s'étendre commodément et dormir, ce que l'on appelle «le lit de l'enfant» est la première prison que la société offre à des êtres qui luttent pour leur existence intellectuelle. La haute cage de fer dans laquelle les parents les font descendre pour trouver le gîte forcé est à la fois une réalité et un symbole. Les enfants sont les prisonniers d'une civilisation construite exclusivement pour l'adulte, pour le bien de l'adulte, qui se resserre toujours davantage ne laissant à la liberté de l'enfant qu'un espace progressivement réduit.

Le lit de l'enfant est une cage surélevée afin que l'adulte puisse manier l'enfant sans avoir le mal de se baisser; il peut aussi abandonner cet être, qui, sans doute, va pleurer, mais ne se blessera pas. On fait l'obscurité autour de lui. Ainsi, quand viendra le jour, la lumière ne le réveillera pas. Une des premières aides à la vie psychique de l'enfant est la réforme du lit et des habitudes relatives au long sommeil imposé. L'enfant doit avoir le droit de dormir quand il a sommeil, de s'éveiller quand il a fini de dormir et de se lever quand il veut.

Aussi conseillons-nous l'abolition du classique lit d'enfant et son remplacement par un matelas très bas, recouvert d'une grande couverture, sur lequel l'enfant peut se coucher et qu'il peut quitter à volonté. Bien des détails apparemment difficiles à résoudre peuvent trouver solution au moyen de réformes bien simples. Celle-ci est économique comme toute réforme qui aide la vie psychique de l'enfant.»

---

— *Doit-on considérer comme un caprice le fait que l'enfant ne peut pas s'endormir sans son ours?*
Certains objets chéris de l'enfant participent de son rituel d'endormissement : poupées, animaux en peluche, petites autos, et font souvent du lit de l'enfant un véritable magasin de jouets. Quand l'enfant ne veut pas partir en vacances sans emporter son ours en peluche, ou

quand il veut dormir avec le jouet dont un grand-parent lui a fait cadeau, il ne s'agit pas d'un caprice. Les objets représentent les personnes chères à l'enfant. Le jouet fétiche est un point de repère affectif qui permet à l'enfant d'emporter dans son sommeil quelque chose qui fasse le lien avec son activité de veille. Lorsque l'enfant met ses poupées dans son lit, c'est un peu comme s'il s'assurait que le lendemain il retrouvera bien son papa, sa maman, sa grand-mère. Comme le dit Jeannette Bouton : «On peut prendre le risque de s'endormir hors des limites (hors de chez ses parents, par exemple), à condition que les êtres chers soient en sécurité[8].»

— *Faut-il que l'enfant couche avec ses parents?*

Dormir avec son enfant n'est pas en soi un mal. Mais si les parents (ou l'un des deux) sont sujets à des insomnies ou à des angoisses, l'enfant aura tendance plus tard à avoir un sommeil difficile et agité. Lorsque l'enfant sert à combler une mésentente entre ses parents, lorsqu'il devient le confident nocturne des soucis ou des chagrins de sa mère, il ne pourra lui-même, plus âgé, s'endormir sans une présence affective qu'il tyrannisera.

Beaucoup d'autres comportements, dont nous ne connaissons pas toujours la portée, peuvent avoir une influence néfaste sur le sommeil de l'enfant.

*Ce qu'il ne faut pas faire :*

— Manipuler l'enfant quand il dort.

— Le transporter endormi dans des lieux étrangers; l'enfant peut alors se réveiller en ayant peur.

— Le réveiller pendant un cauchemar. En effet, si l'on ne réveille pas l'enfant, il ne se souviendra généralement de rien le lendemain matin.

*Ce qu'il faut faire :*

— Une multiplicité de sensations objectives peuvent assaillir l'enfant dans son sommeil : secousses nocturnes, paralysie du petit matin... Associées à certains contes effrayants que l'enfant a entendus, ces phénomènes peuvent créer une peur réelle du sommeil. Il faut alors prendre le temps d'expliquer à l'enfant que ces sensations ne comportent pas de danger.

— L'enfant est curieux, surtout des mystères de la nuit. Il cherchera souvent à espionner le sommeil de ses parents. Il ne faut pas alors gronder l'enfant, mais répondre à ses questions et le laisser faire.

Comme pour le reste de son comportement, il faut donc éduquer l'enfant à dormir. Dans ce but, certaines écoles consacrent aujourd'hui quelques heures par jour à des cours de sommeil. Jeannette Bouton qui s'est chargée de cet enseignement remarque que «l'enfant croit ce qu'il voit... Or, il ne peut pas imiter l'adulte dans des attitudes qui lui sont inconnues, telles que : fermer les yeux, dormir[8].» Le nouveau personnage de «La dame qui dort» va donc, à l'heure de la sieste dans les écoles, montrer que le sommeil n'est pas seulement réservé aux petits, mais que les adultes aussi dorment. Elle mimera devant grands et petits les attitudes essentielles du sommeil. Cette leçon de sommeil en groupe dès notre plus jeune âge est un pas de plus dans le contrôle personnel de nos rythmes vitaux.

## Les petits incidents du sommeil

○ *Le somnambulisme*
Environ 18 % des enfants, entre cinq et douze ans, présentent des accès de somnambulisme, ainsi que 1 à 6 % des adultes. Afin de savoir si votre enfant a des dispositions somnambuliques, vous pouvez essayer de le lever pendant une phase de sommeil profond. S'il se tient debout et commence à se déplacer en dormant, il y a des chances pour qu'il soit somnambule. Dans le cas contraire, il tombera par terre.

---

**Le somnambulisme n'est pas lié au rêve**

Le somnambulisme survient toujours en sommeil profond du stade 4 et jamais en sommeil de rêve. Contrairement à ce qu'on pourrait croire, il n'y a donc pas de relation directe entre les rêves et le somnambulisme. Il n'y a pas non plus de rapport avec l'épilepsie. L'imagerie populaire a dressé un portrait souvent trop fantastique, ou trop caricatural du somnambule. Celui-ci n'est ni aussi rigide qu'un automate, ni aussi adroit qu'un funambule. En conséquence, il faudra le surveiller pour qu'il ne se blesse pas. Il faut toutefois éviter de réveiller l'enfant somnambule. On risquerait, en effet, de provoquer chez lui un désarroi dû à un réveil dans un lieu insolite. Inversément, le somnambule peut être dangereux par inadvertance. Ces dernières années une jeune Anglaise, en état de somnambulisme, tua son père et sa mère, car elle avait cru voir entrer des voleurs dans la maison. Elle fut acquittée pour homicide involontaire. Il faut cependant savoir prévenir de tels drames en ne laissant pas d'arme ou d'objets dangereux à la portée d'un somnambule.

Généralement le somnambule commence par s'asseoir brusquement sur son lit, puis il se lève, contourne des objets, parfois sort de sa chambre et peut descendre des escaliers. Si on lui parle, il ne répond pas sauf par des grognements ou des paroles bizarres. L'accès peut durer de quelques secondes à quelques dizaines de minutes. Le lendemain, il ne se souviendra de rien. Certains somnambules cachent des objets pendant leur sommeil. Ils ne les retrouveront parfois qu'à la suite d'une autre crise.

Le somnambulisme disparaît à l'adolescence. Mais il peut reparaître chez l'adulte lors de chocs émotionnels. On soigne aujourd'hui le somnambulisme avec des tranquillisants.

○ *Somniloquie et grincements de dents*
La somniloquie (parler en dormant) comme les grincements de dents sont des phénomènes beaucoup plus courants que le somnambulisme. Ils se produisent rarement pendant un sommeil profond, mais surtout pendant un sommeil léger, et quelquefois pendant le sommeil de rêve. Les sons sont mal articulés et souvent incompréhensibles, le ton parfois emphatique. La plupart du temps, ces incidents sont sans conséquences pathologiques. Toutefois les grincements de dents pendant des périodes prolongées correspondent à une tension ner-

veuse ou à des problèmes psychologiques chez le dormeur. Il faut alors consulter un médecin.

○ *L'énurésie*

5 à 7 % des enfants entre trois et cinq ans sont sujets à l'énurésie, émission involontaire d'urine pendant la nuit. L'énurésie est plus fréquente chez les garçons que chez les filles. Elle est rare chez les adultes. L'incontinence nocturne survient généralement après un allégement du sommeil profond. Les rêves d'urine qui peuvent alors se produire ne précèdent pas l'énurésie, mais la suivent. Les causes de l'incontinence sont le plus souvent psychologiques. (Régression suivant la naissance d'un petit frère, façon d'attirer l'attention sur soi, comportement d'opposition à l'école,...) L'enfant témoigne par cet acte d'un rejet de l'éducation familiale ou scolaire qui lui est imposée. La consultation d'un psychothérapeute peut devenir nécessaire. Mais, généralement, l'énurésie disparaîtra d'elle-même avec la puberté. En attendant, il faudra éviter toute sanction qui ne ferait que renforcer l'angoisse de l'enfant.

On sait aujourd'hui soigner efficacement l'énurésie grâce à des comprimés d'imipramine pris avant le coucher.

○ *Les cauchemars et les terreurs nocturnes*

Il faut distinguer les cauchemars, qui sont des rêves de mort, de guerre ou tout simplement des rêves effrayants, des terreurs nocturnes, qui se manifestent par une panique corporelle. Les cauchemars surviennent généralement au petit matin, pendant le sommeil rapide. L'enfant peut les raconter au réveil, et le retour à la réalité apaisera généralement son angoisse.

---

**Les somnifères ne sont pas un remède aux terreurs nocturnes**

---

Les terreurs nocturnes surviennent, au contraire, en sommeil profond du stade 4, au début ou en milieu de nuit. L'enfant s'assied brusquement, il pousse des hurlements, manifeste une émotion physiologique générale, et paraît halluciné. Pendant un moment plus ou moins long, on ne pourra pas communiquer avec lui, et si on lui demande de raconter ce qu'il a vu ou senti, il ne rapportera que des fragments très pauvres : quelque chose comme une bête, ou un homme, l'assaillant ou le mordant. Dans la mesure où ces terreurs nocturnes surviennent au moment où devrait se produire le sommeil paradoxal, il faut éviter de donner à l'enfant des somnifères qui diminuent encore ce sommeil. Pour les terreurs nocturnes, comme pour le somnambulisme, on prescrit généralement un tranquillisant. Le plus souvent, l'enfant aura oublié ses terreurs nocturnes le lendemain. Si bien que ses parents seront plus inquiets que lui. On ne peut là encore que conseiller d'éviter un réveil brusque, et, s'il le faut, expliquer à l'enfant la différence entre le rêve et la réalité.

# Au secours du sommeil

# Les moyens naturels

Selon diverses statistiques, un Français sur deux, ou un Français sur trois, serait sujet à des insomnies chroniques. Nous avons tous eu, au moins occasionnellement, des accès d'insomnie. A proprement parler, il n'y a pas d'«insomnie», c'est-à-dire un manque total de sommeil, mais seulement des gens qui dorment mal. Chacun de nous connaît l'exemple de telle ou telle personne qui passerait sa nuit à diverses activités, et ne s'endormirait pas pour autant pendant la journée. Malheureusement, on n'a jamais pu en laboratoire contrôler une absence totale de sommeil. Rassurons-nous donc, personne n'a le privilège de passer sa nuit à veiller.

On a souvent tendance à croire que l'insomnie serait une maladie des villes, et que le paysan, ou l'homme des sociétés traditionnelles, ne connaîtrait pas ce problème. Certes, notre genre de vie actuel n'est pas fait pour favoriser notre sommeil. Mais pauvres ou riches, agriculteurs ou intellectuels, nous sommes tous des insomniaques en puissance.

## Les causes et la natures de l'insomnie varient selon les individus

Le sommeil n'est pas coupé de notre vie diurne, et aujourd'hui on ne conçoit plus l'insomnie comme une maladie déterminée qui nous affecterait tous identiquement. Il y a, au contraire, une multiplicité d'insomnies qui reflètent la personnalité, les préoccupations, les intérêts ou les modes de vie de chacun de nous. L'insomnie peut être occasionnée par une dépression nerveuse, par l'âge, par la maladie; elle peut avoir des causes physiologiques aussi bien que subjectives ou psychologiques. En raison de cette diversité de symptômes et de causes, le médecin devra être très prudent dans son diagnostic et dans le traitement correspondant. Nous le verrons, il n'y a pas de remède unique ni de remède miracle.

Lorsqu'on se plaint de n'avoir pas assez dormi, de manquer de sommeil ou d'être fatigué pendant la journée, il faut d'abord chercher à savoir à quelle catégorie d'insomniaques on appartient. Les insomnies sont généralement dues soit à un excès de fonctionnement du système d'éveil, soit à un mauvais fonctionnement des structures chargées d'engendrer le sommeil. La première cause est de loin la plus fréquente chez l'homme; il est beaucoup plus rare qu'une insomnie résulte d'une défection directe des mécanismes neurophysiologiques du sommeil. Parmi les insomnies fonctionnelles, on peut distinguer l'insomnie occasionnelle et l'insomnie imaginaire; une troisième catégorie d'insomnie est l'insomnie maladive.

## L'insomnie occasionnelle

L'insomnie occasionnelle est courante et s'installe spontanément. Mais c'est aussi celle qui disparaît le plus facilement. Elle peut être causée par un événement inopiné dans l'environnement du dormeur : ouverture d'un chantier de nuit, réception chez les voisins, porte qui bat, robinet qui goutte, ou bien être la conséquence d'un trop copieux dîner, d'un tour de reins, ou d'une dépense physique inaccoutumée dans la journée qui a précédé le sommeil. On peut alors sentir ses jambes lourdes, ankylosées ou pleines de fourmillements. En se levant et en marchant, cette gêne se dissipera, mais elle pourra revenir au cours de la nuit.

Il n'est pas extraordinaire de ne pas dormir dans ces circonstances, et l'on ne peut que regretter de faire partie d'une catégorie de dormeurs à sommeil sensible. Il n'y a pas de honte à cela, bien dormir ne voulant pas dire être insensible aux perturbations de son environnement. On peut même penser que ne pas avoir d'insomnie lors de certaines périodes difficiles témoigne non pas d'un bon sommeil, mais d'un mécanisme de fuite.

La plupart des insomnies accidentelles sont dues à des événements importants de notre vie quotidienne. Passage d'un examen, perte d'une situation, mort d'une personne chère, ou naissance d'un amour... sont autant de situations qui provoquent une insomnie plus ou moins passagère. On sait bien aussi que certains événements collectifs, comme la nuit de Noël pour les enfants, la déclaration d'impôts ou une élection présidentielle pour les adultes, entraînent, à l'échelle d'une communauté, une attente ou une anxiété qui se répercute dans le sommeil. Même les gens les plus calmes et les moins anxieux ne dorment pas aisément lorsqu'ils ont des problèmes familiaux ou, par exemple, lorsque leur fille ne rentre pas le soir pour la première fois.

On peut expliquer chimiquement ces insomnies temporaires par une accumulation d'adrénaline produite par les glandes surrénales lorsque nous sommes touchés par une émotion vive ou lorsque nous devons faire face à des obligations qui sortent de l'ordinaire. Notre cerveau mis en état d'alerte pendant la journée continuera sur sa lancée lorsque viendra la nuit.

---

Une expérience simple a permis de vérifier cette influence de nos soucis sur notre sommeil. La résistance de la peau varie lors d'une situation de stress : on a pu ainsi observer que lors d'un sommeil troublé il y avait augmentation de la conductivité de la peau.

---

*Comment remédier à ce type d'insomnie?*
Lorsqu'il s'agit d'un désordre causé par un événement extérieur, bruit ou autre, la suppression de celui-ci doit

normalement provoquer le retour du sommeil. S'il s'agit d'une atteinte psychologique ou d'une crise passagère, la résolution du conflit ou de la crise est évidemment le meilleur remède.

Mais souvent nous refusons de voir où est l'origine réelle de l'insomnie et nous accusons le sommeil lui-même. Le sommeil devient ainsi la cause de nos malheurs. Dans la mesure où la raison de notre insomnie n'est pas le mauvais sommeil, d'autres troubles vont généralement s'associer à celle-ci : difficultés de travail, obésité, boulimie ou, au contraire, manque d'appétit, agressivité envers notre entourage. Devant chacune de ces contrariétés, on aura tendance à invoquer le sommeil comme grand responsable. Finalement, cet engrenage sera résolu soit par l'intégration de l'événement trauma-tique, s'il s'agit d'un deuil, soit par un nouvel intérêt amoureux, dans le cas d'une passion malheureuse, soit encore par une offre de travail, s'il s'agit d'un problème financier. En attendant, le mieux reste pour nous de chercher à anticiper sur le futur, d'imaginer des conduites et des solutions nouvelles aux problèmes qui nous préoccupent.

### Une insomnie momentanée n'est pas un drame

Si l'insomnie accidentelle n'est pas réduite dans un bref délai, elle risque malheureusement de tourner à l'obses-sion. Il y a des individus pour qui ne pas dormir devient un tel drame qu'ils chercheront à le compenser en se faisant passer pour des martyrs auprès de leur famille. Au fondement de ce scénario, il y a généralement un certain nombre d'erreurs sur la nature du sommeil. On croit souvent que ne pas dormir provoque des maladies, ou encore que l'on sera incapable de travailler le lende-main. En fait nous possédons beaucoup plus de ressorts que nous n'en mettons en jeu. Les enquêtes psychologi-ques ont montré que, même après une mauvaise nuit, si l'on est suffisamment motivé, et si l'on en a la volonté, on peut travailler comme à l'habitude.

Au lieu de faire payer doublement à l'insomnie son tribut : une fois pendant la nuit, et une fois pendant le jour, il vaudra mieux, comme certains enfants, occuper ce surplus de temps à jouer, ou bien à préparer son programme de travail pour le lendemain, ou encore à imaginer des choses agréables.

## L'insomnie imaginaire

La fausse insomnie est un phénomène très courant. La peur de ne pas dormir assez a même reçu un nom scientifique : l'agryniaphobie, ou peur de l'insomnie (agrynie). Ce sont généralement des hystériques ou des hypocondriaques qui affirmeront ne pas avoir fermé l'œil de la nuit, mais cela peut arriver à tout le monde. Ce genre d'insomnie consiste en une mauvaise appréciation du temps que l'on a passé à dormir.

Les faux insomniaques avancent même souvent des preuves pour justifier qu'ils n'ont pas dormi. Ainsi, au petit matin, affirmeront-ils avoir entendu sonner toutes les heures de la nuit. Or, on a pu montrer en laboratoire que l'on peut dormir suffisamment tout en comptant les coups de l'horloge, le sommeil ayant alors une qualité légèrement différente d'un sommeil normal. On remarque un retour plus fréquent à des phases de sommeil léger proche de la veille. C'est lors de ces phases que l'on se réveille avec le sentiment de ne pas avoir du tout dormi et que l'on écoute le carillon. On comprend mieux que beaucoup de gens qui ne se portent pas plus mal que nous puissent affirmer ne pas avoir dormi depuis plusieurs jours ou plusieurs semaines.

La plupart des bons dormeurs ont une évaluation assez exacte du temps qu'ils mettent à s'endormir, soit de cinq à dix minutes. En revanche, les faux insomniaques prétendront mettre une heure, alors qu'en laboratoire on s'apercevra qu'au bout d'un quart d'heure, ils sont déjà endormis. La déformation du temps, l'impression qu'il passe trop vite, ou qu'au contraire il n'en finit pas, est une caractéristique des états d'anxiété ou de préoccupation à l'état de veille. A *fortiori*, lorsqu'on est dans le noir et dans la solitude, les heures paraîtront beaucoup plus longues. Nous avions déjà noté cet allongement du temps dans les expériences faites par des spéléologues séjournant au fond de grottes où ils étaient privés d'influences extérieures.

La fausse insomnie est sans doute d'autant plus pénible que l'entourage n'y croit pas et que l'électro-encéphalographie la nie aussi en partie. Il est d'ailleurs facile de piéger le faux insomniaque en lui faisant remarquer qu'il ne se souvient pas de tel ou tel incident qui s'est passé pendant son sommeil

---

## Quand on se réveille le matin... certain de n'avoir pas dormi

---

Alors faut-il la rejeter et ne pas la traiter ? Bien sûr que non, car le sentiment subjectif d'avoir mal dormi est en lui-même un problème. De plus, en comparant le sommeil des bons et des mauvais dormeurs, on observe de réelles différences objectives d'ordre et de rythme dans leur qualité de sommeil. Le côté illusoire de ces insomnies et le fait qu'il n'y a pas de médicament spécifique pour telle ou telle qualité de sommeil font qu'il faudra éviter de prendre des somnifères. On ne traite pas une fausse insomnie en agissant sur les mécanismes du sommeil, mais en agissant sur notre rapport psychique au sommeil.

Il faudra prendre conscience que notre impression d'avoir mal dormi n'est pas totalement exacte. Nous ne sommes, en effet, qu'à demi-handicapé : nous avons passé assez d'heures à dormir, même si nous en avons mal profité. Il faut donc faire une différence entre ne pas dormir du tout et ne dormir, pour ainsi dire, que d'un œil. Cette prise de conscience peut favoriser le retour à un sommeil

---

Barry G..., *agent immobilier, disait avoir été contraint de prendre une retraite prématurée par suite d'une perte de sommeil nocturne et d'une fatigue consécutive pendant la journée. Il prétendait qu'après s'être couché le soir il restait éveillé une heure ou plus, qu'il connaissait plusieurs*

*réveils pénibles par nuit et qu'il ne pouvait jamais se
rendormir après cinq heures du matin. «Je ne dormais
même pas cinq heures par nuit», disait-il, et sa femme
nous avait rapporté qu'il était obsédé par le besoin d'avoir
«son compte normal de sommeil». Les pilules et la psychiatrie ne lui avaient apporté aucun soulagement. Lorsque nous lui avions demandé de tenir un journal et des
notes toutes les quinze minutes sur ses sensations de somnolence, il avait confirmé ses troubles de manière détaillée. Pourtant, lorsqu'il vint à notre clinique pour y passer
deux nuits complètes de sommeil contrôlé, son corps nous
conta une tout autre histoire. Barry G... était un dormeur
normal. En réalité, il s'endormait en dix minutes, et ses
moments de veille ne dépassaient pas vingt minutes par
nuit. Il bénéficiait de sept heures et treize minutes de
sommeil normal.*

*Barry G... fut invité à confronter nos enregistrements et
le fait de sa pseudo-insomnie. Ces données objectives
modifièrent son expérience subjective, et trois mois plus
tard il devait reconnaître qu'il avait un sommeil normal et
qu'il lui semblait s'éveiller moins souvent la nuit[70]»*

Il faut aussi savoir qu'il n'y a pas une quantité idéale et
nécessaire de sommeil. Les huit heures de sommeil provenant de la division en trois temps égaux d'activité des
vingt-quatre heures : huit heures de travail, huit heures
de loisir, huit heures de sommeil, ne sont pas une obliga-
tion, mais une moyenne, certains dormiront très bien
avec quatre à cinq heures de sommeil, d'autres dormiront mal en restant douze heures au lit.

**La durée de notre sommeil ne doit pas être fixe mais
révisable selon les circonstances**

Il y a des variations non seulement d'un individu à l'autre, mais aussi chez une même personne. Si quelqu'un
dort en moyenne sept heures, il peut y avoir des périodes
de l'année où six heures lui suffiront, et d'autres
moments où au contraire huit heures seront justes. Il faut
ainsi être à l'écoute de son rythme de sommeil, et tenir
compte des multiples facteurs de l'environnement et de

la vie sociale qui peuvent modifier ce rythme. L'insomnie imaginaire est le plus souvent la volonté fallacieuse d'imposer à son sommeil un rythme artificiel et étranger à nous-mêmes.

## Les insomnies maladives

Parmi les insomnies maladives, certaines sont dues à des causes physiologiques, d'autres à des états psychiques anormaux, d'autres encore à l'abus des somnifères. Les maladies graves sont généralement associées à des insomnies. L'usage de calmants tenant compte des contre-indications dues à la maladie est alors souhaitable. Cela à l'encontre d'un certain nombre de préjugés pour qui la souffrance est rédemptrice.

Les insomnies neurologiques dues à des lésions cérébrales sont exceptionnelles. Il faut donc rassurer tous ceux qui pensent avoir une tumeur au cerveau parce qu'ils ne dorment pas. D'ailleurs, ces malades gravement atteints sont justement ceux qui se plaignent le moins d'insomnie.

Les insomnies dues à des troubles psychiques vont d'état apparenté à la normale à des symptômes plus graves comme ceux des délirants. La petite insomnie de type névrotique se rapproche de l'insomnie imaginaire. Elle provient d'un fonctionnement excessif du système d'éveil. Nos obsessions, nos phobies, nos angoisses nous assaillent au moment de dormir, et nous les ressassons sans pouvoir trouver le sommeil. Dans la journée, le thème de l'insomnie deviendra un leitmotiv comme parfois dans l'insomnie occasionnelle.

La plupart de ces insomnies sont des insomnies d'endormissement, survenant plus rarement au milieu de la nuit. La peur de la nuit et des ténèbres associée à l'image de la mort est alors le motif inconscient de l'insomnie. Ce qui caractérise les plaintes de l'insomniaque, c'est sa solitude. Dans la nuit nous sommes seuls, et savoir que notre entourage familial ne répond plus à notre appel renforce notre solitude. Vomissements, troubles gastriques, maux de tête qui assaillent alors les insomniaques leur servent de liens pour établir le contact avec ceux qui dorment. L'enfant pleure, l'adulte ne pleure pas mais il est malade. L'agressivité caractéristique de celui qui s'est levé du mauvais pied est sans doute liée à cette jalousie éprouvée à l'égard de ceux qui en dormant ont fait fi de sa solitude.

---

### Réduire ses heures de sommeil n'accorde jamais qu'un sursis

---

La peur de la nuit, la trop grande importance accordée aux nécessités d'une activité de veille par rapport aux besoins de repos peuvent aussi provoquer un type d'insomnie volontaire. Nous ne dormons pas parce que nous voulons travailler au maximum, parce que cela ne sert à rien de dormir, parce que c'est du temps perdu. Il est rare que l'on puisse longtemps maintenir un rythme écourté de sommeil, si ce rythme ne correspond pas à celui de notre organisme. Et l'homme d'affaires ou l'homme qui prend trop à cœur ses responsabilités risque brusquement d'avoir une dépression nerveuse.

---

«Jean Y..., *quarante-cinq ans, est directeur commercial adjoint, sa promotion est récente, il doit en quelques semaines prendre connaissance de l'ensemble des dossiers, rencontrer le personnel sous ses ordres. Ses déplacements sont incessants à travers les différentes succursales; au bureau, en homme très scrupuleux, il ne sait refuser un entretien à aucun de ses collaborateurs. L'instabilité de l'emploi, les concentrations des entreprises entretiennent un climat d'insécurité pour ce cadre supérieur. Pour faire face à l'ensemble de ses tâches, il prend plusieurs cafés forts le soir, s'endort à 1 heure 30 du matin, se réveille en sursaut à 4 heures : il a oublié un chapitre important dans le dossier qu'il a déjà soumis à la direction générale. Le sommeil ne se rétablira que par intervalles insuffisants jusqu'au lever à 7 heures 30. Les nuits suivantes, il pense que la récupération du sommeil sera facile. En fait, les mêmes réveils en sursaut et l'angoisse se produisent à la même heure, entraînant une rumination sur des préoccu-*

*pations professionnelles passées ou à venir. Son entourage perçoit une modification de son caractère, souffre de ses colères explosives et injustifiées. Il est bien évident que le manque de sommeil prolongé est la cause de ces modifications du comportement chez un homme dont la personnalité est sans doute trop rigide et perfectionniste[19].»*

Ce sont ces types d'insomniaques névrosés, angoissés et nerveux qui, si on leur administre des somnifères, risquent de tomber dans un processus d'accoutumance. Dans ce cas, il faut surtout éviter de prendre des barbituriques. Au besoin le médecin prescrira des tranquillisants. Mais en cas de persistance de l'insomnie, doubler les doses ne peut qu'engendrer une escalade qui conduira à la toxicomanie. Mieux vaut donc chercher à résoudre le problème au niveau psychologique où il se situe. Aujourd'hui le névrosé pourra consulter un psychanalyste afin de résoudre le conflit personnel qui est à la racine de son insomnie.

Les maladies mentales, comme les dépressions, la mélancolie ou les manies, ainsi que les désordres psychotiques plus aigus sont aussi associés à de graves insomnies.

Le schizophrène atteint d'un état de surexcitation fébrile passera sa nuit à se lever, à déambuler, à parler, à déplacer des objets. Si on lui administre un somnifère, on risque d'accroître son insomnie et son agitation. De même, chez un délirant, les hallucinations auditives et visuelles ne peuvent qu'être renforcées par l'usage d'un hypnotique. Si ces désordres graves sont visibles au moment des crises, ils sont plus difficiles à déceler entre deux crises. Le point important pour un médecin sera d'avoir à reconnaître s'il a affaire à un insomniaque occasionnel ou à un déprimé. Il aura alors à prescrire un antidépresseur à prendre dans la journée et non un sédatif à prendre avant le coucher.

*«Laurence P..., trente-sept ans, mariée, deux enfants, consulte pour une insomnie qui a débuté brusquement le lendemain du décès d'une de ses très proches amies de collège, décédée d'un cancer. Son sommeil est agité de cauchemars : convois funèbres, visage de la morte; elle-*

*même est inquiète de sa propre sannté, elle recherche les signes de la maladie fatale qui a emporté son amie. Elle n'a plus de goût à son activité ménagère, les cris et jeux de ses enfants l'exaspèrent comme une insulte à la disparition d'une personne qui lui était si chère. L'attitude compréhensive de son mari ne peut lutter efficacement contre une impression de vanité de l'existence ni contre une grande lassitude physique et morale.*

*Son humeur est morose, mais Laurence P... n'exprime pas l'idée de suicide : au contraire, elle paraît redouter la mort, et souhaite que l'on puisse l'aider à passer cette phase difficile et authentiquement dépressive[9].»*

Il n'y a donc pas un seul remède contre l'insomnie, mais un ensemble de techniques et même, dans certains cas, de médicaments visant à améliorer le cadre hygiénique de notre sommeil.

# Les plantes

La médecine par les plantes ou phytothérapie (du grec *phuton*, plante) est aujourd'hui remise à l'honneur, tandis que les applications et les prescriptions de médicaments chimiques sont de plus en plus restreintes et nuancées en raison de leurs effets secondaires. Comme autrefois, on aura donc recours à des tisanes ou aux essences aromatiques de plantes pour soigner nos insomnies.

Ces traitements entraînent peu de risques et sont efficaces dans beaucoup d'insomnies occasionnelles, imaginaires, ou même dans des insomnies dues à l'angoisse ou à des obsessions. Maurice Mességué, guérisseur célèbre du Gers, constate que dans 80 % des insomnies qu'il a soignées par les plantes il a obtenu un succès, dans 10 % une amélioration, et dans 10 % un échec[38].

Les tisanes sont un remède que l'on peut se prescrire soi-même et qui souvent peuvent faire l'objet d'un rituel familial avant le coucher. Tisane est le nom commun donné à différentes préparations de plantes destinées à êtres bues :

o *L'infusion* consiste à verser de l'eau bouillante sur la plante et à la faire ainsi infuser pendant cinq à quinze minutes. L'infusion se fait en dehors du feu. Le tilleul, par exemple, se prépare en infusion. Une infusion se conserve rarement plus de vingt-quatre heures.

o *La décoction,* au contraire, se prépare directement sur le feu. On met la plante dans de l'eau froide et on fait bouillir dix à vingt minutes ; on obtient ainsi le décocté qui contient certaines vertus essentielles de la plante.

o *La macération* consiste à laisser une plante plusieurs heures ou plusieurs jours dans un liquide (eau, alcool, vinaigre) afin de la conserver ou de la dissoudre.

Si les herboristes sont malheureusement de plus en plus rares, on trouve toutefois la plupart des plantes endormantes et calmantes dans les pharmacies. Parmi les plantes courantes, dont on connaît depuis longtemps les vertus calmantes ou dormitives, on peut citer le coquelicot, le tilleul, ainsi que les feuilles et les fleurs d'oranger. Plus récemment, on a découvert que le nénuphar était aussi un puissant sédatif. Une vieille recette prônait déjà des cataplasmes de nénuphar sous les pieds pour procurer un sommeil profond et plein de songes apaisants.

La plume n'a pas toujours été le seul contenu de nos oreillers ; on sait que nos ancêtres avaient des oreillers de paille. Mais dormir sur un oreiller de plantes séchées : feuilles de fougère ou de houblon, facilitera notre détente cérébrale et l'installation du sommeil.

Selon la plante choisie, on utilisera les organes souterrains (la racine, le rhizome, le bulbe) ou les organes aériens (la feuille, la fleur, le fruit, la graine et l'écorce). Pour chaque recette nous indiquerons la partie à employer.

### Faire sécher les plantes pour pouvoir les conserver

La plupart des plantes médicinales peuvent se conserver longtemps, à condition d'être séchées, ce que l'on appelle la dessication. En retirant l'eau du végétal, on empêche sa décomposition. Ainsi, on pourra faire sécher le tilleul sur des claies; les feuilles et les fleurs sécheront plus vite que les racines. Nous saurons que la plante est sèche lorsqu'elle pourra se briser facilement.

Pour faire sécher les plantes, on choisira un endroit à l'ombre, bien aéré, et d'une température moyenne. Au-delà de 40°, certains principes des plantes, comme les huiles, sont altérés.

## Recettes contre l'insomnie

Il est difficile de dire quelles plantes conviennent le mieux dans tel ou tel cas d'insomnie pour chacun. Les mêmes plantes qui feront dormir les uns peuvent énerver les autres. Il faudra alors essayer plusieurs recettes avant de trouver celle que nous préférons.

Souvent le mélange de plusieurs plantes en tisane sera plus efficace que l'action d'une seule plante. On trouve ainsi associées des plantes qui ont des vertus directement sédatives : la valériane, le coquelicot, le tilleul, avec des plantes qui ont des fonctions régulatives plus générales.

La menthe, par exemple, a un effet calmant dans des désordres intestinaux, les spasmes ou les coliques, la sauge régularise le système nerveux et agit comme stimulant dans les états apathiques ou les embarras gastriques. L'eau de mélisse sera utilisée dans les malaises digestifs, les évanouissements, et dans le cas de palpitations du cœur.

Nous donnerons divers mélanges faciles à réaliser soi-même :

○ Formule n° 57 pour dormir :
«Oranger, feuilles 30 g
Mélisse, feuilles 30 g
Lavande, fleurs 20 g
Aubépine, fleurs 20 g
Valériane, racine 20 g
Verveine, plante 10 g
Menthe, feuilles 10 g

Bien mélanger le tout. Deux cuillerées à soupe par bol d'eau. Faire bouillir pendant deux minutes et infuser dix minutes. Boire un bol le soir avant de se coucher[95]. »

○ L'infusion de tilleul est très employée. Les fleurs de tilleul embaument, elles se récoltent à peine ouvertes, aux environs de la Saint-Jean, et se font sécher sur des claies.

On peut également faire entrer le tilleul dans un mélange d'aubépine (fleurs, une poignée), de coquelicot (fleurs et capsules broyées, une poignée) et de menthe (feuilles, une poignée).

○ L'infusion de marjolaine et de lotus combat l'anxiété ou les palpitatons du cœur. Mettre une pincée de marjolaine (fleurs et feuilles) par tasse.

○ On peut aussi prendre une cuillerée à café de racine de valériane, de feuilles de mélisse et de cônes de fleurs de houblon en proportions égales par tasse d'infusion. La valériane a une odeur détestable, qui met les chats en folie ; elle pousse dans les lieux humides et on récolte sa racine à l'automne.

○ On peut enfin mélanger une pincée de poudre d'ortie blanche à notre repas du soir.

○ Le jus pressé, ou le suc des plantes, peut être employé en usage interne. Le suc de laitue a été ainsi depuis longtemps employé contre les insomnies. Mais l'on peut aussi préparer la laitue en décoction.

Certaines plantes qui, en faible quantité, font dormir peuvent, à doses plus fortes, provoquer des insomnies, c'est le cas du tilleul ou de la camomille. De plus, il vaudra mieux boire la tisane tiède, car trop chaude elle risque d'exciter.

Si l'infusion ne suffit pas, on peut aussi faire des bains de pieds ou des bains de mains avec des plantes et, surtout pour les enfants, des bains complets. On emploiera alors 500 g de fleurs de tilleul pour un litre d'eau, ou bien l'on mettra dans son bain 5 à 6 gouttes d'extrait d'essence de pin.

*Les teintures de plantes*
Les teintures de plantes sont généralement obtenues en versant de l'alcool dilué sur la plante. Pendant huit à dix jours on conservera le tout dans un flacon bien couché, en le secouant régulièrement.

«Le mélilot est une petite plante des champs qui a des vertus calmantes. Employée en teinture, elle complétera l'action des tisanes. Après s'être lavé les mains, on se passe de la teinture de mélilot sur les paumes; puis on laisse sécher sans s'essuyer.[9]»

L'usage des plantes naturelles dans le traitement des insomnies évite les phénomènes d'accoutumance ou d'intolérance provoqués par les substances chimiques. C'est la raison pour laquelle aujourd'hui divers chercheurs, tels, entre autres, le professeur Caujolle, à Toulouse, ou le professeur Guerrier, à Montpellier, cherchent à donner une explication à ces remèdes simples connus depuis longtemps.

# Les aliments et les repas

Inversement, certains aliments favorisent le sommeil. Nous avons vu l'effet des plantes végétales, mais on connaît depuis tout aussi longtemps l'usage sédatif du lait.

## Le lait

Prendre un verre de lait chaud ou tiède avant de se coucher est un remède sain contre l'insomnie. On sait aujourd'hui que le lait contient du tryptophane, qui est effectivement un sédatif.

Comme en Angleterre, on peut ajouter à son verre de lait une poudre de céréales, l'ensemble s'appelle un «horlick». On a constaté que ce breuvage favorisait un sommeil calme. Certaines personnes, enfin, préféreront prendre des yaourts. On peut penser que le lait, premier aliment de notre enfance, apporte avec lui un sentiment de bien-être et de chaleur tout maternel.

## Le miel

Le miel renferme des sels minéraux nécessaires à notre équilibre (phosphore, calcium, sel, cuivre...) et de nombreuses vitamines (principalement A, E et K, mais aussi C, B, PP). Le miel a différentes fonctions thérapeutiques dont celle d'être efficace dans les insomnies. Une cuillerée à soupe de miel prise au dîner favorisera la venue du sommeil. Selon sa provenance, c'est-à-dire selon les fleurs butinées par les abeilles, le miel sera plus ou moins propre à combattre l'insomnie. Ainsi, le miel de tilleul s'y prêtera-t-il particulièrement.

---

**Principales plantes calmantes contre l'insomnie**

|  | Propriétés et indications | Mode d'emploi |
|---|---|---|
| **Aubépine** (*Crataegus oxyacantha*) | Antispasmodique. Vertiges, règles douloureuses. | Infusion de fleurs et de fruits, 1 cuillerée à soupe par tasse avant le coucher. |
| **Basilic** (*Ocimum basilicum*) | Antispasmodique. Insomnies nerveuses. | Infusion de fleurs, 1 cuillerée à dessert par tasse avant le coucher. |
| **Coquelicot** (*Papaver rhoeas*) | Calmant, sédatif. | Infusion, 1 pincée de fleurs par tasse avant le coucher. |
| **Houblon** (*Humulus lupulus*) | Hypnotique, tranquillisant. | Infusion, 1 poignée de cônes par litre d'eau, 1 tasse avant le dîner. |

| | | |
|---|---|---|
| **Laitue** | Sédative, hypnotique. Spasmes. | Décoction de feuilles, 75 g pour 1 litre d'eau, à cuire pendant 30 mn à feu doux. Une tasse avant le coucher. |
| **Marjolaine** *(Origanum majorana)* | Antispasmodique. Contre l'anxiété et les migraines. | Infusion, 1 cuillerée à dessert par tasse avant le coucher. |
| **Mélisse** (citronnelle) *(Melissa officinalis)* | Antispasmodique, digestive, sédative. | 1 cuill. à dessert par tasse avant le coucher. |
| **Oranger amer** *(Citrus vulgaris)* | Antispasmodique, hypnotique léger | 1 à 3 gouttes sur un morceau de sucre avant de dormir. |
| **Pavot** *(Papaver somniferum)* | Hypnotique, anesthésique. | N'est pas utilisable sans ordonnance médicale. |
| **Tilleul** *(Tilia europea)* | Antispasmodique, sédatif. | Infusion, 1 cuillerée à dessert par tasse avant le coucher. |
| **Valériane** *(Valériana officinalis)* | Calmante. Contre les troubles nerveux. | Macération, 100 g de racine pour 1 litre d'eau tiède pendant 12 heures. Une tasse, avant le coucher. |

## Le vinaigre de cidre

Si le miel se révélait insuffisant, on peut une heure et quart après dîner prendre une demi-cuillerée de vinaigre de cidre, mêlée à deux cuillerées de miel. Le vinaigre de cidre est aussi riche en phosphore, en chlore, en sodium, en magnésium...

---

### Café, tabac, alcool

Le thé, le café, le tabac ou l'alcool empêchent générale-ment de dormir. Ce sont donc des excitants à bannir si l'on est sujet aux insomnies. Cependant, tout le monde n'est pas également sensible aux effets du café ou de l'alcool. Ainsi, certaines personnes qui se réveillent la nuit prendront-elles un café pour se rendormir. A doses importantes, toutefois, l'alcool perturbe les structures de notre sommeil, et le tabac accélère notre respiration et les battements du cœur. Notre système nerveux déréglé, le sommeil a alors du mal à s'installer.

La caféine est présente dans diverses boissons faites d'extrait de noix de cola. Le Coca-Cola, par exemple, peut empêcher de dormir ; c'est surtout fréquent chez les enfants qui prennent parfois plusieurs verres de Coca-Cola au goûter. Un verre de Coca-Cola correspond environ à ⅓ de tasse de café.

---

## Le dîner

Le repas du soir a souvent fait l'objet de débats contra-dictoires quant à ses vertus dormitives. Pour les uns, un dîner copieux favorise un état de somnolence et de repos. Pour les autres, au contraire, il entraîne des difficultés de digestion et nuit à la venue du sommeil. En conséquence, ils préféreront un repas léger le soir et éviteront donc tout ce qui est lourd ou indigeste (graisses, féculents, sucreries) ou tout ce qui est trop riche (viandes).

Mais manger trop peu est aussi nocif pour le sommeil que trop manger. On risque de se réveiller à minuit, avec une petite faim qui, si on ne la satisfait pas, peut engen-drer l'insomnie. On a remarqué que les insomniaques du milieu de la nuit avaient besoin de plus de protéines, et parfois, dans le cas d'anxiété, de glucose. Si bien que lorsqu'ils se relèveront dans la nuit, ils seront attirés soit par du jambon, de la viande, du fromage, soit par des sucreries. Un tel régime favorisera l'embonpoint de ceux qui sont sujets à l'obésité. En fait, il est un peu abstrait de s'en tenir au dîner du soir. Un bon sommeil est fonction d'une hygiène alimentaire qui tient compte des trois ou quatre repas de la journée. Si le déjeuner a été riche, il vaut mieux dîner légèrement, et inversement. Dans la mesure du possible, il est souhaitable de conserver une hygiène alimentaire régulière qui donne approximativement chaque jour la même valeur aux différents repas.

Une bonne alimentation comporte un certain nombre d'éléments vitaux (protides, glucides, lipides, sels minéraux, oligo-éléments, eau, vitamines, cellulose végétale) et une certaine qualité de la nourriture. Dans nos pays, les insomnies sont le plus souvent la conséquence d'une suralimentation accompagnée d'une alimentation déséquilibrée.

## La ration quotidienne alimentaire est fonction de l'âge et de la dépense physique

On rappellera que la ration alimentaire quotidienne d'un adulte sédentaire doit comporter environ 2 200 calories, celle d'un adolescent de 2 400 à 3 000 calories, d'un travailleur de force ou d'un sportif de 4 800 à 5 000 calories, d'une personne âgée pas plus de 1 800 calories.

Un adulte doit aussi consommer environ 500 g de glucides ou sucres (fruits, miel, lait, céréales, farineux), 60 g de lipides ou corps gras (produits laitiers, porc, noix), 95 g de protides ou protéines (lait, œufs, fromage, viande, poisson, céréales, légumineuses, fruits secs).

Enfin, chaque vitamine a un rôle spécifique et ne peut être remplacée par une autre. A part la vitamine C, la cuisson ne détruit pas les autres vitamines comme on le pensait autrefois.

On peut trouver en pharmacie des cartes des vitamines comme des cartes des calories et autres éléments nutritifs ; celles-ci faciliteront une composition équilibrée de nos menus. Nous n'indiquerons dans les tableaux suivants que les aliments très riches en vitamines correspondantes :

| A | Pro A | B 1 | B 2 | B 6 | B 12 |
|---|---|---|---|---|---|
| Huile de foie de morue | Carotte | Œuf | Abats | Germe de blé, | Foie de bœuf, |
| Huile de thon | Epinard | Levure | Extraits de viande | de maïs | de mouton, |
| Foie | Orange Persil | Noix Orange | Levure | Soja | de volaille |
| | | Pomme de terre | Œuf | | |
| | | Huître | Noix | | |
| | | | Légumes | | |

| C | D | E | K | PP |
|---|---|---|---|---|
| Chou vert | Huile de foie | Farine complète | Farine de poisson | Levure de bière |
| Cresson | de thon | Germe de blé | | Poisson |
| Cassis | | Huile de soja, | | |
| Persil | | d'olive | | |
| Piment | | | | |
| Pissenlit | | | | |
| Citron | | | | |
| Tomate | | | | |

Notre besoin en vitamines varie avec les saisons. Au printemps, il nous faudra plus de vitamines A (foie, carotte, épinard) et de vitamines B ; en hiver, davantage de vitamines C. Toutefois, l'excès de vitamines C trop près du coucher peut provoquer des insomnies.

Les vitamines B et plus spécialement la vitamine B6 favorisent le sommeil. Ainsi dans certains régimes pour insomniaques conseillera-t-on des germes de blé, du riz complet, du jaune d'œuf. Les produits laitiers et les légumes riches en calcium ont aussi un certain effet sur les insomnies en raison du pouvoir sédatif du calcium.

*Deux menus types pour bien dormir*
*En hiver*                               *Au printemps*
Une soupe à la tomate              1 assiette de crudités
100 à 150 g de foie de veau      1 tranche de jambon
1 purée de pommes de terre      1 riz complet
1 yaourt et (ou) une orange      1 entremets

Une hygiène alimentaire équilibrée comporte en fait un petit déjeuner consistant, un déjeuner plutôt riche et un dîner dans lequel on évitera tout abus. Mais si l'on prend un dîner copieux, il vaut mieux dîner tôt, afin que la digestion survienne avant le coucher. Les aliments mettent plus ou moins longtemps à être digérés et à libérer notre estomac : les matières grasses demandent plus de quatre heures ; une tranche de jambon, un steak, des épinards ou des pommes, trois heures ; du poisson bouilli ou fumé ainsi que du pain ordinaire ou des choux-fleurs, deux heures ; enfin deux œufs à la coque, un verre de vin ou une assiette de pommes de terre mettront une heure au moins.

Enfin certaines boissons et certains aliments étant plus diurétiques que d'autres, nous risquons de nous réveiller la nuit avec le besoin d'uriner. Ce sont les poireaux, les asperges, les cerises, le melon, certaines eaux minérales, le thé, le vin blanc et la bière. Il faudra éviter d'en consommer trop avant le coucher.

# Les repos journaliers et la sieste

Beaucoup d'insomnies sont dues à une activité trop intense dans la journée, à du surmenage, au fait que du réveil jusqu'au coucher nous n'avons pas su nous ménager des instants de repos. Or, cette forme de travail continu est propre à notre civilisation industrielle. Les peuples primitifs, comme nos ancêtres, connaissaient de nombreux moments de répit dans la journée. On peut même remarquer que le caractère de peuples entiers se traduit par des attitudes de repos et non par des attitudes de rendement et d'efficacité. Nous sommes toujours surpris de l'immobilisme des yogis en Inde, de la nonchalance des Arabes ou de la lenteur pondérée des anciens Grecs.

### Amusez-vous et vous dormirez mieux

Dans l'Antiquité, on ne travaillait que quelques jours, et le travail était toujours interrompu par des phases de repos ou des rituels de prière. De plus, la fête succédait au travail. Elle supplantait une fatigue désagréable par une fatigue agréable. On remarquera que l'on s'endort plus facilement si l'on a consacré les heures précédant le sommeil à une activité plaisante, même fatigante.

Le travail intensif n'est donc pas du tout naturel à l'homme et, comme le remarque Georges Devereux, «les premiers à travailler d'une façon intensive et continue étaient les esclaves de l'Antiquité : mineurs [...] du Laurion et d'Egypte, esclaves des grandes exploitations, [...] de Rome, et ils en mouraient[72]». On cite toujours l'exemple d'un certain nombre de grands hommes qui savaient prendre dans la journée plusieurs moments de repos ou de sommeil lorsqu'ils en ressentaient le besoin.

### Les siestes les plus courtes sont les meilleures

Un autre remède est celui des méridionaux qui ont l'habitude de faire une sieste au début de l'après-midi, pendant les heures chaudes. Quoique la majorité des gens ne fasse malheureusement plus la sieste, certains commerçants, par exemple, ont conservé chez nous des horaires de travail qui tiennent compte de cette tradition : ils ferment leur magasin vers treize heures pour ne rouvrir qu'à seize heures.

Si la sieste détend et recharge, il ne faut cependant pas qu'elle soit trop longue. On a en effet remarqué que certaines insomnies sont dues à un temps de sommeil trop long dans la journée. C'est particulièrement le cas chez les personnes âgées. Une sieste courte repose autant qu'une sieste longue. Une demi-heure est donc suffisante.

### Quand la pause... s'impose

Il en est de même des pauses et des instants de repos pris pendant le travail. Les pauses n'ont pas besoin d'être longues, mais il faut qu'elles coïncident avec un besoin de détente physique et musculaire. Or, la programmation des pauses et des repos dans les usines ne permet pas toujours de faire coïncider l'épuisement réel avec le moment de l'arrêt du travail. Ce décalage se poursuivra alors jusqu'à l'heure du coucher. Nous nous mettons au lit parce qu'il faut nous lever à six ou sept heures du matin, alors que peut-être notre fatigue réelle aurait demandé de nous coucher plus tôt ou plus tard.

La position couchée n'est pas forcément la meilleure pour se reposer ; elle n'est du moins pas la seule. Dans les steppes africaines, certains guerriers se reposent debout ; d'autres peuples se tiennent accroupis ; qui n'a vu, enfin, un écolier dormant sur son pupitre la tête entre les bras ? Il faudrait, comme ce dernier, ne plus avoir honte de prendre un moment de répit, et pouvoir se détendre malgré le travail.

## Le rythme de repos doit être accordé sur le rythme de travail

D'autre part, il faut tenir compte que des tâches régulières et répétées ne demandent pas le même type de repos que des tâches irrégulières, centrées sur un effort intensif. Les premières correspondent à un repos dispersé sur de petites périodes, toutes les deux ou quatre heures.

Les secondes requièrent un temps long de récupération pour compenser l'effort fourni. Plutôt qu'accentuer le fait que l'on a perdu son énergie, que l'on est faible et épuisé, et que l'on n'est plus capable de rien faire, il vaut mieux valoriser la période de repos qui nous attend, qu'elle soit nommée loisir, paresse ou convalescence.

Beaucoup d'insomnies sont dues au fait que nous ne savons pas accepter notre temps libre, ni quoi en faire. Chez les peuples primitifs, le temps de non-travail était employé à se refaire des forces.

# L'eau et les bains

L'eau a des vertus décongestionnantes, elle réglera ainsi notre circulation sanguine dans nos membres ou dans notre cerveau. Selon leur température, les douches auront un effet de détente ou un effet tonifiant.

*Le soir,* une douche chaude éliminera les scories de notre corps et, appliquée en jet faible sur notre colonne vertébrale, permettra à nos muscles du dos de se détendre.

*Le matin,* au contraire, une douche tiède ou froide, mais vigoureuse, activera notre circulation et revigorera nos muscles.

*L'hiver,* pour les personnes qui ont froid aux pieds, les bains de pieds et les enveloppements de pieds permettront d'attirer le sang dans les jambes. On plongera les jambes jusqu'aux genoux dans un récipient d'eau très chaude, à laquelle on pourra ajouter une grande cuillerée de farine de moutarde. Un quart d'heure suffit généralement pour rétablir une bonne circulation. L'eau trop chaude est déconseillée, cependant, aux personnes qui ont des varices. En revanche, elles pourront prendre des bains de jambes tièdes avec du bicarbonate de soude.

*En été,* si l'on a trop chaud, les bains de pieds froids de une à deux minutes faciliteront notre décongestion.

Les enveloppements avec des compresses ou des linges humides chauds ne sont pas réservés aux pieds. On peut, en effet, en cas d'insomnie tenace, s'envelopper le ventre ou les reins de serviettes mouillées que l'on conservera dix minutes à une heure avant de dormir. La médecine naturelle Kneipp conseille aussi, en cas de réveil nocturne, «le bain de siège froid à 14 - 18°C pendant 10 secondes. On doit le prendre au saut du lit et retourner se coucher, sans s'être séché, à la place encore chaude[89]».

Le bain de fleurs de foin a un effet de relaxation semblable au bain de tilleul. Il faut y rester une quinzaine de minutes.

# La sexualité

Il n'y a pas un rapport direct entre notre activité sexuelle et notre sommeil. L'orgasme, en effet, n'est pas producteur de sommeil, comme la femme le reproche souvent à l'homme. Il est même au contraire souvent facteur d'énergie et d'activité.

En revanche, il y a une relation entre la manière dont nous vivons psychologiquement notre vie sexuelle, et notre facilité à nous endormir. Certaines personnes s'endormiront après avoir fait l'amour pour éviter d'avoir à affronter les demandes ou les discours de leur partenaire. D'autres, au contraire, auront des insomnies parce qu'elles sont sujettes à l'impuissance ou à la frigidité. L'insomnie devient alors un problème de sexualité, ou un problème de relations humaines.

---

**Dormir à deux peut être ressenti comme un acte plus intime que l'acte sexuel**

---

Pour beaucoup de personnes, et surtout pour les femmes, faire l'amour n'est pas synonyme de dormir avec le partenaire, du moins quand on n'est pas marié. Dormir apparaît là comme un comportement plus intime qui demande un pas supplémentaire dans la confiance et l'abandon de soi-même. En fait, dormir à deux ne va pas de soi, et le sommeil des amoureux demande parfois bien des concessions réciproques. On s'est pourtant aperçu en laboratoire qu'une fois pris le pli de dormir à deux on éprouve des difficultés de sommeil si l'on dort seul. Il faudra réapprendre alors à dormir seul, comme l'on aura dû apprendre à dormir à deux. Il ne faut donc pas faire de notre compagne ou compagnon de sommeil l'objet fixe et rigide d'un de nos rituels pour dormir.

# L'exercice physique

L'exercice physique, s'il est mesuré et s'il n'est pas effectué trop près du coucher, a une influence bienfaisante sur notre sommeil. A la fois, on dormira moins et notre qualité de sommeil sera meilleure. L'exercice physique permettra la fixation de l'oxygène dans nos muscles. Ces réserves musculaires favoriseront la métabolisation et l'évacuation des déchets accumulés par notre fatigue.

Cependant, si l'on est sédentaire, il ne faut pas s'attendre à ce que du jour au... soir l'exercice facilite notre endormissement. Comme pour les autres adjuvants du sommeil, c'est la régularité qui est le meilleur guide d'hygiène pour dormir. Parfois une simple marche avant de se coucher peut suffire. Complémentairement, quelques exercices respiratoires le matin peuvent déjà préparer notre sommeil du soir. Si nous nous réveillons tôt, il est préférable de passer le temps précédant notre petit déjeuner à faire des exercices d'oxygénation et d'assouplissement qu'à faire la grasse matinée.

# Le yoga

Les yogis conseillaient pour s'endormir de se mettre dans une position appelée «dradhasana». La tête au nord et les pieds au sud, on se couche sur le côté droit. Les jambes sont allongées, et non repliées, afin de faciliter la circulation du sang. Le bras gauche est le long du corps et le bras droit replié sous la tête, en guise d'oreiller. S'endormir sur le côté droit favorise la première partie de la digestion. Dans la deuxième partie, on se tournera sur le côté gauche.

Même si l'on n'a jamais pratiqué le yoga, on peut faire régulièrement avant de se coucher quelques exercices corporels ou respiratoires préparatoires recommandés par les yogis. Toute position du yoga se caractérise par l'absence d'effort qu'elle doit demander, l'immobilité et un équilibre stable.

## Exercices de détente
Il faut se coucher sur une surface plane et dure. Ces exercices ne peuvent donc pas se faire au lit.

○ *Quatre exercices pour débutants*
1. On est étendu sur le dos, bras légèrement écartés du corps, paumes tournées vers le haut. Les jambes sont écartées, les pointes des pieds tournées vers l'extérieur. Le menton est légèrement rentré.

On laisse l'ensemble de ses muscles se détendre.

On respire calmement avec une respiration ventrale. C'est-à-dire que, si l'on place une main sur son ventre et l'autre sur sa cage thoracique, on doit sentir son ventre qui se gonfle lorsqu'on inspire, et qui se rentre lorsqu'on expire. La main sur la poitrine ne doit pas bouger. On

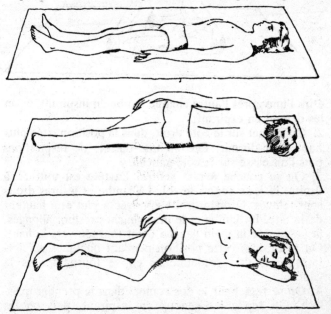

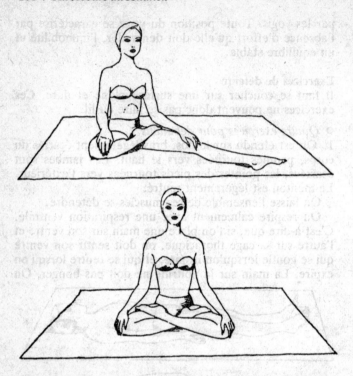

étire l'une après l'autre chaque jambe en inspirant, et on les détend en expirant.

2. On se met sur le côté droit, dans la position citée plus haut pour dormir. On fait une dizaine de respirations puis l'on passe sur le côté gauche.

3. On se couche à plat ventre. La tête est tournée à droite, la joue contre le sol. La jambe et le bras droits sont relevés, la main droite appuyée à plat et à hauteur de la tête. La jambe et le bras gauches restent allongés, la paume de la main gauche étant tournée vers le haut. On reste dans cette position pendant quelques respirations, puis l'on recommence en se tournant vers la gauche.

4. On se remet sur le dos comme dans le premier exercice. On replie les genoux en inspirant, puis on les

détend en expirant. On reste un moment étendu en cherchant à accompagner ses respirations d'une sensation de flottement et de détente mentale.

○ *La position du lotus : pour initiés*
Pour ceux qui sont déjà plus avancés dans les postures du yoga, et qui peuvent sans effort prendre la posture du lotus, on recommandera celle-ci avant de se coucher ou dans les cas d'insomnie du milieu de la nuit.

La position du lotus consiste à placer son pied gauche sur la cuisse droite, le plus près de l'aine, puis en se penchant un peu en arrière à placer le pied droit sur la cuisse gauche. Les mains reposent alors sur les genoux, qui sont appuyés sur le sol, dans une position bien équilibrée. On redresse le dos sans se cambrer, en laissant bras et épaules décontractés.

En comprimant l'artère fémorale, la posture du lotus ralentit la circulation dans les jambes. Les battements du cœur diminuent. Après quelques respirations, on pourra arrêter un moment de respirer. En arrêtant notre respiration, nous accentuons la diminution de notre circulation sanguine. Après un temps plus ou moins long, nous nous sentirons alors nous assoupir progressivement.

# La relaxation

La relaxation complète des muscles du corps n'est pas nécessitée par le sommeil. Du moins pendant le sommeil lent nous conservons une certaine tension de nos muscles posturaux. Mais la relaxation en tant que méthode permettant de détendre nos muscles facilite l'installation du sommeil. Certains muscles, ou groupes de muscles, ont pris l'habitude de se contracter involontairement et automatiquement. Or, ces contractions et ces tensions locales peuvent empêcher notre sommeil.

## Le training autogène de Schultz

Dès 1912, l'Allemand Schultz devait, à partir des techniques hypnotiques, élaborer une méthode de relaxation qui pouvait être réalisée par le sujet sans l'aide de personne. «Training autogène» veut dire littéralement «entraînement engendré par soi-même» (du grec *autos* : soi-même, et *gennan* : engendrer). Cette méthode visant à obtenir la détente mentale, et à réduire nos tensions musculaires, est depuis lors couramment utilisée en psychothérapie. Elle peut être utile dans le cas d'insomnies tenaces. Mais il faut ajouter que c'est une méthode à long terme, qui demande un réel travail sur soi. Il est conseillé de l'employer sous contrôle médical. En effet, d'une part, elle peut présenter certains dangers physiologiques, d'autre part, la relation médecin-malade peut être importante pour résoudre certaines de nos résistances psychologiques au sommeil. On peut aussi la travailler en groupe. Il s'agit en fait d'une hygiène corporelle et mentale.

### Exercices de training autogène

Il sont gradués des plus faciles aux plus difficiles. Ils comprennent des décontractions s'exerçant sur :
1. les muscles ;
2. le système vasculaire ;
3. le cœur ;
4. la respiration ;
5. les organes abdominaux ;
6. la tête.

Nous ne donnerons ici que les exercices 1, 2, 3 et 4, plus appropriés dans le cas d'insomnies.

1. *L'exercice de la pesanteur (décontraction musculaire)*
On est couché sur le dos, la nuque sur un petit coussin, les yeux sont fermés, les bras reposent légèrement fléchis le long du corps, les paumes tournées vers le bas. Les pointes des pieds sont relâchées, tournées vers l'extérieur. Sans faire de mouvement et sans parler on se représente mentalement les formules suivantes :
— «Je suis tout à fait calme.»

— «Mon bras droit (gauche pour les gauchers) est lourd.»
On doit alors sentir une sensation de pesanteur dans le coude et l'avant-bras. Au bout d'une demi-minute à une minute, on opérera une «reprise» qui consiste à :
— faire plusieurs flexions et extensions énergiques du bras ;
— inspirer et expirer profondément ;
— ouvrir les yeux.
Ces trois opérations sont mentalement représentées par :
— «plier le bras» ;
— «respirer» ;
— «ouvrir les yeux».
Cet exercice peut être fait deux fois, mais il ne faudra pas le prolonger trop longtemps. Au bout de dix à quinze jours, on pourra apprendre l'exercice suivant.

**2. L'exercice de la chaleur (décontraction vasculaire)**
— «Je suis tout à fait calme.»
— «Mes bras et mes jambes sont lourds.»
— «Mon bras droit est **tout chaud**.»
La décontraction des vaisseaux sanguins provoquera alors une sensation de chaleur qui entraînera un état de sédation, d'assoupissement et de détente. Quand on éprouvera rapidement et intensément chaleur et pesanteur, on passera à l'exercice 3.

**3. L'exercice de la régulation du cœur**
Cet exercice consiste à apprendre à sentir son cœur. 50 % des sujets n'ont pas conscience de leur cœur et doivent le rechercher. Pour cela, on se couchera sur le dos, la main droite sur le cœur, et le coude légèrement soulevé. On pensera : «Mon cœur bat, calme et fort.»
   Ayant appris à sentir son cœur, on pourra alors sous contrôle médical en accélérer ou en ralentir le rythme.

**4. L'exercice de la régulation de la respiration**
Après avoir effectué les exercices précédents, on se concentrera sur la formule : «Respirer calmement» ou «Tout mon être respire».

Comme on le voit, les exercices du training autogène ne recourent pas à l'effort volontaire comme le faisait la gymnastique pour l'expiration ou l'inspiration par exemple. Il s'agit, au contraire, de laisser notre corps suivre son rythme naturel.

## La relaxation progressive de Edmund Jacobson

Vers 1908, le physiologiste américain Edmund Jacobson a mis au point une méthode de relaxation directement fondée sur des considérations neurophysiologiques. On lui reprochera justement d'avoir négligé l'aspect psychologique de la relaxation. Apprendre à sentir ses muscles, à maîtriser les tensions de son corps par la technique de Jacobson est cependant un procédé pratique pour induire le sommeil. Toutefois, comme dans le cas du training autogène, cette méthode requiert un contrôle médical.

### Exercice de relaxation progressive

Allongé dans un lit, on prend conscience de la différence entre un muscle tendu et un muscle relâché. Pour cela on balaie progressivement tout le territoire musculaire de son corps, des pieds à la tête, des doigts à la nuque, des muscles de la mâchoire à ceux des paupières, afin de sentir les plus petites tensions musculaires. Pour chaque muscle on fait jouer des états de tension et de décontraction de plus en plus fins : on contracte et décontracte chaque muscle, d'abord avec force puis de plus en plus faiblement.

Dans un deuxième temps, on apprend la relaxation différentielle : c'est-à-dire quels muscles peuvent être relâchés tandis que les autres sont au repos.

Enfin, on cherche à connaître à quelle tension musculaire correspondent telles ou telles émotions courantes de notre vie sociale (sentiment de colère, de timidité, de peur, de jalousie, etc.).

## Le sommeil conditionné

A partir des découvertes de Pavlov sur les réflexes conditionnés*, on a, dans les années 1950, introduit en France la méthode d'accouchement sans douleur. Il s'agit, par un ensemble d'exercices, de conditionner la femme à de nouveaux réflexes qui lui facilitent le moment de l'accouchement.

Semblablement, vers la même époque, le docteur Scandel va proposer une méthode pour conditionner notre sommeil. Grâce à des exercices choisis, il s'agit, d'une part, de rompre avec les tensions et les activités journalières, d'autre part, d'«amorcer la venue du sommeil par une détente neuromusculaire et par des influences réflexes[54]».

Notre corps nous informe de notre besoin de dormir par un certain nombre de manifestations : bâillements, étirements, détente musculaire. Entre ces réactions automatiques et notre sommeil, il y a une relation de conditionnement. L'insomnie est une perte de la relation de dépendance entre ces automatismes et le sommeil qui devrait les suivre. La méthode du sommeil conditionné va, par un certain nombre d'exercices, nous permettre de reconditionner notre sommeil.

Cette rééducation demandera la répétition quotidienne et pendant cinq à dix semaines des exercices prescrits. Il faudra poursuivre les exercices une quinzaine de jours après la récupération du sommeil. Le docteur Scandel a obtenu par cette méthode 76 % de réussites dans des cas d'insomnies chroniques. Si l'on a un tempérament actif, on reconditionnera son sommeil plus vite que si l'on a un tempérament apathique.

### Les exercices de sommeil conditionné[54]
Il faut les exécuter chaque soir au lit et dans l'obscurité

---

* Très schématiquement nous rappelons que Pavlov, physiologiste russe, avait découvert que l'on pouvait provoquer chez un chien un réflexe de salivation au simple son d'une cloche, si l'on avait, au préalable, habitué ce chien à entendre cette cloche chaque fois qu'on lui présentait sa soupe.

pour favoriser l'état de détente, les yeux fermés, couché sur le dos. Il faut les faire, si possible, à une heure régulière. Ils comprennent six mouvements de relâchement musculaire et six mouvements respiratoires; on répétera les premiers quatre fois et les seconds cinq fois.

○ *Mouvements de relâchement musculaire*
*Exercice n°1*
«Premier temps : repliez lentement la jambe droite en apportant le minimum d'énergie.

Deuxième temps : laissez retomber le membre à son point de départ, sans retenue aucune, en un mouvement d'abandon naturel. Le bord externe du pied glisse sur le lit à l'aller et au retour. Procédez de même avec la jambe gauche.»

*Exercice n° 2*
«Réalisez le même mouvement les deux jambes simultanément. Apportez un complet laisser-aller afin de rendre le mouvement coulé. Les exercices 1 et 2 doivent être faits les bras le long du corps.»

*Exercice n°3*
«Premier temps : en utilisant encore le minimum d'énergie, repliez lentement l'avant-bras droit sur le bras. La main cassée sur le poignet se tourne vers l'intérieur, les doigts lâches sont à demi-fléchis, l'avant-bras reste décontracté.

Deuxième temps : laissez retomber passivement par simple inertie l'avant-bras à son point de départ, le segment allant du coude à l'épaule prend appui sur le lit pendant les deux temps.

Procédez de même avec l'autre bras.»

*Exercice n°4*
«Réalisez l'exercice n° 3 les deux bras ensemble.

La symétrie du mouvement en facilite encore sa décontraction.»

*Exercice n°5*
«Premier temps : sans vous crisper et sans forcer, remontez lentement la cage thoracique en contractant la paroi abdominale. L'abdomen se comprime, les épaules se portent vers l'arrière, le torse se gonfle.

Deuxième temps : relâchez librement en vous prêtant à la décontraction. »

*Exercice n°6*

«Premier temps : étirement général à partir de la position initiale, bras dans le prolongement du corps, paumes au zénith, les épaules tirent le buste vers le haut, le cou se contracte, le dos se creuse, l'abdomen s'efface.

Deuxième temps : faites retomber les bras le long du corps en détendant la musculature.

Si l'exécution de ces mouvements est satisfaisante, le sujet doit éprouver la sensation qu'ils répondent à un besoin instinctif. »

○ *Mouvements respiratoires*

«Les paupières toujours closes, rejetez les épaules, rentrez les omoplates, dégagez la tête, la respiration est ainsi harmonieuse et facile. »

*Exercice n°1*

«En conservant le rythme respiratoire spontané par le nez, percevez consciemment votre respiration. »

*Exercice n°2*

«Même exercice que le n°1, avec un temps de repos entre, en fin d'expiration. »

*Exercice n°3*

«Même exercice que le n° 1, mais en relâchant le souffle par la bouche, les lèvres presque jointes. »

*Exercice n°4*

«Refaites l'exercice n°3 en marquant un temps de repos expiratoire. »

*Exercice n°5*

«Inspirez longuement par la bouche largement ouverte. Soulevez d'abord l'abdomen que vous rentrez ensuite pour gonfler la poitrine. Expirez par la bouche, les lèvres jointes, en laissant retomber la cage thoracique. »

*Exercice n°6*

«Bâillez largement dans un étirement général du corps analogue au dernier exercice musculaire. »

# L'hypnotisme

On ne peut, bien sûr, avoir à domicile un hypnotiseur tous les soirs ; encore qu'un docteur avait l'habitude de téléphoner chaque soir à ses malades les plus atteints afin de leur donner le signal du sommeil. En fait, ce que peut l'hypnotiseur c'est nous apprendre sous hypnose à nous mettre dans un état favorisant le sommeil, et nous donner un mot d'ordre ou un signal que nous reproduirons chaque soir avant de nous endormir.

Apprentissage de l'auto-hypnotisme et suggestion post-hypnotique sont les remèdes proprement hypnotiques contre l'insomnie. Il faut préciser que l'hypnose elle-même est un état différent du sommeil, mais que l'on passe facilement d'un état hypnotique au sommeil, et vice-versa.

Donner un signal, un geste, une formule qui serviront au sujet de mise en condition avant de s'endormir est la méthode la plus simple pour engendrer le sommeil. Elle peut être efficace dans les cas d'insomnies imaginaires, ou chez des gens à tempérament anxieux. Sous hypnose, vous sera suggéré, par exemple, que «chaque fois que vous en aurez besoin, il vous suffira de vous isoler dans un endroit tranquille, de vous détendre et de vous toucher trois fois le front avec votre main droite pour qu'immédiatement vous vous trouviez dans un état de relaxation aussi profond que celui dans lequel vous êtes présentement[46].»

La suggestion post-hypnotique a toutefois l'inconvénient de perdre de son pouvoir avec le temps. On pourra alors enregistrer les rituels nécessaires à l'endormissement sur une bande magnétique que l'on passera le soir avant de s'endormir. Cette méthode a l'avantage de laisser notre esprit libre.

## L'hypnotiseur enseigne à se mettre soi-même en état d'hypnose

L'hypnotiseur peut aussi nous confier sous hypnose les

techniques de relaxation permettant de se mettre soi-même en état d'hypnose, et d'engendrer ensuite notre sommeil : «Vous vous sentez très bien maintenant, n'est-ce pas, parfaitement calme, parfaitement détendu. Quand vous voudrez vous retrouver de nouveau dans le même état, il vous suffira de fermer les yeux, de détendre les muscles de vos jambes, vous les laissez se décrisper, vous les laissez devenir mous, vous les sentez devenir souples, puis vous relaxez les muscles de vos bras, vous les laissez devenir souples, vous les laissez se détendre, et vous sentez, petit à petit, que vos bras deviennent mous et lourds. Vous relaxerez ensuite les muscles de vos paupières, vous les laisserez se décrisper, vous relaxerez les muscles de votre visage, en particulier les muscles de votre mâchoire, de manière que vos dents se touchent à peine[46].»

D'autres techniques classiquement employées s'apparentent aux effets de l'hypnotisme. Dans l'ensemble, ces techniques consistent en une concentration de l'esprit ou des sens sur un phénomène qui revient périodiquement à intervalles réguliers. Ce sera le processus mental de compter des moutons, ou de compter tout court. Ou bien l'on fixera un disque lumineux, une lampe à huile où se meuvent des taches colorées bleues, ou encore une musique lénifiante, comme certaines musiques asiatiques.

## Le sommeil et la musique

L'Institut de musicothérapie de Paris a développé des techniques auditives spécifiques pour dormir. On a le choix entre des disques diffusant des conseils de relaxation, des disques proposant des impulsions sonores de fréquence appropriée au sommeil, ou tout simplement de la musique classique. Ces derniers disques ont fait l'objet d'études méthodiques qui ont permis de classer les œuvres musicales selon le degré de détente et de relaxation qu'elles procurent.

D'autre part, la musicothérapie propose toute une science de la composition et de la programmation des musiques à écouter avant de s'endormir. Il faut suivre un certain ordre et ne pas acheter n'importe quelle interprétation.

○ *Relaxation*
«Largo» de l'opéra *Xerxès* de Haendel;
*Panis Angelicus* de César Franck;
*Lac des cygnes* de Tchaïkovski;
*Coppélia* (extraits) de Léo Delibes;
*Adagio* d'Albinoni;
*Le Cygne* de Camille Saint-Saëns.
○ *Apaisement*
«Aria» de la *Suite n° 3 en ré majeur* de Jean-Sébastien Bach;
«Intermezzo» de *Cavalleria rusticana* de Mascagni;
*Ave Verum* de Mozart;
*Requiem* de Fauré[36].»

Afin de ne pas interrompre brutalement le sommeil, on pourra de même se faire réveiller en musique le matin à l'aide d'un réveil électrique que l'on reliera à un électrophone. On conseillera alors des disques de musique gaie et entraînante avec une certaine progression dans la puissance du volume sonore.

# La mise en état alpha

L'onde alpha, nous l'avons vu, est caractéristique de l'état de notre cerveau lors d'une période de détente ou d'endormissement. Une des techniques facilement praticables pour obtenir le sommeil sera donc d'apprendre à se mettre en état alpha. Une manière simple d'obtenir un rythme alpha consiste à faire basculer ses globes oculaires vers le haut. Pour vérifier que nos yeux ont bien pris cette position de relaxation, on peut fixer une lumière, fermer les yeux, puis les faire basculer. Normalement on ne doit plus percevoir la lumière à travers les paupières. Si l'on prolonge cet exercice, on sentira un sentiment de bien-être nous envahir.

## Des appareils électroniques permettent de repérer son propre rythme alpha

On a cherché plus récemment à nous apprendre à contrôler notre rythme alpha. Pour cela on se sert d'appareils électroniques qui nous permettent d'avoir instantanément connaissance de ce qui se passe dans notre cerveau. Dans la mesure où elles font intervenir un procédé de régulation vital rétroactif (feedback), on appelle l'ensemble de ces techniques de contrôle de nos rythmes «biofeedback».

L'apprentissage de la mise en état alpha se fait à l'aide d'un électroencéphalographe qui, lorsque notre cerveau produit des ondes alpha, allume une lumière bleue ou fait retentir une sonnerie. Nous apprenons ainsi très rapidement à maîtriser notre rythme alpha, à l'accélérer ou à le ralentir.

Les techniques de bio-feedback s'apparentent à certains procédés mis en jeu dans les réflexes conditionnés.

En Russie, à l'époque des cures de sommeil, on accompagnait l'endormissement de l'insomniaque, après une prise de somnifère, de l'allumage progressif d'une lumière bleue. Peu à peu, s'installait un lien entre le lumière bleue et le sommeil. Si l'on remplaçait alors le somnifère par une placebo*, la lumière bleue continuait à provoquer le sommeil.

Le bio-feedback permet d'atteindre en quelques jours ce que le yoga ou les techniques zen** ne procurent qu'en plusieurs semaines : un état de relaxation et de détente mentale où l'on a la sensation de flotter.

---

*Placebo* : médicament chimiquement neutre, n'ayant aucun effet sur le plan strictement physiologique, c'est un produit inoffensif.
** *Zen* : doctrine extrême-orientale concernant l'influence de l'esprit sur le corps.

Il n'est pas nécessaire de fermer les yeux pour obtenir le rythme alpha. Il faut seulement être attentif à ce qui se passe réellement en nous lorsque la petite lumière s'allume. En Amérique, on vend aujourd'hui des appareils à transistors qui permettent à chacun de faire chez soi cet apprentissage d'un état propre au repos.

## Apprendre en dormant

De la maîtrise de nos rythmes de veille, peut-on passer à la maîtrise de notre sommeil? Peut-on utiliser notre sommeil à autre chose qu'à dormir? Depuis 1947, de nombreuses sociétés proposent divers appareils qui nous permettront d'apprendre pendant notre sommeil des langues étrangères, qui développeront notre mémoire, ou qui nous aideront à lutter contre le tabac ou l'insomnie. Certains psychiatres utilisent même ces appareils pour soigner leurs malades pendant qu'ils dorment.

On ne sait pas encore comment ce phénomène fonctionne, ni réellement dans quelles proportions il est efficace. Toutefois, il semble qu'il y a une parenté avec des états proches de l'hypnose. On enseigne aujourd'hui dans certains pays les langues étrangères par suggestion dans des états de relaxation mentale. Les résultats obtenus sont nettement appréciables. Il n'est donc pas du tout impossible que l'on puisse apprendre dans un état de sommeil. Cela ne se fait cependant jamais pendant le stade 4 de sommeil profond, mais pendant les stades légers du début du sommeil ou de la fin de la nuit. Il sera donc plus profitable, si l'on utilise de tels appareils, de les faire fonctionner au coucher ou au réveil plutôt que toute la nuit. De plus, on risquerait de se sentir moins reposé au réveil.

On s'est aperçu que les suggestions rassurantes effectuées pendant des opérations chirurgicales sous anesthésie pouvaient accélérer la convalescence d'un malade. Dans ces cas, le malade ne retient de ce qui se dit autour de lui que ce qui l'intéresse directement.

Apprendre en dormant se développe à mesure que nous pratiquons cette méthode d'étude. Il ne faudra donc pas se laisser rebuter si, du jour au lendemain, il ne nous semble pas avoir retenu grand-chose d'une première leçon pendant notre sommeil. On peut aussi être plus ou moins doué pour ce mode l'enseignement.

# Le sommeil électrique

Le sommeil électrique, ou électronarcose, consiste en un sommeil facilité par l'envoi d'un courant électrique dans notre cerveau. Vers les années 1950, les Soviétiques ont en effet inventé un appareil : l'Electroson, utilisé dans les insomnies et pour les anesthésies. On trouve aujourd'hui d'autres appareils comme le Somlec 6 fabriqué en Angleterre, l'Elecktrodorm allemand ou le Sonotron brésilien à usage individuel.

Contrairement à l'électrochoc, ces appareils diffusent un courant faible, de quelques fractions de milliampère, qui ne provoque aucune contraction nerveuse ou musculaire. Cependant l'électronarcose n'entraîne pas un sommeil immédiat. Elle agit indirectement à plus ou moins long terme, en produisant un effet bienfaisant dans les cas d'insomnies d'origine nerveuse dues à l'asthme, à l'hypertension, ou à l'épilepsie, ainsi que dans les migraines. Le choix d'une fréquence correcte est important pour déterminer chez différents sujets un état de détente corporel et psychique. Cette stimulation du cerveau permet, d'autre part, de diminuer relativement notre besoin de sommeil.

# L'homéopathie

Découverte dans l'Antiquité par le célèbre médecin grec Hippocrate, réinventée au XIXe siècle par le médecin allemand Hahnemann, l'homéopathie a pendant longtemps été écartée de la médecine officielle. Les homéo-

pathes faisaient alors figure de guérisseurs. Elle est
aujourd'hui réhabilitée et remboursée par la Sécurité
sociale.

L'homéopathie se distingue de la médecine officielle
par trois traits :

— elle soigne les symptômes en créant une maladie analogue à la maladie réelle, mais en moins fort ;

— elle emploie des doses infinitésimales contrairement à
la médecine classique ;

— elle est une médecine personnelle qui prend en considération l'ensemble des troubles provoqués chez un individu par telle ou telle maladie.

Ainsi, l'effet d'un médicament n'est pas le même en
grande ou en petite quantité ni selon qu'on le prescrit à
un homme sain ou à un homme malade. Selon la tradition, l'homéopathie soigne le mal par le mal.

L'homéopathie est spécialement indiquée dans le traitement des troubles provenant de tensions nerveuses dues
à l'environnement et à des stress de toutes sortes. Elle a
donc sa place dans l'insomnie. Les remèdes homéopathiques sont fabriqués à partir de plantes, mais aussi à partir
de minéraux ou de substances organiques ou animales. Il
peuvent être préparés à l'aide de sérums et de cultures de
microbes, ou bien avec la salive, l'urine ou le sang du
malade lui-même. Ces remèdes offrent l'avantage d'être
moins toxiques que les médicaments classiques.

Lors de la consultation, le médecin interrogera le
patient sur sa vie en général, et tiendra compte des
symptômes les plus bizarres qui peuvent accompagner
son insomnie : par exemple, se coucher en ayant les
pieds glacés. Dans la prescription du médicament, il
prendra en considération la saison, les influences climati-
ques et météorologiques.

La prise d'un remède homéopathique donne lieu à un
certain rituel. Il faut laisser fondre les pilules sous la
langue, ne pas les toucher avec les doigts pour ne pas leur
communiquer d'impuretés, les prendre entre les repas,
enfin éviter un certain nombre de stimulants et d'épices
(comme le thé, le café, l'alcool, le tabac, le poivre...).

## L'homéopathie traite le terrain qui sous-tend l'insomnie

Dans le cas de l'insomnie, comme dans celui des autres maladies, l'homéopathie n'a pas un traitement déterminé. Elle soigne un certain tempérament, un insomniaque avec toute sa personnalité. Les remèdes homéopathiques ne sont donc ni des somnifères ni des soporifiques qui procurent immédiatement le sommeil. Le traitement consiste à rééquilibrer notre organisme et ses fonctions principales. Ses effets sont donc généralement durables. Le retour du sommeil peut alors survenir très vite ou au contraire prendre trois à cinq semaines.

Les remèdes homéopathiques sont toujours nommés par leur nom latin. Ce qui fait qu'on peut les trouver facilement, même à l'étranger. D'autre part, chaque remède correspond à un tempérament particulier, à un type d'alimentation ou à certaines influences cosmiques. Si bien que, comme nous le verrons dans les exemples suivants, l'homéopathe personnalise son remède :
— à un sujet somnolent après les repas, mais se réveillant après minuit, on prescrira Nux Vomica. *Nux Vomica* est sédentaire, abuse souvent des excitants, sa langue est sale dans sa partie postérieure ;
— à une personne qui ne peut s'endormir parce qu'elle ressasse ce qu'elle n'a pas fait dans la journée et fait des plans pour le lendemain, on conseillera Cofea ;
— à une insomnie entretenue par un surmenage social, l'abus de tabac et une hypernervosité, on donnera Gelsémium ;
— à une femme en période de ménopause, qui a du mal à s'endormir et se réveille fatiguée, on prescrira Lachesis.

«Lachesis *est une femme au-delà de la quarantaine, qui présente des alternances d'excitation et de dépression. Son excitation se traduit par une loquacité exceptionnelle, elle parle tout le temps et elle parle très vite, sans même quelquefois arriver à finir ses mots ou ses phrases. Le soir, elle est particulièrement active et n'arrive pas à s'endormir.*

*Par contre, le matin au réveil, elle est lasse, triste, découra-*
*gée, d'autant que la nuit elle fait en général des rêves*
*sinistres de mort, d'enterrement de sa propre famille, ou*
*d'elle-même. Enfin, elle est très jalouse sans raison,*
*méfiante, soupçonneuse, orgueilleuse[39].»*

— Lycopodium s'adresse aux personnes fatiguées, irrita-
bles et ayant un sommeil agité.

*«Lycopodium est un sujet bilieux (...). Toujours fatigué,*
*il se plaint d'une diminution de la mémoire, d'une inapti-*
*tude au travail intellectuel (...). Il n'a aucune confiance en*
*lui, craint les responsabilités et se les exagère. Il n'aime*
*pas parler, a horreur des gens, et cependant n'aime pas*
*rester seul. Il est très susceptible, s'exprime avec véhé-*
*mence, et emploie même quand il est en colère des termes*
*grossiers, car il perd alors tout contrôle de lui-même.*
*Somnolent après les repas et en fin d'après-midi, il a un*
*sommeil fréquemment interrompu par des cauchemars ou*
*des réveils en sursaut[39].»*

— Enfin ceux qui ont peur de s'endormir, car ils crai-
gnent la nuit et les voleurs, pourront prendre Natrum
Muriaticum.

*«Natrum Muriaticum est un adolescent long et mince,*
*d'une sensibilité extrême, ayant les larmes aux yeux pour*
*la moindre cause, en écoutant de la musique, par exemple.*
*Il est de caractère mélancolique, et la consolation qu'on*
*lui apporte, loin de le rétablir le fait pleurer davantage.*
*C'est un anxieux, il a peur d'être seul et, s'il habite une*
*maison isolée, il prend bien soin, le soir, de regarder si*
*toutes les portes sont verrouillées avant de s'endormir.*
*C'est enfin un timide, à tel point, par exemple, qu'il ne*
*peut uriner en présence de quelqu'un[39].»*

Comme on voit, l'homéopathe confirme le diagnostic
médical par une physionomie de la personne à soigner.
Et les propriétés des substances végétales, minérales ou
animales qu'il emploie ne sont pas étrangères aux raisons
profondes de nos insomnies.

# L'acupuncture

Présente en Chine dès 2000 ans avant Jésus-Christ, l'acupuncture, comme l'homéopathie, a été longtemps méconnue en Occident. Elle ne sera introduite en France qu'au début de notre siècle. L'acupuncture a fait l'objet, ces dernières années, d'un regain d'intérêt, et certaines opérations chirurgicales spectaculaires ont montré qu'elle pouvait parfois avantageusement remplacer l'anesthésie chimique. Cette utilisation de l'acupuncture en anesthésie est d'ailleurs fort récente, puisqu'en Chine même elle ne date que des années 1950.

L'Association française d'acupuncture et l'Institut du centre d'acupuncture de France diffusent aujourd'hui chez nous les principes de cette médecine chinoise. L'acupuncture ne fait toutefois pas partie du programme des facultés de médecine.

La médecine occidentale est une médecine matérielle, elle cherche à repérer des troubles anatomiques, des lésions organiques, des tumeurs ou des symptômes suggestifs. La médecine chinoise est une médecine énergétique. Ce qui lui importe ce ne sont pas tant les symptômes eux-mêmes que les énergies dont ils résultent. Pour les Chinois tout corps sain réside dans l'équilibre de deux énergies : le yin et le yang. Toute maladie proviendra d'une perturbation de cet équilibre énergétique. L'acupuncture consiste à rétablir cet équilibre soit en déchargeant, en faisant fuir les endroits où il y a un trop plein d'énergie, soit en apportant, au contraire, de l'énergie là où elle fait défaut.

## L'insomnie : un manque d'énergie yin ou un excès d'énergie yang ?

Comme l'homéopathie, l'acupuncture traite le terrain qui sous-tend nos insomnies. Elle a aussi une certaine philosophie ou théorie des rapports entre l'homme, ses maladies et son environnement (le cosmos). De cette conception on peut déduire différentes formes d'insomnies.

En effet, le sommeil correspond normalement à l'énergie yin qui représente l'obscurité, le froid, l'intériorité, la condensation ; tandis que la veille est de l'énergie yang, c'est-à-dire de la lumière, du chaud, de l'extériorité, et de l'expansion.

Le yang naît à minuit et croît progressivement jusqu'à midi, moment de son apogée ; il décroît ensuite jusqu'à minuit. Inversement, le yin naît à midi et décroîtra à partir de minuit, heure de son maximum. Ainsi les insomnies d'avant minuit ne sont pas semblables à celles d'après minuit. Avant minuit nous avons des troubles du sommeil et de l'énergie yin, après minuit des troubles de la veille et de l'énergie yang.

L'heure à laquelle surviennent nos insomnies peut aussi révéler à l'acupuncteur l'organe ou la fonction qui sont atteints. Car chaque organe comporte un maximum d'énergie à une heure donnée. L'énergie resterait deux heures dans chaque organe. Elle partirait des poumons à trois heures du matin, pour se répandre à cinq heures dans le gros intestin, à neuf heures dans l'estomac, à onze heures au niveau de la rate et du pancréas, à dix-sept heures dans les reins, à dix-neuf heures dans le système circulatoire, à vingt et une heures dans les fonctions respiratoires, digestives et génitales, à vingt-trois heures dans la vésicule biliaire et à une heure, enfin, dans le foie.

L'acupuncture tient compte aussi des rythmes et des saisons. En hiver, il faudra se lever tard et se coucher tôt, avoir une activité réduite comme le reste de la nature. En été, on se lèvera à l'aube et on se couchera au crépuscule. D'ailleurs, jusqu'à la révolution industrielle et à la naissance de l'électricité, ces rites du lever et du coucher étaient ceux de nos ancêtres. Dans certains pays, l'heure d'été décalée d'une heure par rapport à l'heure d'hiver tient sensiblement compte de cette variation.

## Deux types d'énergie, douze méridiens et plus de sept cents points d'acupuncture !

L'énergie yin et l'énergie yang circulent dans notre

corps, le long de douze méridiens. Ces méridiens font des trajets très précis qui courent le long des membres et du tronc et qui sont reliés aux organes et aux entrailles. On aura ainsi le méridien du poumon, du gros intestin, du cœur... Chaque méridien comporte un certain nombre de points; on compte au total plus de sept cents points d'acupuncture. Si les méridiens sont des canaux, les points sont des vannes qui permettent d'équilibrer le débit du courant énergétique. L'ouverture et la fermeture de ces vannes s'effectuent à l'aide d'aiguilles fines généralement en acier, parfois en or ou en argent. Leur implantation est sensible mais quasiment indolore. Elles ne sont enfoncées que de quelques millimètres et la durée d'application est de dix à vingt minutes. Parfois l'acupuncteur peut faire tourner l'aiguille d'un mouvement vif.

Pour les insomnies associées à de fortes angoisses, les séances d'acupuncture pourront se succéder tous les deux ou trois jours. Pour les insomnies accidentelles ou chroniques, un traitement plus espacé suffira, toutes les semaines, ou tous les quinze jours. Plus l'insomnie aura été traitée tôt, plus vite elle disparaîtra. En moyenne, six à huit séances permettront de rétablir le sommeil. Toutefois, la première séance peut aussi bien provoquer le sommeil que renforcer l'insomnie.

Il n'y a pas de point d'insomnie. Et l'acupuncteur peut piquer en des endroits très éloignés de ce que nous croyons être la cause directe de nos insomnies (par exemple, il piquera la main pour une migraine). L'acupuncture est efficace dans trois domaines qui sont très souvent associés à nos insomnies. Ce sont :

— d'une part, tout ce qui est douleur musculaire, névralgie, lumbago, torticolis, rhumatisme ou sciatique ;

— d'autre part, les troubles de la digestion (nausées, constipation, vertiges), de l'appareil respiratoire (rhume des foins, allergies, bourdonnements d'oreilles), les troubles de la circulation (engourdissement des mains ou des pieds, hémorroïdes, palpitations du cœur), certaines maladies de la peau provoquant des démangeaisons chroniques et les dérangements de l'appareil génital et urinaire (troubles de la prostate ou suites de la ménopause);

— enfin, tout ce qui est de l'ordre des troubles psychiques, angoisse, état dépressif, nervosité, migraines, sauf les cas de psychoses aiguës. S'adressant aux gens de tous âges, du bébé au vieillard, l'acupuncture est une thérapeutique sans risque contre les insomnies. Il faut donc surmonter la petite réticence que nous avons pour les aiguilles, ou pour une médecine étrangère.

# Les médications

Les drogues pour dormir posent aujourd'hui un véritable problème d'hygiène sociale. Il apparaît, en effet, qu'environ trois millions de Français prennent tous les soirs un comprimé avant de dormir; que la consommation globale de ces somnifères ou tranquillisants augmente tous les ans de 15 à 20 %. Les enquêtes menées en France par le Centre de recherches et de documentation sur la consommation (CREDOC) montrent que les ordonnances des médecins généralistes contiennent pour 10 à 15 % de prescriptions concernant un tranquillisant ou un barbiturique destiné à soulager les insomniaques. Ces drogues calmantes ou endormantes occupent ainsi le septième rang des médicaments prescrits par les médecins.

Si l'on prend comme référence le chiffre d'affaires des laboratoires pharmaceutiques, on s'aperçoit que pour les laboratoires Roche, ces dernières années, 36 % du chiffre d'affaires sont dus à quatre tranquillisants, tandis que les laboratoires Wyeth-Byla atteignent 55 % de ce chiffre avec seulement deux tranquillisants. Les boîtes de somnifères ou de tranquillisants contiennent dix à trente comprimés. Or, en France, en 1970, ont été vendus dans les pharmacies trente-huit millions de boîtes de barbituriques, quinze millions de somnifères non barbituriques, vingt-huit millions de tranquillisants, huit millions de neuroleptiques, cinq millions d'antidépresseurs et dix millions de psychostimulants.

La France n'est pas isolée dans cette consommation orgiaque. Aux Etats-Unis, en 1968, dix millions de personnes prenaient des stimulants, une vingtaine de millions des barbituriques, et trente millions recouraient à divers sédatifs ou tranquillisants. Ce qui fait que 20 % des ordonnances médicales concernaient des drogues pouvant accroître ou diminuer l'éveil du cerveau.

Pendant longtemps les somnifères et les tranquillisants n'ont pas été considérés comme des médicaments dangereux. Les drogués étaient toujours des gens hors-la-loi qui s'approvisionnaient, par des filières illégales, en drogues non prescrites par des médecins. Les hallucinogènes, les psychédéliques portaient tout le poids de la réprobation et faisaient l'objet d'une politique préventive, tandis que le somnifère était tabou. Ou du moins, comme cela arriva plusieurs fois, lorsqu'on reconnaissait les dangers d'un sédatif déterminé, on s'empressait d'en découvrir un autre dont on vantait de nouveau les mérites inégalés.

A cela s'ajoute une division sociale : des jeunes et des marginaux recourent à la drogue, tandis que des adultes bien-pensants prennent au grand jour leur comprimé quotidien. En fait, la limite est beaucoup plus fragile qu'on ne l'a longtemps laissé croire entre l'intoxiqué par les tranquillisants ou les somnifères et l'intoxiqué par les drogues dites fortes. L'accoutumance aux premiers peut être aussi tenace et aussi détériorante que l'accoutumance aux dernières.

# La pharmacie du sommeil

## Les plantes

L'utilisation de substances végétales pour procurer bien-être et sommeil est très ancienne. La médecine d'Hippocrate recourait déjà à l'opium extrait du pavot somnifère. Et l'Antiquité représentait le dieu du sommeil, Hypnos, avec un bouquet de pavots à la main. Les Egyptiens et les Babyloniens utilisaient certaines solanacées comme la belladone ou la jusquiame. La belladone a des baies noires dangereuses et il suffit de quelques-unes pour tuer un enfant. La racine de kawa qui pousse dans les îles du Pacifique est aussi un somnifère assez puissant.

On peut encore citer parmi ces sédatifs d'origine végétale : la valériane, la passiflore, la mandragore. En Inde, on utilisait la racine du rauwolfia dont on extrait aujourd'hui la réserpine. Le chanvre indien sera longtemps employé comme somnifère.

Au début du siècle dernier, apparurent les premières synthèses chimiques réalisées à partir des végétaux dont on connaissait les vertus dormitives. On identifia ainsi les dérivés de l'opium, comme la morphine, qui représente 10 % du poids de l'opium, ou la codéine, qui y est contenue à raison de 0,5 % à 3 %. On affirmait déjà à cette époque que ces produits synthétiques provoquaient un sommeil naturel. Mais on s'aperçut vite que la morphine et la codéine entraînaient une dépendance certaine.

On identifia aussi des dérivés de la belladone et de la jusquiame. La belladone procura l'atropine surtout employée comme spasmolytique (qui supprime les spasmes), tandis que la jusquiame contient de l'atropine et de la scopolamine.

Ce fut aussi vers le milieu de XIX$^e$ siècle, que l'on découvrit les bromures de potassium ou de calcium qu'on utilisa alors comme somnifères. Mais les bromures s'éliminaient mal et provoquaient des changements d'humeur ; ils furent vite abandonnés. Vers 1860-1870, leur succéda l'emploi du chloral et du sulfonal. Le sulfonal fut à son tour délaissé à cause de sa toxicité rénale. Le chloral se trouve encore aujourd'hui sous forme d'un sirop d'hydrate de chloral qui n'est guère utilisé que pour les enfants et les vieillards. Puis eurent lieu les premières anesthésies à l'éther et au chloroforme. En 1853, le docteur Snow accouchait la reine Victoria sous chloroforme, ce qui devait provoquer maints débats religieux et moraux.

Aujourd'hui les dérivés des plantes somnifères sont utilisés lors de maladies graves ou de manque chez les toxicomanes. On a ainsi recours à la morphine ou au laudanum.

D'autre part, les infusions comme la verveine, le tilleul ou la valériane restent un adjuvant efficace dans le traitement des insomnies légères, ou comme hygiène quotidienne précédant le sommeil.

## Les hypnotiques

On s'achemina ainsi peu à peu vers la découverte de médicaments qui avaient plus spécifiquement une fonction touchant le sommeil. On leur attribue le terme général d'hypnotiques ou de sédatifs. En fait, le terme sédatif est impropre, puisque l'on peut être sous sédation sans dormir.

## Les barbituriques

La première révolution dans ce domaine fut la découverte de l'action hypnotique des barbituriques vers le début de notre siècle, grâce aux travaux de Emil Fisher et de von Mehring. Depuis cette époque les barbituriques ont proliféré. On compte aujourd'hui environ 2 500 composés barbituriques dont seulement une cinquantaine est commercialisée et douze couramment employés.

Le choix d'un barbiturique dépend de sa rapidité d'action sur le cerveau et du temps qu'il met à être éliminé. On a ainsi deux types de barbituriques.

Les premiers barbituriques synthétisés entre 1900 et 1930 procuraient le sommeil environ quarante minutes après l'absorption, et leur effet pouvait dépasser huit heures ; mais ils étaient très lents à éliminer, ce qui entraînait des risques secondaires. Cette élimination pouvait durer plusieurs jours. Les premiers barbituriques furent le barbital puis le phénobarbital.

A partir de 1935, on créa des barbituriques à élimination plus rapide. Certains d'entre eux procuraient le sommeil en moins de quinze minutes ; mais ce sommeil dépassait rarement cinq heures ; c'est le cas du sécobarbital ou de l'amobarbital. D'autres, comme le penthobarbital, s'apparentent pour leur durée d'action aux barbituriques classiques, tout en ayant l'avantage d'une élimination plus rapide. Ces barbituriques peuvent être utilisés par voie veineuse et employés dans certains traitements psychiatriques faisant intervenir soit un sommeil prolongé, soit une analyse sous influence des drogues.

Les barbituriques à action prolongée provoquent des difficultés de réveil ; ils seront toutefois prescrits pour les insomnies du milieu de la nuit. Les barbituriques à action rapide seront utilisés dans les insomnies d'endormissement.

---

## Les barbituriques entraînent souvent des troubles psychiques et des désordres physiques

---

Les barbituriques sont cependant de plus en plus abandonnés, cela pour plusieurs raisons. Les unes tiennent à leur effet néfaste sur les personnes à tempérament névrotique et angoissé, les autres à certains troubles secondaires au niveau physiologique. La prescription d'un barbiturique risque de cacher la cause véritable de l'insomnie. De plus, l'action bénéfique du barbiturique cesse très vite, et il faudra alors augmenter les doses.

Depuis 1910, l'accroissement du nombre des barbituriques et les possiblités d'autoprescription n'ont fait qu'augmenter le risque d'intoxication. Un rapport de

1972 de Denicker, Ginestet et Loo sur les méfaits de l'automédication a mis en évidence l'emploi prévalant des barbituriques dans les intoxications chez les jeunes. Comme la majorité des hypnotiques, les barbituriques renforcent l'action de l'alcool.

## Les barbituriques peuvent renforcer une tendance au suicide

Parmi les symptômes psychiques occasionnées par un emploi abusif des barbituriques, on peut citer : une déficience de l'activité intellectuelle et des motivations de travailler, des performances plus faibles dans différents tests psychologiques ; une baisse de l'affectivité, on tend à ne plus ressentir le degré des émotions ; des troubles psycho-moteurs, incoordination motrice ; enfin dans les fortes intoxications l'euphorie sera conjuguée avec un état de confusion s'apparentant au délire alcoolique. Les barbituriques ont ainsi entraîné bon nombre de décès principalement chez les personnes à tendance suicidaire et les psychopathes. Il devient alors criminel de céder aux demandes de ceux-ci, si l'on a connaissance de leur état psychique. Sous le couvert d'aider à dormir, on aidera à se suicider.

## Associés à des anticoagulants, les barbituriques peuvent être mortels dans certaines maladies du sang

Les désordres physiques causés par les barbituriques sont aussi nombreux. Souvent on s'éveillera avec des torticolis ou des douleurs dans les muscles des épaules. Le sommeil qu'ils provoquent n'est pas normal. Les phases de sommeil paradoxal sont rares, et parfois absentes. La tension artérielle est basse ; la sécrétion des sucs gastriques est supprimée, ce qui bien sûr calme les troubles digestifs. Par contre, les barbituriques en général ne suppriment pas la douleur et risquent, au contraire, de l'amplifier. Enfin, ils ont une action activante sur le foie : ce dernier produit alors plus d'enzymes* et élabore cer-

* *Enzyme* : substance biologique favorisant diverses réactions chimiques.

taines protéines (porphyrines). Or les gens atteints d'une affection du sang, dite porphyrie, risqueront la mort, si leur foie produit ce surplus de protéines. Cette accélération du fonctionnement chimique de notre corps due aux barbituriques fera qu'il est dangereux de les prendre associés à d'autres thérapeutiques, comme les anticoagulants.

## Les nouveaux médicaments du sommeil

Les barbituriques ne sont qu'une catégorie des médicaments psychotropes, c'est-à-dire qui agissent sur notre psychisme. A partir de 1950, fut mis au point tout un ensemble d'hypnotiques non barbituriques et de substances psychatropes non hypnogènes (c'est-à-dire n'entraînant pas le sommeil), mais pouvant être utilisés pour lutter contre les causes psychiques d'une insomnie. On classe généralement ces médicaments en trois groupes selon la classification de Delay et de Denicker :
Ceux qui diminuent l'activité mentale (*psycholeptiques*) avec :
— des drogues qui font dormir (hypnotiques) ;
— des tranquillisants majeurs (neuroleptiques) ;
— des tranquillisants mineurs contre l'angoisse (anxiolitiques).
Ceux qui augmentent l'activité mentale (*psychanaleptiques*) dont :
— des antidépresseurs, stimulants de l'humeur ;
— des amphétaminiques, stimulants de la vigilance ;
— des psychostimulants.
Ceux qui dévient l'activité mentale (*psychodyleptiques*).

Pour le profane, il est pratique de se référer à un tel tableau afin de ne pas confondre les tranquillisants avec les antidépresseurs, et de ne pas croire que toutes les drogues que le médecin nous prescrit lorsqu'on se plaint d'insomnies sont au même titre des somnifères. En fait, bon nombre de substances ayant des propriétés apparemment sans rapport avec le sommeil sont aujourd'hui utilisées dans le traitement de l'insomnie.

○ *Les tranquillisants majeurs* (neuroleptiques);
Vers 1950, on s'est aperçu que certains médicaments anti-inflammatoires ou anti-allergiques avaient aussi des propriétés sédatives. Ces médicaments appartiennent au groupe chimique des phénothiazines.

---

**L'effet calmant des neuroleptiques fut mis en évidence sur les malades mentaux**

---

La découverte en 1952, par Delay et Denicker, des propriétés de la chlorpromazine dans le traitement des maladies mentales ouvrit «l'ère de la pharmacologie moderne».

La chlorpromazine était connue comme agent renforçant l'action de l'anesthésie*.

Mais ce n'est qu'à partir de 1952 que la chlorpromazine fut utilisée systématiquement dans les cas de psychoses chroniques et de schizophrénie. Jusque-là, on ne savait pas comment traiter les malades mentaux atteints d'agitation aiguë, de délire et de manie. Ce tranquillisant permit de calmer ces malades, qui auparavant étaient relégués dans les services les plus durs des hôpitaux psychiatriques, et de canaliser leur agressivité ou leur anxiété.

La chlorpromazine fut suivie d'une douzaine d'autres tranquillisants majeurs, ainsi que d'hypnotiques non barbituriques comme le mécloqualone et le méthaqualone plus diphénydramine. Ces derniers produits connaîtront leur vogue dans le domaine de la toxicomanie : associés à l'alcool ou pris en forte dose, ils provoqueront des hallucinations. Pour cette raison, ils furent recherchés au même titre que le L.S.D.

Ce fut donc en vertu de leurs effets sur les psychotiques que les tranquillisants majeurs furent d'abord utilisés. Mais provoquant un état de léthargie et de somnolence diurne, ils favorisent aussi le sommeil. Contrairement à ce qui se passe avec les barbituriques, les tests d'aptitudes intellectuelles sont positifs; toutefois dans les

* Henri Laborit, biologiste et pharmacologue, avait remarqué cette influence anesthésique lors de l'amputation d'un blessé sur un champ de bataille.

tests d'attention soutenue, ce sont les barbituriques qui l'emportent sur les tranquillisants. Ces tranquillisants majeurs ont des influences dérivées sur les hormones sexuelles et sur les hormones des glandes surrénales. De toute façon, leur emploi dans les insomnies doit être limité.

○ *Les tranquillisants mineurs* (anxiolitiques)
Comme leur nom l'indique, les tranquillisants mineurs ont un effet calmant ou sédatif plus léger. Le plus ancien de ces tranquillisants est le méprobamate. Les dérivés des benzodiazépines devaient donner un essor aux tranquillisants qui furent alors appelés «pilules de bonheur».

Ce sont ces tranquillisants et non les neuroleptiques qui sont les plus connus du grand public. On peut citer parmi eux le chlordiazépoxide, le nitrazépam et le diazépam. Les tranquillisants suppriment l'agressivité de certains animaux, entraînent un relâchement des muscles, réduisent les tensions, l'anxiété, les convulsions, et émoussent les émotions.

---

**De façon générale, les tranquillisants sont à préférer aux barbituriques**

---

Dans la mesure où la plupart de nos insomnies sont dues à des tensions provoquées par nos activités diurnes, les tranquillisants occupent une place de choix dans le traitement de celle-ci. Les travaux de Jouvet montrent que les tranquillisants affectent moins la qualité du sommeil que les barbituriques. D'autre part, l'avantage des tranquillisants est de pouvoir être pris de jour et ainsi de prévenir le mauvais fonctionnement, ou le trop grand fonctionnement, du système d'éveil qui nous empêche le soir de nous endormir.

Cependant, en dépit de leurs avantages, les tranquillisants finissent aussi par créer une dépendance. Si l'on prive d'un seul coup une personne qui prend une grande quantité de tranquillisants, on peut voir apparaître chez elle un délire onirique visuel, ou auditif, ainsi que des crises épileptiques; celles-ci restent toutefois beaucoup moins fréquentes qu'avec une intoxication aux barbituriques.

○ *Les antidépresseurs*
Dans les insomnies ayant pour cause un état dépressif, mélancolique ou léthargique, on pourra avoir recours aux antidépresseurs. En rétablissant l'humeur du patient, ils facilitent la venue de son sommeil. Les antidépresseurs stimulent généralement la vigilance : c'est pourquoi ils ne devront pas être pris après 16 heures.

Il existe deux catégories d'antidépresseurs :
— les imipramines ;
— les IMAO (ou inhibiteurs de la monamide oxidase). Ces IMAO empêchent la monoamine oxidase de dégrader des substances essentielles au cerveau et augmentent les différents composés nécessaires à l'éveil. En fonction des doses administrées, un individu apathique pourra en cinq à dix jours recouvrer son entrain.

---

**Les antidépresseurs peuvent conduire au suicide un sujet trop déprimé**

---

Les antidépresseurs comportent deux risques :
— voir apparaître un état d'excitation à la place de l'état léthargique ;
— voir l'individu dépressif se suicider, dans la mesure où la libération aura joué seulement au niveau physique et non au niveau moral.

Aussi, contrairement aux tranquillisants et aux neuroleptiques, les antidépresseurs mettent en jeu plus profondément nos structures vitales. Beaucoup de tentatives de suicide succédant à des prises d'antidépresseurs seront réussies.

○ *Les stimulants*
La découverte des antidépresseurs date de 1957. Avant, on avait recours à des stimulants psychiques, comme les amphétamines, afin de surmonter une nuit d'insomnie ou de s'aider dans une insomnie volontaire lors d'un travail important. Les amphétamines ont toutefois des effets paradoxaux : chez certaines personnes, elles augmentent l'éveil, accélèrent le pouls ou suppriment partiellement

la fatigue ; tandis que chez d'autres — spécialement chez des enfants excités —, elles ont un effet calmant et procurent le sommeil.

Les amphétamines sont cependant aujourd'hui de moins en moins utilisées. Elle provoquent, en effet, un retour en masse de la fatigue après quelque temps. Le sommeil qu'elles procurent est pauvre en sommeil paradoxal, et elles peuvent entraîner vertiges, maux de têtes, ou une carence d'appétit. Enfin, à fortes doses, on risque des troubles cardio-vasculaires.

# L'usage courant des somnifères

Contrairement à ce qu'affirment certaines publicités, il n'y a pas de médicaments procurant un sommeil naturel ni de médicaments qui agissent spécifiquement sur une fatigue physique ou sur une fatigue psychique. On ne sait pas non plus rétablir le sommeil paradoxal, et il semblerait au contraire que la plupart des médicaments contre l'insomnie perturbent la qualité du sommeil.

Les barbituriques furent longtemps gagnants dans la course aux somnifères, mais l'évolution actuelle semble nettement favoriser les hypnotiques non barbituriques. En France, en 1973, les barbituriques ne représentaient plus que 35 % de la vente des somnifères. Afin de prévenir les risques de toxicomanie et les prescriptions faites à la légère par certains praticiens, différents hypnotiques non barbituriques, délivrés autrefois sur simple ordonnance médicale, font désormais l'objet d'un contrôle plus sévère. Ils sont passés dans la catégorie des drogues du tableau B, si bien que le médecin dispose d'un carnet à souches limitées pour les prescrire.

L'information sur les médicaments auprès des consommateurs fut aussi jusqu'à ces dernières années peu développée. D'autre part, c'était essentiellement la publicité faite par les laboratoires de produits pharmaceutiques eux-mêmes qui servait d'information à la fois aux médecins et aux malades. Aujourd'hui, des ouvrages comme celui du docteur Pradal, «Guide des médicaments les plus courants[45]», remettent en question la prolifération des substances médicamenteuses et nous offrent un dictionnaire des médicaments les plus employés avec leurs indications et leurs contre-indications. Des ouvrages d'informatin faits dans un langage non ésotérique ne peuvent qu'aider à prévenir les risques d'une automédication faite de on-dit. Il est intéressant, à ce sujet, de comparer l'information donnée pour un médicament par le dictionnaire Vidal à l'usage des médecins et celle donnée pour le même médicament par l'ouvrage du docteur Pradal abordable par tous.

Ces informations plus objectives permettent de s'apercevoir que les noms de marque de nombreux somnifères recouvrent un même nom commun. On a souvent attiré l'attention sur le fait que la simple attribution d'un nom de marque à un produit pharmaceutique faisait varier son prix dans des proportions considérables. Les frais de publicité des laboratoires dépassent de beaucoup leurs frais de recherche.

---

### Informez-vous ! les contre-indications aux somnifères sont nombreuses

---

A côté des contre-indications dues à un terrain spécifique (grand âge, alcoolisme ou maladie mentale), on peut formuler un certain nombre de cas généraux où il ne faut pas recourir à des médicaments psychotropes. Ce sont essentiellement les cas de maladies respiratoires et d'affections du foie ou des reins. D'autre part, tout emploi simultané de plusieurs médicaments ne peut être fait sans avis médical. Les somnifères ont tendance à augmenter leurs propriétés réciproques, ainsi que l'effet des analgésiques. La prise de boissons alcoolisées développe pareillement l'altération de la conscience sous hypnotique.

Mais ces indications partielles ne peuvent remplacer le médecin. C'est chez ce dernier qu'il faut en quelque sorte exiger l'information qui nous manque. Au lieu de parler de tout et de rien avec le médecin pour, au moment de partir, énoncer sur un mode indifférent ou coupable :

«Docteur pourriez-vous aussi me donner quelque chose pour dormir?», il vaudrait mieux s'inquiéter des effets secondaires ou des risques d'accoutumance du somnifère ou du tranquillisant qui va nous être prescrit.

Quel médecin, en effet, nous explique de lui-même pourquoi il a choisi un tranquillisant plutôt qu'un somnifère ou vice versa? Quel médecin, quand on lui dit avoir tout essayé contre l'insomnie, ne trouvera pas encore le dernier-né des hypnotiques dans l'arsenal des échantillons gratuits que lui a laissés le représentant du laboratoire? Qui nous avertit que les accidents sont dix fois plus nombreux chez les conducteurs qui ont pris un tranquillisant que chez ceux qui n'en ont pas pris?

## On ne cesse pas du jour au lendemain de prendre des tranquillisants

Les affections iatrogènes sont les maladies provoquées par les prescriptions du médecin. Comme l'a montré Ivan Illich[22], elles ne sont pas rares. Non seulement les tranquillisants forts employés chez les malades mentaux, mais aussi les tranquillisants bénins peuvent engendrer des désordres graves au-delà d'une certaine durée d'emploi et si l'on ne diminue pas progressivement les doses.

Les insomnies peuvent être entretenues par des ampoules de vitamines que l'on absorbe trop près de l'heure du coucher ou bien par un antidépresseur que l'on confond avec un hypnotique à action rapide.

Les insomnies du début de la nuit peuvent être enrayées par un somnifère rapide et à effet court qui donne ainsi le coup de pouce nécessaire. Les insomnies du milieu de la nuit ou du petit matin sont souvent associées à des états dépressifs et demandent alors un traitement de fond.

## La toxicomanie

L'accoutumance aux somnifères, la toxicomanie, est sans doute le problème le plus important posé par la lutte contre l'insomnie. Aux Etats-Unis, trente millions d'Américains dépendraient plus ou moins des hypnotiques et encore esentiellement des barbituriques. Une enquête de F. Davidson et de ses collaborateurs auprès de 2 339 lycéens et lycéennes de quinze à vingt ans a montré qu'environ 5 % des garçons et 10 % des filles en France avaient déjà pris des hypnotiques. Ronald D. Laing, psychiatre anglais, remarque que très souvent le recours aux somnifères ou aux tranquillisants à forte dose masque une dépression. Il suggère que dans les toxicomanies importantes, avec de l'héroïne par exemple, la drogue servirait à enrayer l'évolution d'une psychose. Les drogues douces ou fortes servent en effet à affronter tensions et conflits qui risqueraient sans cela de nous détruire.

A côté des défaillances intellectuelles, et des états confusionnels déjà décrits, les intoxications chroniques aux barbituriques ou autres hypnotiques comportent des troubles neurovégétatifs, telles la dénutrition ou la déshydratation. Dans ces intoxications, comme dans les intoxications aiguës dues à une prise excessive d'hypnotiques, il est nécessaire de faire hospitaliser la personne malade.

## Un somnifère le soir, un stimulant au réveil : le cercle vicieux est amorcé

Prendre un somnifère le soir n'implique pas nécessairement que l'on soit toxicomane. Le seuil est cependant facilement franchi. L'usager occasionnel de somnifère n'éprouve pas le besoin d'en reprendre le lendemain du jour où il a eu une insomnie. Il se réveillera relativement facilement et alerte. En revanche, la personne habituée à prendre un somnifère tous les soirs sera désorientée et angoissée si elle n'a pas son cachet. Celui-ci joue souvent pour elle le rôle d'un placebo, et dans bien des cas on remarquera qu'une pilule non hypnotique fera aussi bien l'affaire, si l'insomniaque croit que c'est un somnifère. La prise habituelle de somnifère s'associe généralement à un réveil difficile. C'est à ce point qu'on peut basculer dans une nouvelle habitude, celle de prendre un stimulant pour compenser les effets du somnifère.

Peu à peu, l'organisme se dérègle et l'on doit augmenter les doses des deux médicaments. Au stade de l'intoxication chronique ce ne seront plus seulement le réveil et l'endormissement qui seront perturbés. La coordination des mouvements du drogué deviendra difficile : souvent agressif ou dépressif, il aura du mal à se tenir debout et parlera avec difficulté. On est proche d'un état comateux. Certains toxicomanes, dans la mesure où ils ne dépassent pas un seuil limite, peuvent prendre tous les jours de 1 g à 1,50 g de barbiturique sans manifester tous ces symptômes. Par contre, à 2 ou 3 g, ils continueront à vivre, mais dans un monde où leurs retours à la réalité seront de moins en moins fréquents.

## La cure de désintoxication : une entreprise de longue haleine

Se faire désintoxiquer est alors nécessaire. Mais, comme on l'a vu, arrêter brutalement les somnifères n'est pas une cure de désintoxication et peut engendrer de graves troubles physiologiques. Il faudra plusieurs semaines ou plusieurs mois pour s'en sortir. La cure de désintoxication commencera par une diminution progressive des jours où l'on prend des somnifères ; puis, une diminution des doses journalières elles-mêmes.

«Sandra W... *avait eu autrefois un disque cérébral déplacé et des douleurs dorsales aiguës qui la laissaient éveillée toute la nuit. Elle commença à prendre des hypnotiques, mais, lorsque son dos eut cessé de la faire souffrir, elle fut atteinte d'une grave insomnie, accompagnée de fatigue diurne, pendant plus de dix ans. Lorsqu'elle vint nous voir, elle prenait quotidiennement un dosage très complexe de médicaments. Malgré toute cette pharmacopée, son insomnie persistait et empirait. Elle y avait récemment ajouté un grog contenant 2 à 4 onces de bourbon. Sa dépendance aux médicaments nécessita une désintoxication progressive de dix-huit mois, sous un contrôle médical prudent, qui s'intensifiait à mesure qu'elle essayait de diminuer ses dosages. Lorsqu'elle en arriva à l'étape finale, sa liberté à l'égard de la drogue était encore précaire, et nos enregistrements montrèrent qu'elle n'avait pas dormi du tout pendant la première nuit sans pilule ; le lendemain, elle réussit à dormir huit heures d'un sommeil agité. Les trois soirs suivants, le début de son assoupissement retardait de deux heures par jour, comme si son cycle avait été de vingt-six heures au lieu des vingt-quatre heures normales. Nous ne savons pas encore si ce problème de cycle était causé par les drogues, la désintoxication ou les rythmes naturels du corps qui ne coïncidaient pas avec notre rythme normal de vingt-quatre heures par jour. Sandra W... avait réellement stabilisé son rythme de sommeil et on la renvoya chez elle lorsqu'elle fut hors de danger[70].»*

Pierre Passouant relate une expérience faite en Angleterre dans laquelle un groupe d'insomniaques prenait des hypnotiques à volonté, tandis qu'un second groupe était fortement encouragé par les médecins à ne recourir aux médicaments que lors d'un besoin réel. Après plusieurs mois, le premier groupe continuait à recourir aux hypnotiques, mais 60 % du second groupe y avaient renoncé[42]. Pour une grande part, nous pouvons donc nous passer de somnifères, si nous sommes assez motivés.

## Le somnifère universel n'existe pas

Toute drogue, et particulièrement une drogue hypnotique, est fonction de l'individu qui la prend, et de l'heure à laquelle elle est prise. C'est pourquoi il est absurde de croire qu'un somnifère dont un ami nous a vanté les mérites nous réussira obligatoirement. Notre poids détermine, entre autres, la quantité de drogue que nous pouvons supporter. Les femmes, plus réceptives, seraient sensibles à des quantités inférieures à celles des hommes.

Nous sommes donc, pour une part, responsables de la persistance de nos insomnies. Il faut se défaire du préjugé qu'il y a une pilule magique, valable pour tous, et à toute heure. Il faut aussi abandonner le préjugé inverse que plus on prend de médicaments plus on a de chances de dormir ou de guérir. Certaines personnes prennent ainsi quinze médicaments par jour ou avalent vingt comprimés en une seule fois. Il devient alors impossible d'empêcher les influences réciproques nocives de ces médicaments.

## Les suicides

La majorité des tentatives de suicide sont dues à une intoxication au moyen d'hypnotiques. Ceux-ci représentent 40 à 45 % des intoxications volontaires. Ce sont surtout les femmes qui recourent aux somnifères pour se suicider. Les barbituriques viennent nettement en tête et, parmi eux, les plus dangereux et les plus efficaces seront ceux à action rapide. La rapidité du coma qu'ils provoquent empêche souvent toute possibilité d'intervenir à temps.

Au deuxième rang des drogues employées pour se suicider, on trouve dans 30 à 35 % des cas des tranquillisants. Quoique moins toxiques que les barbituriques, certains tranquillisants provoquent cependant, pris à fortes doses, des dangers d'asphyxie et demandent une assistance respiratoire. Les antidépresseurs à fortes doses peuvent entraîner des crises cardiaques.

On peut reconnaître une tentative de suicide à différents symptômes : incoordination des gestes, vomissements, troubles de la vigilance, qui s'échelonnent de la fixation ou de la simple obnubilation au coma. Dans ce cas, il faut se souvenir que les pompiers assurent un service spécialisé pour transporter les suicidés vers les centres antipoison : à Paris, l'hôpital Fernand-Widal ; à Lyon, l'hôpital Edouard-Herriot ; à Marseille, l'hôpital Salvator.

## L'âge

Avant tout abus ou mésusage des somnifères, il y a un certain nombre de facteurs organiques qui influencent notre sommeil et l'effet des médicaments utilisés pour remédier à nos insomnies. Nous savons tous que les gens âgés se plaignent de ne pas dormir. Cela en dépit du fait que souvent, dans la journée, nous les verrons s'assoupir. Il est vrai que le nombre d'heures du sommeil de nuit diminue avec l'âge et passe, de sept à huit heures, en moyenne, à six heures. Cependant cette perte de sommeil semble compensée par les différents sommes pris pendant le jour. Ce n'est donc pas tant un manque quantitatif de sommeil qui caractérise le vieillard qu'une qualité différente de ce sommeil.

Plus on vieillit, plus les réveils pendant la nuit sont fréquents. A cinquante ans, il n'est pas rare de se réveiller trois fois, à quatre-vingts ans, certaines personnes se réveilleront plus de sept fois. Les personnes âgées peuvent s'éveiller très tôt, vers 5 heures du matin, et ne se rendormir qu'une heure après. Elles peuvent rester 20 % du temps passé au lit sans dormir. Or, des séjours trop prolongés au lit ne sont pas sans risques pour elles.

On a récemment décelé une forme d'insomnie assez fréquente chez les personnes âgées, qui consiste à se réveiller pendant une période de rêve. C'est peut-être une des raisons pour lesquelles elles se souviennent plus de leurs rêves que des sujets plus jeunes. C'est pendant ces périodes d'interruption de rêve qu'il arrive que les gens du troisième âge se lèvent pour aller se promener dans la maison ou dans la rue.

Telle personne croyant entendre des voleurs dans sa maison découvre, en pleine nuit, sa grand-mère en train de manger des gâteaux ou de laver du linge.

**Pour rendre le sommeil aux personnes âgées, il faut alléger leur solitude et les entourer de sollicitude**

On ne peut pas traiter à la légère l'insomnie des personnes âgées en argumentant qu'il est normal qu'elles dorment moins à leur âge. Fatigue, anxiété, troubles physiques expliquent la mauvaise qualité de leur sommeil. Ces insomnies peuvent être dues à un trouble de la prostate, à de l'artériosclérose, à des rhumatismes, ou encore à un changement du cadre d'existence : mise à la retraite, inquiétude pour des petits-enfants qu'on leur laisse en garde...

Le recours aux hypnotiques chez les personnes âgées est alors délicat. Les barbituriques seront à éviter dans la mesure où ils risquent de provoquer la confusion mentale, un état de surexcitation, ou bien d'inverser les rythmes du sommeil. On peut alors donner des tranquillisants légers. Mais le meilleur des remèdes est sans doute la sollicitude et l'intérêt dont nous devons entourer ces personnes âgées, car la solitude est en effet la cause la plus fréquente de leurs troubles du sommeil.

Chez le jeune enfant, le traitement de l'insomnie s'apparente à celui de la personne âgée. Il faut éviter de donner un somnifère à son enfant parce que l'on doit sortir le soir. L'enfant, comme l'adulte, acquiert rapidement une dépendance physique et psychologique aux hypnotiques.

### Les femmes enceintes

Les femmes enceintes dorment généralement plus, mais pendant les premières semaines de leur grossesse elles peuvent avoir des insomnies. Il faudra alors être très prudent dans l'emploi des drogues.

Les risques des médicaments sur le fœtus sont principalement grands pendant les dix premiers jours. Or, malheureusement, c'est une période où la femme ne sait pas toujours si elle est enceinte. Par précaution, il vaudra mieux s'abstenir de prendre des drogues avant et pendant une grossesse. Il faut éviter plus spécialement les barbituriques qui franchissent la barrière du placenta et peuvent être décelés chez le fœtus. On ne connaît pas bien les risques courus, puisqu'il n'est pas possible d'expérimenter sur des femmes enceintes. Des enquêtes menées en Australie sur des nouveau-nés de mères ayant pris des barbituriques montrent un pourcentage important de cataractes. Si l'on doit absolument recourir à un somnifère, mieux vaudra choisir un médicament déjà connu et employé depuis de nombreuses années sans effet nocif.

Les hormones sexuelles ont des effets sur le sommeil. Expérimentalement on a pu les employer comme sédatifs. Malheureusement, jusqu'à présent on en sait pas les utiliser comme tels sans provoquer des effets secondaires (menstruation). On s'est aussi aperçu que les femmes enceintes devant subir une opération avaient besoin de doses moins importantes d'anesthésique que les autres, et que les hypnotiques agissaient plus rapidement sur les femmes qui prennent la pilule.

## Les cures de sommeil

Parmi les traitements courants des insomnies et des troubles qui peuvent leur être associés, la cure de sommeil est une des techniques les plus anciennes. Encore utilisée en Europe, elle est de plus en plus rare chez les psychiatres américains. La cure de sommeil consiste à provoquer un sommeil de quinze à dix-huit heures par jour pendant une durée de une à trois semaines. D'abord pratiquées avec des barbituriques seuls, les cures de sommeil sont aujourd'hui induites par une association de plusieurs hypnotiques (barbituriques et non barbituriques) avec des tranquillisants. On associe de préférence des médicaments à action rapide avec d'autres à action prolongée.

Le sommeil n'est pas continu, comme on le croit parfois, mais coupé par des repos et des contrôles du pouls, de la température et de la tension. Au bout du cinquième jour, l'état de sommeil tend généralement à se réduire de lui-même.

**La cure de sommeil doit être limitée à certains cas très précis...**

Il y eut un temps où la cure de sommeil faisait fonction de remède dans n'importe quelle perturbation caractérielle. Actuellement, on en limite l'indication à certains troubles mentaux prononcés, mélancolie très anxieuse, état passionnel aigu dû à un deuil ou à la jalousie, ainsi qu'à des états psychosomatiques persistants ou à des maladies douloureuses.

**... et également être limitée dans le temps**

De toute façon, cette cure ne procure pas un sommeil normal. Elle fait aussi courir différents risques, si on ne l'arrête pas à temps. Peuvent ainsi s'installer un état léthargique et un désintérêt pour la vie ou, inversement, il peut naître un véritable état d'insomnie. Toutes les contre-indications des médicaments du sommeil sont *a fortiori* valables pour les cures de sommeil. Maladies du foie, des poumons, des reins ou du cœur risquent alors d'être aggravées. Les cures de sommeil impliquent donc une attention et une surveillance continues de la part des médecins et des infirmiers.

Les médicaments ne sont pas les seuls moyens d'engendrer le sommeil. Nous avons vu qu'en Russie, à la suite des théories de Pavlov sur les réflexes conditionnés, on a recouru à des cures de sommeil qui prenaient en considération l'environnement sonore et lumineux du malade. En France, seront développées des techniques de relaxation, de maternage ou de sommeil collectif, qui chercheront à procurer un sommeil normal.

## Les cliniques du sommeil

Il ne nous viendrait pas à l'esprit, lorsque nous avons des insomnies ou lorsque nous en sommes arrivés à prendre quotidiennement des somnifères, d'entrer en clinique. Or, de plus en plus, il est nécessaire d'effectuer un certain nombre de contrôles physiologiques ou électroencéphalographiques avant de prescrire un somnifère ou de traiter une insomnie. Depuis 1960, différentes cliniques du sommeil (*sleep clinics*) se sont ouvertes aux Etats-Unis. Elles ont essentiellement deux objectifs : d'une part, dépister et diagnostiquer le trouble du sommeil propre à un individu; d'autre part, désintoxiquer les millions d'Américains qui prennent des barbituriques. En comparant le sommeil d'un malade à celui d'un témoin du même âge et d'un même environnement social, mais dormant bien, on pourra préciser les désordres du sommeil de ce malade. Il suffira alors d'une mise en observation de trois à cinq jours pour savoir dans quelle classe de maladie du sommeil situer son insomnie.

Les enregistrements du sommeil ont permis de distinguer les malades :
— qui ont un manque ou un excès de sommeil lent ;
— qui ont un manque ou un excès de sommeil rapide ;
— qui ont des cycles de sommeil et de rêve désordonnés ;
— qui s'endorment trop lentement, ou trop vite ;
— qui se réveillent trop souvent ou trop tôt ;
— qui sont sujets à des troubles physiologiques (arrêts respiratoires), ou psychologiques (cauchemars).
Chacune de ces causes possibles d'un trouble du sommeil n'est pas toujours décelable dans le seul entretien que l'on peut avoir avec son médecin. En cas de persistance d'une insomnie, il serait donc bon de passer un examen clinique afin de savoir exactement où l'on en est.

**Le grand perturbateur du sommeil peut être...**
**... le barbiturique lui-même**

A Los Angeles, W.C. Dement et C. Guilleminault, son assistant d'origine française, cherchent à resynchroniser les cycles du sommeil chez les insomniaques après sevrage de barbituriques. En fait, 40 % de leurs patients ne sont pas de véritables insomniaques. Ils dorment de sept à huit heures. Mais l'abus de barbituriques a provoqué un dérèglement de leur chimie cérébrale. Dement et ses collaborateurs ont pu montrer que l'absorption d'un seul comprimé de barbiturique pouvait déstructurer le tracé du sommeil pendant une semaine. La clinique du sommeil permettra au patient de s'endormir quand il veut, pour ramener peu à peu le sommeil à une structure normale. Comme toute autre maladie, la perte du sommeil demande du temps, de la patience et de la persévérance pour guérir.

# Les excès de sommeil

## L'hypersomnie

L'hypersomnie est le phénomène inverse de l'insomnie, et consiste donc à trop dormir. Les mêmes causes psychologiques, tension d'esprit, anxiété, retard dans un travail à remettre ou chagrin d'amour, qui provoqueront chez les uns une insomnie, engendreront chez les autres un excès de sommeil ou une tendance disproportionnée à la rêvasserie. Dormir beaucoup n'est cependant pas pathologique, et certains d'entre nous ont réellement besoin de plus d'heures de sommeil et demandent à dormir dix heures ou plus.

L'aspect maladie de l'hypersomnie sera décelé par le fait qu'après un sommeil prolongé le dormeur se réveillera avec l'impression de n'avoir pas assez dormi, le sentiment d'être abruti et l'envie de se recoucher. Il est alors dans un état proche de quiconque se réveillerait brusquement en pleine nuit, ne sachant ni où il est ni ce qu'il fait. En fait, le sommeil est alors agité, plein de rêves souvent angoissants.

Comme pour les insomnies, mieux vaudra chercher à soigner la cause sociale, familiale ou affective, de ce besoin maladif de sommeil que de prendre vitamines ou stimulants pour essayer de se maintenir éveillé. Il ne faudra pas oublier aussi que certains espaces fermés, étroits et sombres ne font que renforcer cet état léthargique, ainsi que la retraite et la solitude. Au contraire, s'il est sollicité par des personnes extérieures à son entourage ou par des activités étrangères à ses préoccupations, l'hypersomniaque peut très bien voir passer son envie de dormir. Inversement, qui n'a pas remarqué dans un couple la propension de l'un des conjoints à s'endormir au cours d'une soirée où il s'ennuie tandis que l'autre s'amuse ?

## L'hypersomnie est aussi préoccupante que son contraire l'insomnie

L'hypersomnie occasionnelle est préoccupante, mais engendre rarement des troubles durables. Toutefois, si on laisse s'installer un état d'hypersomnie, il peut en résulter différents troubles des fonctions neurovégétatives (rythme cardiaque, fonctions respiratoires) ou du système nerveux. Or, souvent, on se préoccupera plus d'une insomnie que d'une hypersomnie. Il y a pourtant un certain nombre d'hypersomnies qui sont de véritables maladies du sommeil ayant des causes physiologiques que l'on connaît encore mal. Ce sont la narcolepsie, la maladie de Pickwick et la maladie de Klein-Levin. L'hypersomnie la plus grave demeure l'encéphalite léthargique ou maladie du sommeil.

○ *La narcolepsie*
La narcolepsie est le nom donné à un certain nombre de symptômes caractérisant non plus un sommeil trop long comme l'hypersomnie, mais un sommeil se produisant à l'improviste, à des moments ou en des lieux les plus variés.

Les principaux symptômes de la narcolepsie sont :
— de brusques envies de dormir ou des états de somnolence pendant la journée ;
— des chutes soudaines dues à une faiblesse musculaire appelée «cataplexie» ;
— une paralysie généralisée survenant la nuit ou au petit matin ;
— des hallucinations visuelles ou auditives terrifiantes précédant le sommeil ou le réveil.

Quoique peu connue du grand public, la narcolepsie est moins rare qu'on pourrait le croire, puisqu'elle affecte environ une personne sur mille. Ce sont généralement les hommes qui en sont atteints, et non les femmes. Elle peut s'installer dès l'adolescence, à la puberté, mais certains de ses symptômes, comme les attaques de cataplexie, peuvent survenir tardivement, après quarante ans.

## La narcolepsie : un dérèglement de la fonction du sommeil paradoxal

On a remarqué que cette maladie pouvait être héréditaire. La narcolepsie est parfois appelée «maladie de Gélineau», du nom du médecin français qui, en 1880, en décrivit les symptômes. Auparavant, on considérait la narcolepsie et la cataplexie comme une forme dérivée de l'épilepsie. On sait maintenant que ces brusques accès de sommeil ne relèvent pas de l'épilepsie, mais sont des dérèglements de la fonction du sommeil paradoxal. En effet, alors que dans le sommeil ordinaire, le sommeil paradoxal ne survient qu'après une période de sommeil lent, chez le narcoleptique le sommeil paradoxal s'installe immédiatement après l'endormissement. On peut donc supposer que le sommeil du narcoleptique consiste en une irruption pendant la journée du sommeil paradoxal.

*«Pendant vingt ans,* Albert B..., *un mécanicien âgé de quarante-quatre ans, avait été l'objet de diagnostics erronés. Au cours des huit dernières années, il avait consulté un psychiatre qui l'avait qualifié de schizophrène. En réalité, il n'était absolument pas psychotique, mais certains aspects de son comportement étaient effectivement instables. Il était gêné par une profonde somnolence diurne et par des accès de sommeil. Lorsqu'il était excité, ou lorsqu'il essayait d'accomplir un acte moteur précis, ses muscles devenaient soudain flasques, et il tombait. Il avait des difficultés à travailler et, par moments, il ne pouvait pas même tuer une mouche sur les murs, de peur de tomber. Il rapportait que ses rapports sexuels étaient difficiles, à moins d''"agir comme une machine" pour éviter l'échec. Il voyait également des apparitions frappantes et il faisait d'horribles cauchemars.*

*Etant donné qu'il faisait la sieste tous les jours, nous l'avons soumis au polygraphe à ce moment de la journée, afin d'enregistrer les tracés du sommeil.*

*L'enregistrement indiqua une séquence de sommeil qui pouvait être due à un défaut neurologique. Notre patient passait d'un état de vigilance normal à une brève période d'atonie musculaire, puis sombrait directement dans un sommeil paradoxal agité[70].»*

Ces malades ne présentent généralement aucune lésion des centres nerveux, et la maladie peut persister toute la vie, alors que pour les autres fonctions ils sont parfaitement normaux. On remarque chez chacun de nous des baisses de la vigilance toutes les deux heures environ ; le narcoleptique pousserait à l'extrême ce phénomène. Le nombre de ces accès est variable, de un à six, ou plus. On peut comparer le narcoleptique à quelqu'un qui manque de sommeil, et qui s'endormirait chaque fois qu'il entreprend une activité ennuyeuse.

Dans les cas les plus graves, le sommeil du narcoleptique se rapproche de celui du nourrisson, puisqu'il peut alors dormir quinze à dix-huit heures par jour. Il s'endormira alors aussi bien en marchant qu'en parlant ou en regardant la télévision.

### Des accès éphémères mais répétés et pratiquement incontrôlables

Les accès durent de cinq à quinze minutes. Ils disparaissent aussi subitement qu'ils sont apparus. Il n'y a ni perte de mémoire ni sensation de malaise ou d'inconscience au réveil. Par contre, le sujet ne peut pas savoir combien de temps il est resté dans cet état. Les crises sont parfois périodiques et le malade peut alors organiser son temps en fonction de celles-ci. S'il sent venir l'accès de sommeil, il essaiera aussi de le prévenir : un enseignant avait pris l'habitude de se piquer avec une épingle de cravate. Mais il est généralement impossible d'enrayer le phénomène qui surgit à l'improviste. Le plus souvent, ce seront des émotions fortes ou inattendues qui provoqueront le sommeil ou la chute du tonus musculaire. Mais ce peut être aussi la fatigue ou l'immobilité.

Dans la cataplexie, comme dans les paralysies du réveil, le sujet ne perd pas conscience. Il ne dort pas, mais il est dans l'impossibilité de faire bouger son corps, un bras ou une jambe. La cataplexie a souvent pour le témoin un aspect pittoresque.

La personne cataleptique semble prendre au pied de la lettre des expressions comme «mourir de rire», «être paralysée de peur», «rester bouche bée de colère». Cet état est bien sûr une véritable infirmité. Parfois, des hallucinations tactiles, des sensations de picotements, des impressions de tourbillons ou de véritables scénarios semblables à ceux que nous avons décrits lors des phénomènes de l'endormissement peuvent précéder le sommeil du narcoleptique. La maladie de Gélineau recouvre ansi tout un ensemble de troubles de la vigilance : d'une lenteur inhabituelle dans l'accomplissement d'une tâche à une impossibilité totale d'agir.

Jusqu'à présent, le traitement habituel consistait à prescrire des stimulants et des amphétamines. On essaie maintenant de compenser le sommeil paradoxal qui semble manquer au narcoleptique en le faisant dormir beaucoup, et en tenant compte du fait que certaines drogues administrées trop près du coucher ne pourraient que renforcer ce manque. On utilise aussi actuellement les antidépresseurs. Mais le problème essentiel du traitement de ces maladies est l'accoutumance très rapide du malade aux médicaments. Ainsi, un cataleptique prenait jusqu'à quarante comprimés par jour. Une solution classique consiste alors à changer de médicament. Mais les répits occasionnés restent de courte durée.

«*Un instituteur, partisan des méthodes d'enseignement classiques, quand il voyait un enfant qui ne faisait pas ce qu'il fallait, prenait un long bâton de trois mètres avec lequel il lui tapait sur la tête. Si l'instituteur se rendait compte que l'enfant l'avait vu, il ne se passait rien. Mais s'il avait le bonheur de surprendre l'enfant en train de faire l'imbécile, il s'effondrait alors devant la classe, et de ce fait perdait absolument tout honneur.*»

«*Une femme, qui sortait du métro tous les matins à la station Saint-Marcel, avait la terreur d'être heurtée : car, si elle était heurtée de dos, elle s'effondrait sous l'effet de la surprise. Elle avait de plus très peur que les gens s'inquiè-*

*tent de son état, car alors sa cataplexie redoublait, telle-
ment elle était émue de voir les gens s'occuper d'elle. »*

*« Un ouvrier des mines s'effondrait chaque fois que la
mine sautait. Mais il était aussi pêcheur. Lorsqu'il pêchait
tout se passait bien, jusqu'au moment où il voyait le
bouchon plonger. Alors il plongeait avec lui. Joueur de
belote passionné, il ne pouvait jamais avoir de jeu sans
s'effondrer sur la table et laisser voir ainsi son jeu. A
l'hôpital, lors de la visite du médecin, il était obligé de
mettre son drap sur la tête, car le simple fait d'arriver en
lui disant "alors, comment ça va aujourd'hui" le mettait
en cataplexie. »* Buge, extraits de conférence (Paris, 1976).

○ *La maladie de Pickwick*

Charles Dickens, dans «les aventures de monsieur
Pickwick», avait donné une très pittoresque description
d'un serviteur hypersomniaque. Joe était un garçon
obèse qui dormait en allant faire ses courses, et qui
ronflait bruyamment lorsqu'il servait à table. Ce type
d'hypersomnie se caractérise bien, en effet, par l'association à l'obésité d'un tempérament somnolent et par des
troubles de la fonction respiratoire. Ces hypersomniaques s'endormiront en ronflant, et l'inactivité les
conduira à somnoler ou à dormir dans une salle d'attente, à un feu rouge ou dans un restaurant. Ils ronflent
alors pendant quelques minutes, puis se réveillent.

**Le pickwickien a le sommeil troublé par des ronflements et
des arrêts de la respiration**

La nuit, le pickwickien aura un sommeil agité avec de
fréquents réveils, mouvements et soubresauts. Souvent
ces symptômes seront associés à un court arrêt respiratoire d'une trentaine de secondes. Cet arrêt respiratoire,
appelé «apnée», survient lors de l'endormissement, et
l'asphyxie légère qui s'ensuit provoque le réveil. Le
ronflement chez le dormeur normal consiste en une
baisse momentanée de la tonicité des muscles du
pharynx. Toute infection des voies respiratoires, rhume,
ou mal de gorge, ainsi que le fait de dormir sur le dos, la

tête en arrière, le favorisent. Dans cette maladie, le phénomène est semblable, mais la perte du tonus du pharynx est alors excessive, si bien que la langue restant trop longtemps en arrière obstrue les voies respiratoires (à la limite, il faudra ouvrir la trachée du patient pour éviter une asphyxie totale). Les centres nerveux de la respiration sont déréglés, et l'excès de gaz carbonique ne provoque plus le mécanisme d'inspiration et d'expiration.

Si l'on traite à la fois l'obésité (par des cures d'amaigrissement) et l'insuffisance respiratoire, l'hypersomnie et la somnolence de la maladie de Pickwick tendront à disparaître.

*« Un maçon Raymond J..., ronflait si fort lorsqu'il était à l'armée qu'une nuit ses camarades de chambrée, pour échapper à ce bruit, avaient sorti son corps endormi de la chambre. Il nous expliqua que, depuis deux ans, il était assoupi presque constamment. Cette hypersomnie, jointe à une forte obésité et à des symptômes cardio-vasculaires, le classait dans la catégorie baptisée symptômes pickwickiens [...] Au cours d'une seule nuit notre malade pickwickien cessa de respirer cinq cent trente-quatre fois.*

*L'histoire de Raymond J.... connut une issue heureuse grâce à la découverte de l'Allemand W. Kuhlo et de ses confrères qui établirent que la trachéotomie était un traitement applicable à ces apnées du sommeil parfois mortelles. En conséquence, les chirurgiens de l'université Stanford pratiquèrent une ouverture juste en dessous du larynx du malade, et insérèrent à cet endroit un tube respiratoire. Raymond J... pouvait fermer le tube pendant la journée, lorsqu'il respirait normalement. Six mois après l'opération, il avait retrouvé son poids normal et était de nouveau capable de travailler, bien éveillé, à temps complet[70]. »*

Les troubles du sommeil provoqués par des arrêts de la respiration ne sont cependant pas le propre des obèses ni des hypersomniaques. On les trouve, en effet, chez des gens de corpulence normale, associés à l'insomnie. Le manque d'oxygénation du sang, même s'il est très bref, peut entraîner chez certaines personnes des crises cardiaques. Dement et Guilleminault, à Los Angeles, ont observé des apnées qui peuvent durer trois minutes. et se reproduire trois cents à quatre cents fois au cours de la nuit. Si bien que chez certains sujets, sur sept heures de sommeil normal, quatre heures et demie étaient passées en état d'asphyxie ou de semi-étouffement.

## Une opération des amygdales peut rétablir un rythme respiratoire normal

Pour le traitement de ces insomnies, il est essentiel de savoir que la plupart des somnifères accentuent le malaise, car ils ralentissent le rythme respiratoire. A fortes doses, les hypnotiques risquent même de provoquer la mort. Parfois, il suffira d'enlever les amygdales chez un enfant pour rétablir le rythme du sommeil, et éviter des troubles cardiaques. Les amygdales, en effet, pouvant obstruer les voies respiratoires favorisent alors les arrêts de la respiration. On sait enfin aujourd'hui que de nombreuses morts de nouveau-nés sont dues à des troubles respiratoires et à des apnées qui peuvent atteindre deux minutes. En veillant l'enfant dans son sommeil, on peut alors prévenir ce genre de risque.

○ *La maladie de Klein-Levin*

La somnolence périodique associée à une faim anormale ou maladie de Klein-Levin fut décrite pour la première fois en 1936. C'est une maladie qui affecte essentiellement les adolescents de sexe masculin, et très peu les femmes.

Elle consiste :

— d'une part, en un sommeil normal mais irrésistible, qui occupe environ dix-huit heures de la journée, entrecoupé par de brefs réveils, où le malade demeure engourdi, somnolent, et bâille ;

— d'autre part, en un besoin excessif de manger (boulimie ou hyperphagie), qui peut faire grossir le malade d'une dizaine de kilos en quinze jours ou trois semaines.

Plus rarement, le symptôme accompagnant le sommeil sera un refus total de se nourrir.

Ces épisodes de sommeil et de faim s'installent entre

quinze et vingt ans; il durent de quelques jours à six semaines, peuvent s'arrêter pendant plusieurs mois, puis reprendre. Généralement ces symptômes disparaîtront vers trente ans. Pendant longtemps, on a pensé que les jeunes garçons timides et renfermés qui souffraient de cette maladie étaient schizophrènes. Quoiqu'on ne connaisse encore ni les causes exactes ni le traitement approprié à cette maladie, on pense qu'il s'agit d'un dérèglement de l'hypothalamus, centre nerveux commandant de nombreuses fonctions, dont celles du sommeil et de la faim.

○ *La maladie du sommeil*
L'encéphalite léthargique ou maladie du sommeil accompagne les infections dues à un virus ou à un parasite. Les premières recherches sur la maladie du sommeil commencèrent lorsque, en 1917 et 1923, von Economo* s'intéressa à l'épidémie d'encéphalite qui régnait alors en Europe. L'encaphalite léthargique provient de lésions du cerveau provoquées par des agents infectieux. Elle se traduit par des accès de sommeil de plus en plus fréquents et inévitables. Parfois apparaît aussi une inversion du cycle jour-nuit, de sorte que le malade dort le jour et est agité la nuit.

---

**La mouche tsé-tsé à l'origine d'une maladie qui peut être mortelle**

---

La plus connue de ces maladies infectieuses du sommeil (la trypanosomiase) est due à un parasite transmis par la mouche tsé-tsé. Elle est relativement courante en Afrique tropicale. Contrairement à un préjugé, la mouche tsé-tsé ne paralyse pas immédiatement de sommeil l'homme qu'elle contamine. La maladie du sommeil peut durer de deux à trois ans, et les troubles du sommeil lui-même n'apparaîtront qu'après quelques mois. Il n'y a pas alors de manque du sommeil rapide, mais un dérèglement du sommeil lent et du cycle sommeil-veille. La maladie du sommeil peut conduire à la mort, et n'est

*Von Economo (1876-1931), neurologiste autrichien.

guérissable que si on la prend à ses débuts. Les premiers symptômes consistent en des accès de fièvre intermittents, des maux de tête et un amaigrissement progressif. Plus tard, s'installeront l'envie de dormir, puis des hallucinations auditives et visuelles qui iront en augmentant.

# Freud et les rêves

## La psychanalyse et le rêve

Vers 1900, Sigmund Freud inaugure une nouvelle approche de la psychologie humaine. Pour la première fois depuis la Renaissance, un médecin va étudier les phénomènes irrationnels pour eux-mêmes. Ils ne seront plus considérés comme de pâles succédanés de la conscience; bien plus, ils vont peu à peu occuper toute la scène où se jouent les relations entre le médecin et ses malades mentaux. Ce sera la naissance de la psychanalyse. Le rêve dans cette aventure eut un rôle essentiel. Pour Freud, en effet, le rêve occupe une position clef entre les phénomènes qui agissent à notre insu sur notre esprit ou nos comportements, et la connaissance que nous pouvons en avoir. C'est pourquoi, aussi bien dans sa théorie que dans sa pratique, il fit de «l'interprétation des rêves la voie royale qui mène à la découverte de l'inconscient dans la vie psychique[16]».

### L'homme aux rêves

Mais le rêve, chez Freud, n'a pas seulement une valeur scientifique, il a aussi un aspect subjectif. On connaît généralement le théoricien du rêve, mais on oublie l'amateur de rêves. Or, dès sa jeunesse, Freud avait pris l'habitude de noter ses rêves sur ses carnets, leur accordant vraisemblablement plus de valeur qu'il n'aurait convenu à un homme de science.

On sait, malheureusement, qu'en 1885 il détruisit toutes ses notes et ses lettres antérieures afin, dit-il, que «ses biographes se torturent». Toutefois, les lettres de sa fiancée Martha Bernays qui nous restent montrent que, dès 1883, il lui écrivait le récit de ses rêves. On peut supposer à travers ces lettres que l'attrait premier de Freud pour la vie onirique fut plus inspiré par les oni-romanciers traditionnels et par les charmes des artistes romantiques que par les considérations scientifiques des savants du XIX$^e$ siècle.

C'est donc un mélange de curiosité scientifique et de séduction personnelle qui conduira Freud à se servir du rêve et de ses pouvoirs pour élaborer une nouvelle théorie de la psychologie humaine. Mais si Freud pensait avoir enfin vaincu leur secret, les rêves n'ont-ils pas à leur tour pris une certaine revanche? En effet, lorsque aujourd'hui les auteurs cherchent à reconstruire sa jeunesse et sa personnalité, c'est à ses rêves qu'ils s'adressent. Juste retour des choses qui apparaît bien dans la série de conférences radiophoniques que Marthe Robert tint sur la vie et l'œuvre de Freud[100]. Freud identifié par ses rêves, Freud l'homme aux rêves restera pour nous la figure allégorique d'une théorie qui chercha, tout au long de son élaboration, la nature de l'homme à travers ses rêves.

## La science des rêves aura un impact énorme mais tardif

La première analyse de rêve complète faite par Freud date de 1895. C'est celle dite de l'«injection d'Irma»; elle eut lieu dans un café de banlieue de Vienne; et Freud, écrivant à son ami W. Fliess, se demandait si un jour on placerait une plaque commémorative portant comme inscription «C'est dans cette maison que, le 24 juillet 1895, fut révélé au Dr S. Freud le secret des rêves». Marthe Robert constate qu'aucune plaque ne commémore cet événément, mais que «la fortune de «la Science des rêves», qui n'a pas cessé depuis plus de soixante ans, vaut bien à elle seule tout un monument[100]».

En fait, la fortune de l'ouvrage essentiel de Freud sur les rêves : «Die Traumdeuntung», traduit d'abord par «la Science des rêves», puis «l'Interprétation des rêves», enfin «la Signifiance des rêves», fut inégale. Dans la préface à la deuxième édition de son livre, neuf ans après la première, qui date de 1899, Feud constatait qu'aussi bien les psychiatres que les philosophes lui avaient accordé peu d'importance. Pas plus de trois cent cinquante exemplaires ne furent vendus dans les six premières années, et, en France, Pierre Janet ne le citera même pas dans la réédition, en 1913, de son ouvrage «l'Automatisme psychologique», et cela non pas par ignorance. Plus tard, dans «Ma vie et la psychanalyse», Freud, rancunier écrira : «Mais quand la psychanalyse devient en France aussi l'objet de discussions, Janet s'est mal comporté, a montré peu de compétence et s'est servi d'arguments qui n'étaient pas très beaux[83]».

Cette indifférence pour la thorie freudienne du rêve sera encore celle de Jean-Paul Sartre dans son livre «L'Imaginaire», ou de Roger Caillois dans «l'Incertitude qui vient des rêves[66]».

Mais «l'Interprétation des rêves» connaîtra neuf éditions, sera traduite en plusieurs langues, et l'on peut dire qu'elle fut à l'origine du renouveau d'intérêt, aussi bien psychologique que scientifique, que notre siècle manifesta pour le rêve.

## Freud n'a pas toujours eu le même intérêt pour le rêve

Il semble, cependant, qu'au moment où sa théorie du rêve commençait à prendre une place dominante Freud lui-même s'en désintéressait. Amour déçu, passion de jeunesse ou infidélité d'un vieillard, Freud aurait délaissé le rêve peut-être pour la mort. Dans leur rapport présenté au 34e Congrès des psychanalystes de langue romane en 1974, sur le thème du rêve, J. Rallo Romero.

M.T. Ruiz de Bascones et C. Zamora de Pellicer relèvent trois périodes dans l'œuvre de Freud[50] :
— De 1883 à 1900, s'appuyant sur l'étude de ses propres rêves et sur ceux de ses malades, Freud va élaborer une théorie scientifique du fonctionnement psychologique de l'homme, de ce qu'il appellera notre «appareil psychique».
— De 1900 à 1917, le rêve restera l'axe central de sa réflexion et permettra de jeter des ponts entre le pathologique, le normal et aussi la création artistique.
— Enfin, de 1917 à 1939 — date de sa mort — , le rêve disparaîtra pour ainsi dire de ses préoccupations théoriques. «La Révision de la théorie des rêves» de 1920, en dépit de son titre, ne fera que reprendre les théories déjà établies. Seules les considérations sur «le Rêve et la télépathie» (1922) semblent marquer un dernier envol.

Les auteurs de cette tripartition remarquent que «les reproches formulés par Freud en 1932 : «les analystes se comportent à l'égard des rêves comme s'il n'y avait plus rien à dire à leur sujet», leur semblent être une autocritique». Les rêves tenaient peut-être une place trop intime chez Freud.

En effet, Freud écrivait en 1908 : «Pour moi, «Interprétation des rêves» a une signification subjective que je n'ai saisie qu'une fois l'ouvrage terminé. J'ai compris qu'il était un morceau de mon auto-analyse, ma réaction à la mort de mon père, le drame le plus poignant d'une vie d'homme. L'ayant découvert, je ne me sentis plus capable d'effacer les traces de cette influence[16].» On peut donc considérer que «l'Interprétation des rêves» appartient au genre littéraire des confessions. Mais, pour la première fois, il ne s'agissait plus seulement de raconter sa vie sentimentale en faisant parler ses rêves, comme de Rousseau aux romantiques des écrivains s'y plurent, mais de chercher à démonter les mécanismes de ces romans psychologiques. Freud prit en quelque sorte, les rêves à la lettre, et comme à toute lettre il leur chercha un sens.

### De l'hypnose à l'analyse des rêves

Freud fut d'abord séduit par les techniques d'hypnose ou de suggestion employées en France. En 1885, il sera l'élève de Charcot* à la Salpêtrière à Paris, et, en 1890, il suivra les leçons de Bernheim** à Nancy. Les techniques hypnotiques permettaient alors de provoquer ou d'arrêter des symptômes d'hystérie, telles les paralysies de membres. Par suggestion, objurgation, pression de la main sur le front, on obtenait du patient qu'ils se conforme aux ordres du médecin. Mais l'hypnose n'aurait sans doute jamais dirigé Freud vers la psychanalyse sans l'observation fortuite que fit Breuer d'un lien entre les symptômes organiques d'une de ses patientes et les pensées de cette même patiente. En effet, Breuer s'aperçut que lorsque sa malade pouvait exprimer verbalement ses «fantasmes affectifs» cela permettait de faire disparaître ses symptômes. Ces résultats, développés par Breuer et Freud dans leurs «Etudes sur l'hystérie», montrèrent comment un roman psychologique, un scénario sentimental ou affectif — ce que Freud appellera des fantasmes — pouvaient agir à leur insu sur la vie mentale et les comportements de leurs patients. De là à voir dans le rêve un témoignage réel sur l'existence de ces fantasmes, il n'y avait qu'un pas. Il fut aisément franchi lorsque les malades de Freud soumis à la règle d'or de la psychanalyse naissante — à savoir la règle de «l'association libre», ou dire tout ce qu'ils avaient dans l'esprit — se mirent à raconter leurs rêves. Il ne restait plus qu'à leur trouver un sens.

Ainsi les rêves de Freud ne seraient peut-être jamais restés que confessions intimes sans ce hasard qui fit se rencontrer une recherche sur les causes psychologiques des maladies hystériques et un intérêt pour les phénomènes non scientifiques tels le rêve, la littérature ou l'art.

---

*J.-M. Charcot : 1825-1893, professeur d'anatomie pathologique. Il étudia l'hypnotisme qu'il considérait comme un fait pathologique se rattachant à l'hystérie.
** Bernheim (1837-1919) : médecin. Il considérait l'hypnose comme normale et en rapport avec la suggestion.

# Avant Freud

Notre siècle subjugué par la psychanalyse fait souvent commencer la psychologie du rêve avec Freud, comme si avant lui il n'y avait que néant. Or, c'est plutôt le contraire. En effet, la psychanalyse et l'analyse du rêve ont pu naître parce que le XIXᵉ siècle avait fourni un énorme matériel de réflexion sur le rêve. Réflexion littéraire, artistique et scientifique.

Le sentiment de Freud à l'égard de ceux qui l'ont précédé est, dans l'ensemble, défavorable. Dans une lettre à Fliess, il donne cette comparaison métaphorique de la composition de son livre : «C'est d'abord la forêt obscure des auteurs (qui ne voient pas les arbres), forêt sans perspective et où il est facile de s'égarer, puis un chemin creux, au travers duquel je mène le lecteur, celui de mes spécimens de rêve avec leurs particularités, leurs détails, leurs indiscrétions, leurs mauvais jeux de mots. Enfin, tout à coup, le sommet, la vue et cette question : «Dites-moi, s'il vous plaît, où vous voulez aller»...».

Mais cette ambition du jeune chercheur ne doit pas faire prendre son rejet pour un total désintérêt. Car, en fait, les théories qui l'ont précédé lui serviront en partie de fil conducteur pour définir les sources et les fonctions du rêve, il cherchera tantôt à les intégrer, tantôt à les dépasser : «Ainsi, dit-il, les résultats les plus divers et les plus contradictoires des études faites jusqu'à présent se trouvent maintenus par ce que notre théorie du rêve a de nouveau comme par une unité supérieure. Beaucoup d'entre eux ont été employés autrement que leurs auteurs n'auraient pu le penser bien peu ont été rejetés complètement[6].»

## Freud et les trois théories de l'époque

Dans la seconde moitié du XIXᵉ siècle, la psychologie allemande face au rêve se caractérisait par son aspect expérimental et sa dépréciation de l'activité psychologique du rêve. Cette attitude était spécialement celle des auteurs médicaux; les philosophes et les «psychologues amateurs» étant toutefois moins engagés sur cette pente. On aurait cependant difficilement compris des affirmations telles que celles de Schubert, qui voyait dans le rêve la libération de l'esprit à l'égard de la nature, la délivrance de l'âme sortant des chaînes de la sensibilité, et d'autres jugements analogues portés par Fichte et par d'autres. Tous considéraient le rêve comme une exaltation de la vie de l'esprit. «De nos jours, dit Freud, seuls les mystiques et les dévots répètent de semblables appréciations. La pénétration d'une pensée scientifique a agi sur l'estime portée au rêve[16].» Cette pensée s'était développée avec les recherches «psychologiques» de Fechner, et, en 1878, Wundt devait ouvrir à Leipzig un laboratoire de psychologie expérimentale.

● **Première théorie : c'est l'excitation corporelle qui fait le rêve...**
C'est dans ces laboratoires du XIXᵉ siècle qu'eurent lieu les premières recherches biologiques sur le rêve. En effet, par toutes sortes de stimulations acoustiques ou optiques, on cherchait à voir dans quelle mesure des excitations corporelles, somatiques pouvaient influencer les rêves.

A. Maury, le principal représentant d'une théorie organique du rêve, rapportait dans son livre sur le sommeil une série d'expériences de ce genre :
«1. On lui chatouille les lèvres et le bout du nez avec une plume. Il rêve d'une torture effroyable. On lui a mis un masque de poix sur le visage, puis on l'a arraché de sorte que la peau a suivi.
2. On heurte des ciseaux et une paire de pincettes : il entend le son des cloches, puis le tocsin, et se retrouve en juin 1848.
3. On lui fait sentir de l'eau de Cologne : il est au Caire dans la boutique de Jean-Marie Farina. D'autres folles aventures qu'il ne peut pas raconter se rattachent à cela.
4. On approche un fer chaud de son visage : il rêve

qu'une bande de «chauffeurs» s'est introduite dans la maison et que l'on oblige chacun à donner son argent en lui mettant les pieds sur des charbons ardents.

5. On fait tomber sur lui, à diverses reprises, la lumière d'une bougie à travers un papier rouge : il rêve d'orage, de chaleur, et se retrouve dans une tempête qu'il a éprouvée un jour comme il traversait la Manche[37].»

Comme l'on voit, aucun de nos sens n'était épargné par la recherche expérimentale. Dans ce texte, successivement, le toucher, l'ouïe, l'odorat, la sensation thermique, enfin la vue sont étudiés. On devait en conclure que non seulement les stimuli externes agissent sur les rêves, mais encore qu'ils ont une influence différente suivant leur qualité.

Une autre technique en vogue à cette époque pour analyser la pensée était la recherche des lois d'association d'idées.

De la juxtaposition de ces deux séries de recherches devait se dégager une théorie organique et mécanique de la formation des rêves. On peut la résumer ainsi :
— Les stimulations sensorielles, provenant soit de l'environnement externe (sonnerie de réveil, enfant qui pleure...), soit d'un trouble interne (mauvaise digestion, soif...), provoquent dans l'esprit un certain nombre d'images.
— Ces images sont des hallucinations ou des illusions.
— Elles se lient suivant les lois de l'association des idées.
— Associations qui provoquent d'autres images.

## STRUCTURE LINEAIRE DE LA FORMATION DES REVES

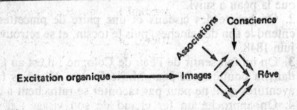

— Finalement, l'ensemble est organisé tant que faire se peut par le peu d'activité intellectuelle qui reste dans le sommeil.

Rien dans une telle théorie n'explique en fait pourquoi telle image surgit plutôt que telle autre. Freud ne niera pas qu'il y a des éléments dans le rêve qui «viennent de l'estomac», il ne refusera pas qu'un dérangement externe pendant le sommeil puisse avoir une influence sur le rêve. Mais il s'opposera à toute théorie qui en ferait un principe d'explication. En fait, il semble que l'esprit manque souvent d'intérêt pour les impressions organiques; il se comporte «comme le dormeur de l'anecdote qui, lorsqu'on lui demande : «dors-tu?» répond «non» et lorsqu'on ajoute : «alors prête-moi donc un billet», se retranche aussitôt derrière un : «je dors».

## ... l'activité psychique, elle, diminue pendant le sommeil

Parmi les théories régnantes au XIXᵉ siècle on trouvait donc cette théorie organique du rêve. On la nommait aussi théorie de la «veille partielle» parce que, pour elle, le rêve manifestait «une baisse de l'activité psychique, un relâchement des liaisons, un appauvrissement du matériel utilisable[16]». Elle rejoignait un certain préjugé commun de l'inutilité du rêve. Freud illustra cette conception des représentants des sciences exactes par la vieille comparaison de «l'homme qui, ignorant la musique, laisse courir ses doigts sur les touches d'un instrument. Selon cette conception, le rêve serait totalement dépourvu de sens. Comment les doigts de cet ignorant pourraient-ils produire un morceau de musique[16]?»

● **Deuxième théorie : pendant le sommeil, l'activité psychique ne dort pas**

Mais d'autres, au contraire, pensant que la nature n'a rien créé sans raison, s'opposèrent à Maury; le marquis Hervey de Saint-Denis[51] estimait, en effet, que toute notre activité intellectuelle se conserve pendant le sommeil. Freud empruntant des métaphores psychiatriques objecta aux premiers de faire du rêve «une sorte de débilité ou de confusion mentale», tandis que les seconds le confondraient avec une sorte de «paranoïa». Si nous poussions plus loin la comparaison de Freud, nous dirions que lui-même choisit une voie intermédiaire, et qu'il fit du rêve une névrose.

● **Troisième théorie : le rêve doit être défini sans référence à l'état de veille**
Dans les théories alors existantes, la préférence de Freud allait à une troisième théorie, pour laquelle le rêve se caractérisait par certaines capacités qui lui étaient propres et que la veille ne possédait qu'incomplètement ou pas du tout. Freud, en effet, revalorisera le rêve en le différenciant de l'état de veille. Il donnera à une thorie qui restait encore littéraire ou romantique ses fondements scientifiques.

## Les mécanismes psychologiques du rêve

Les psychologues classiques avaient pourtant étudié un certain nombre de mécanismes psychologiques du rêve.
    Parmi ceux-ci on peut noter :

— *La transformation de la représentation en hallucination.* Tous les auteurs savaient, en effet, que le rêve remplace des pensées par des images ; on avait remarqué que si l'on s'endormait avec une suite de sons, ces sons se transformaient en vision pendant le sommeil.

— *La dramatisation, ou mise en scène.* Le rêve ne se contente pas de présenter des images indépendantes les unes des autres, il les organise, il les met en scène. A tel point que ce théâtre s'impose à notre esprit comme s'il était la réalité du jour.

— *L'absence de maîtrise volontaire.* Dans le rêve, nous sommes dans un état où nous subissons des représentations sans pouvoir agir consciemment sur elles.

## Les sources psychologiques du rêve

Les savants du XIX^e siècle avaient aussi décrit trois sources du rêve qui n'étaient pas organiques, mais psychologiques :

— *Les événements récents.* Ainsi certains auteurs avaient montré que le rêve a une claire préférence pour les impressions du jour précédent. On en concluait donc qu'il y avait un rapport entre la pensée de veille et la pensée onirique.

«*Rêve :* je m'abonne à un périodique qui coûte 20 FL par an dans la librairie de S. et R. *Source :* ma femme m'a rappelé la veille que je lui devais encore 20 FL d'argent de la semaine[16].»

— *Les événements insignifiants.* D'autres avaient noté que, contrairement à l'état de veille, le rêve avait tendance à se rappeler non pas les événements importants mais les choses indifférentes ou insignifiantes. Cette appréciation particulière de la réalité amènera à penser qu'il y a une coupure entre la vie diurne et la vie nocturne.

«La mort d'un de nos proches, notait Hildebrandt, qui nous a bouleversés, sous l'impression de laquelle nous nous sommes endormis tard dans la nuit, disparaîtra de notre mémoire jusqu'à ce que le réveil l'y ramène avec une puissance funeste. En revanche, une verrue sur le front d'un ami que nous avons rencontré jouera un rôle dans notre rêve, bien qu'après l'avoir quitté nous n'y ayons pas pensé un seul instant[16].»

— *Les souvenirs d'enfance.* Enfin, on avait relevé la grande mémoire du rêve, ou son «hypermnésie», puisqu'il se trouvait qu'en rêve on accédait à des souvenirs d'enfance que l'on croyait oubliés depuis longtemps.

«Maury raconte que, dans son enfance, il était allé souvent de Meaux, sa ville natale, au village voisin de Trilport où son père dirigeait la construction d'un pont. Une nuit, en rêve, il se retrouve à Trilport, jouant dans les rues. Un homme qui porte une sorte d'uniforme s'approche de lui. Maury lui demande son nom. Il se nomme C... et est gardien du pont. Réveillé, Maury, doutant de l'exactitude de son souvenir, demande à une vieille servante, qui était chez lui depuis son enfance, si elle se rappelle un homme de ce nom. «Assurément, dit-elle, c'était le gardien du pont que votre père a fait construire»[16].»

# Freud : la structure du rêve

Dans les théories classiques, les différentes sources du rêve donnaient lieu à des oppositions et à des contradictions insolubles, tandis que ses caractères psychologiques restaient inexpliqués. Le premier mérite de la conception freudienne fut sa cohérence. Elle permettait, en effet, d'expliquer les différentes sources du rêve sans qu'elles s'excluent mutuellement ; et elle redistribuaient les fonctions psychologiques qui lui étaient propres.

## Le double du rêve : contenu latent et contenu manifeste

Pour cela, Freud bouleversa notre conception du rêve. Il fit du rêve un objet double. Mais alors que les peuples archaïques pensaient que le rêve avait son double hors de lui, chez Dieu ou chez le Diable, Freud par un retournement génial mit cette âme du rêve dans l'homme lui-même. Il appellera cette nouvelle source psychique du rêve son «contenu latent», ou encore les «pensées du rêve» ; tandis que le rêve lui-même, celui dont nous avons souvenir au réveil, sera nommé le «contenu manifeste».

«Il faut donc admettre, dit Freud, que deux processus psychiques essentiellement différents participent à la formation du rêve. L'un crée des pensées de rêve semblables en tous points à celles de la veille, l'autre en dispose d'une façon étrange et tout à fait anormale[16]. » Freud insiste, en effet, sur le fait que le contenu latent est le produit d'un système de pensées logique. Ces pensées du rêve contiendront les désirs du sujet, exprimés sous forme de fantasmes, et toutes sortes de souhaits plus ou moins avoués par sa conscience. Au contraire, le contenu manifeste met en jeu un autre type de pensée, plus primitif; c'est lui qui sera à l'origine de l'élaboration du rêve manifeste et de son caractère extraordinaire.

## Une définition du rêve qui résout les oppositions classiques

Ce partage du rêve lui permit du même coup d'avoir un pied dans la veille et un pied dans le sommeil. Les intérêts de la veille se prolongent dans le contenu latent. Et c'est lui qui aura pour fonction de faire passer dans nos rêves les soucis ou les joies du jour. Mais c'est à ce niveau aussi que seront inscrits les souvenirs d'enfance du rêveur; et c'est dans ce réservoir de l'inconscient qu'il va puiser les significations, les fantasmes et les désirs qui alimenteront son rêve. «Le rêve, dit Freud, continue les émotions et les intérêts de la vie éveillée : c'est ce qu'a montré d'une manière tout à fait générale la découverte des pensées latentes du rêve... Mais nous avons vu aussi la valeur de l'opinion opposée : le rêve glane les restes indifférents du jour et ne s'empare d'un des grands intérêts de la vie éveillée que lorsque le travail de la veille le délaisse. Cela nous a paru caractériser le contenu du rêve, qui exprime la pensée du rêve de façon déformée. »

Le contenu manifeste permet donc de comprendre pourquoi des souvenirs insignifiants apparaissent dans les rêves; et comment ils ne sont pas incompatibles avec les souvenirs les plus importants de la veille qui résident dans les pensées du rêve.

Cependant, il n'y a pas réellement pour Freud de source de rêve indifférente, ni de «rêves innocents», sauf peut-être pour les rêves d'enfants. Car, généralement, ce qui apparaît comme indifférent au niveau du rêve manifeste est toujours relié par une série de chaînes associatives à un élément chargé d'émotion ou de désir qui, lui, est situé au niveau du contenu latent. Ce sera le rôle de l'interprétation de débrouiller cet écheveau complexe de relations.

## La fabrique de rêves

A côté du contenu latent et du contenu manifeste, nous avons vu surgir deux notions psychologiques nouvelles dans l'interprétation des rêves : celle d'inconscient et celle de travail du rêve. La théorie freudienne a élaboré également deux autres concepts : ceux de désir et de censure. Le désir et la censure serviront à expliquer le rapport entre l'inconscient et le travail du rêve.

Pour Freud, en effet, le rêve est le produit de deux facteurs. Le premier est représenté par des tendances ou des pulsions qui sont présentes au cœur même du sujet, bien en deçà du seuil de sa conscience. Le second facteur est un système d'organisation des images du rêve ; il déformera le contenu latent et produira le rêve manifeste que nous connaissons.

o *L'inconscient*
Le terme de «pulsion» exprime l'idée d'une force maintenue quelque part dans notre organisme ou notre psychisme et qui chercherait périodiquement à se libérer sous forme de poussée d'idées. Nous aurions en nous des accès de pensée comme l'on a des accès de fièvre. Nous serions une machine à explosion qui, quelque part, compresse une masse de perceptions et de réflexions pour les faire éclater dans le rêve.

Les pulsions sont liées au contenu latent et représentent le principe créatif qui engendrera le rêve. En effet, les pensées diurnes, c'est-à-dire de jour, qui peuvent être les instigatrices du rêve ne seraient rien pour Freud sans leurs liens avec une force pulsionnelle, ou un désir qu'il situe dans cette zone inaccessible qu'est l'inconscient.

Recourant à une comparaison, il dira : «Il est très possible qu'une pensée diurne joue le rôle d'entrepreneur de rêve ; mais l'entrepreneur, qui comme on dit a l'idée et veut la réaliser, ne peut rien faire sans capital ; il lui faut recourir à un capitaliste qui subvienne aux frais ; et ce capitaliste qui engage la mise de fonds psychologique nécessaire pour le lancement du rêve est toujours, absolument, quelle que soit la pensée diurne, un désir venant de l'inconscient[16].»

On sait que la découverte de l'inconscient a marqué une révolution dans le domaine de la psychologie. Freud renvoyait la conscience à une place secondaire, en faisant une sorte d'organe des sens qui percevrait plus ou moins bien les données de l'inconscient. Quant à l'inconscient, il représentait pour lui la réalité essentielle de notre psychisme. Pourtant, il reconnaissait que l'on ne savait rien sur ce qu'il était en soi : «Sa nature intime nous est aussi inconnue que la réalité du monde extérieur, et la conscience nous renseigne sur lui d'une manière aussi incomplète que nos organes des sens sur le monde extérieur[16]». Cependant, ne pas savoir ce qu'est biologiquement l'inconscient n'empêche pas de reconnaître son existence. En effet, nous ne savons pas plus ce que sont exactement la mémoire ou l'imagination ; en revanche, nous savons qu'elles fonctionnent. Freud chercha à savoir comment fonctionne l'inconscient. Il découvrit ainsi qu'un certain nombre de manifestations de l'homme, tels le rêve, les mots d'esprit, certaines attitudes de la vie quotidienne, ou des comportements pathologiques étaient des productions de l'inconscient. Il y a donc en nous une force ou une organisation biologique qui agit, à notre insu, sur nos représentations du monde ; et le rêve est une porte ouvrant sur l'inconscient.

○ *La censure et le refoulement*

Mais les images que l'on trouve dans le rêve ne sont pas identiques aux représentations de l'inconscient. Freud explique avec habileté cette différence de qualité dans les représentations du rêve et de l'inconscient, en disant qu'il y a des pensées que notre moi conscient ne peut pas accepter; et donc qu'il les refoule. Heureusement, le rêve est un état ambivalent : la conscience y est endormie suffisamment pour que les désirs refoulés passent, mais pas assez pour qu'ils passent intacts. C'est pourquoi le rêve aura à tenir compte lui aussi d'une certaine censure. La censure se présente de telle manière qu'elle empêche des représentations trop chargées émotionnellement pour le dormeur d'accéder à ses rêves, et donc de risquer de le réveiller, ou, pire, de heurter ses préjugés conscients.

Le rêve, pour Freud, est donc en liberté surveillée. La censure, «gardien de notre santé mentale», ne sommeille pas profondément, «elle ferme la porte menant à la motilité (faculté de se mouvoir). Les impulsions venues de l'inconscient, ordinairement inhibées, peuvent s'ébattre sur la scène; on peut les laisser faire : elles demeurent inoffensives, car elles ne sont pas en mesure de mettre en mouvement l'appareil moteur. Le sommeil assure la sécurité de la forteresse à garder[16]».

**STRUCTURE EN PROFONDEUR DE LA FORMATION DES REVES**

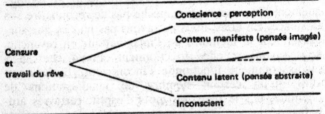

Ces lignes ont sans doute vieilli, et cette partie de la théorie freudienne est aujourd'hui sujette à caution. Mais c'est pourtant ce jeu entre ce qui est refoulé et ce qui peut passer qui conduira Freud à sa célèbre définition du rêve : «Le rêve est l'accomplissement (déguisé) d'un désir (réprimé, refoulé)[16].» L'interprétation des rêves aura pour but de retrouver, derrière le déguisement, les pensées désirées.

○ *Le rêve accomplissement d'un désir*
La manière la plus évidente d'éprouver la thèse de Freud est de recourir à l'analyse des rêves d'enfants. Ceux-ci,

en effet, se caractérisent par un désir souvent exprimé directement au niveau du contenu manifeste.

«Ma petite fille, raconte Freud, quand elle était âgée de trois ans, a fait un rêve très clair. Il avait été inspiré par la beauté du paysage d'Aussee. L'enfant avait, pour la première fois, fait un voyage sur le lac et le temps de la promenade lui avait paru très court. Elle ne voulait pas quitter le bateau à l'embarcadère et pleurait à chaudes larmes. Le lendemain matin, elle raconta : «cette nuit, j'ai fait une promenade sur le lac». Il faut espérer que cette fois la promenade aura été plus longue.»

Les rêves d'adultes sont souvent plus complexes. A une amie qui avait rêvé qu'elle avait ses règles, Freud répondit qu'elle en avait rêvé justement parce qu'elle ne les avait pas et que c'était au fond un désir de «jouir quelque temps encore de sa liberté avant les misères de la maternité[16]». Il arrive également que les rêves expriment un désir qui a été réprimé dans la journée précédant le rêve.

«Une dame un peu railleuse répond à une jeune amie qui vient de se fiancer et qui lui demande ce qu'elle pense du jeune homme par des louanges sans réserves; ce faisant, elle impose silence à son jugement, car elle aurait volontiers dit la vérité : «C'est un homme comme on en trouve à la douzaine». La nuit elle rêve que la même question lui est posée et qu'elle répond par la formule : «Pour toute commande ultérieure, il suffit d'indiquer le numéro»[16].»

Freud pensait avec une telle assurance que le rêve ne pouvait qu'exprimer un désir qu'il finit par démontrer que même les rêves pénibles ou les cauchemars n'étaient que les travestis d'un désir. Au besoin même, celui d'un désir masochiste.

○ *La grammaire du rêve*

Le désir, comme nous l'avons vu, n'est pas quelque chose de simple pour l'adulte. En effet, tantôt celui-ci n'ose pas dire ce qu'il pense, tantôt il ne pense pas ce qu'il dit, c'est-à-dire qu'il est inconscient de ce qu'il veut réellement. Dans cette machinerie, le rêve a un rôle actif; il ne se contente pas d'associer des images au hasard, il crée son langage avec sa propre logique. Dans sa description du travail du rêve, Freud nous a donné les linéaments d'une syntaxe du rêve; cette syntaxe du rêve est pour la psychologie du rêve l'équivalent des règles logiques pour une psychologie de la pensée consciente.

## Le rêve pour Freud : une mécanique à quatre rouages

Freud, en effet, s'attelle à cette tâche nouvelle de répertorier les structures qui fonctionnent dans le rêve. Ces règles de grammaire, d'organisation ou de représentation, qu'il va mettre au jour, font que le rêve est ce qu'il est, soit une représentation du monde ou de nos pensées qui diffère profondément du mode de perception de la vie éveillée. Mais la différence entre la pensée consciente et le rêve n'est plus située par Freud au niveau d'une qualité plus faible, moins organisée du rêve. Cette différence, dit Freud, «ce n'est point que ce travail soit plus négligé, incorrect, incomplet, que la pensée éveillée, ni qu'il présente plus d'oublis. La différence entre ces deux formes est une différence de nature, c'est pourquoi on ne peut les comparer. Le travail du rêve ne pense ni ne calcule; d'une façon plus générale, il ne juge pas; il se contente de transformer[16]». Freud relève quatre grands procédés de transformation utilisés par le rêve.

1. *La condensation*. Le rêve doit produire des intensités plus fortes que celles qui se trouvent dans les pensées du rêve. Pour cela, il ramasse des pensées éparses dans le contenu latent pour les condenser en une seule image. C'est à la fois la pauvreté et la richesse du rêve d'être obligé de représenter plusieurs pensées par une seule image. En effet, chaque élément du rêve est ainsi enrichi, surdéterminé; à partir de lui pourront se dérouler plusieurs chaînes associatives, partant dans des directions différentes.

Les effets de la condensation peuvent être évidents : ce sera, par exemple, la formation de personnes collectives. Un personnage du rêve apparaît avec des traits empruntés à deux ou plusieurs autres personnes. Les traits les plus saillants d'une figure de rêve seront ainsi ceux appartenant à plus d'une personne. D'où la double impression de connu et d'étranger qui se dégage de ces images. Ce sera aussi la condensation de mots ou de noms. Une fois composé, un mot, apparemment barbare et dépourvu de sens, reflétera les préoccupations du rêveur.

---

«Un collègue, rapporte Freud, m'avait envoyé un de ses travaux. Il y parlait d'une découverte physiologique récente, qu'il surestimait, à mon avis, et cela en termes très emphatiques; la nuit suivante, je rêvai une phrase qui se rapportait visiblement à ce travail : c'est un style vraiment *norekdal*. J'eus beaucoup de peine à comprendre comment j'avais formé ce mot : c'était visiblement une parodie des superlatifs «colossal», «pyramidal»; mais je ne savais trop d'où il venait. Enfin, je retrouvai dans ce mot monstrueux les deux noms Nora et Ekdal, souvenirs de deux drames connus d'Ibsen. J'avais lu peu de temps avant, dans un journal, un article sur Ibsen de l'auteur même que je critiquais dans mon rêve[16]».

---

La condensation est, en quelque sorte, un engorgement du rêve, un surplus de signification qui fait dire au rêve en une seule image plus que nous ne pourrions dire dans notre langage éveillé. Ce dernier, en effet, tend à rendre chaque chose par un seul signe. C'est pourquoi on a comparé la condensation à une figure du langage poétique qui est la métaphore. La métaphore condense, en effet, plusieurs significations en une seule image. Ce rapprochement du travail du rêve et du langage poétique a été effectué par Roman Jacobson et repris par Jacques Lacan.

2. *Le déplacement.* Le déplacement, au contraire, est un mouvement de glissement, de fuite en avant. Le rêve, cette fois-ci, laisse toujours des significations derrière lui. C'est pourquoi on le comparera à la métonymie, figure de rhétorique qui consiste à prendre la partie pour le tout.

Freud a découvert le déplacement en constatant que le contenu manifeste du rêve est autrement centré que ses pensées latentes. Le déplacement apparaît ainsi comme un mouvement complémentaire de la condensation.

Mais il s'avère aussi très souvent que le déplacement porte non seulement sur des représentations, mais aussi sur les émotions qui accompagnent le rêve. Dans le rêve, les émotions, les affects selon la terminologie de Freud, se déplacent librement. Ce déplacement de la charge affective d'un objet qui l'a fait naître à un objet qui remplace le premier est un processus que l'on trouve déjà dans la vie ordinaire. C'est «la tendresse de la vieille fille pour les animaux, la passion du vieux garçon pour ses collections, l'ardeur du soldat à défendre un morceau d'étoffe bigarré, le drapeau, la fureur d'Othello pour un mouchoir perdu[16]». Le rêve pousse ce principe à l'extrême, prenant plaisir à valoriser et à porter sur la scène des événements secondaires qu'il investira émotionnellement.

Toutefois, si les affects circulent dans le rêve, ils ne subissent pas en eux-mêmes de transformation; cela les distingue du traitement des représentations. En effet, si les images du rêve sont étranges, les émotions qui s'y expriment sont semblables à celles de notre vie diurne. Stricker remarquait déjà que si dans le rêve les voleurs sont imaginaires, la crainte des voleurs est bien réelle.

Des différents procédés employés par le déplacement des affects, on peut citer celui qui consiste à ne pas éprouver d'émotion là où l'on s'attendrait à en trouver dans la vie réelle et celui qui transforme les affects en leur contraste. Les clefs des songes utilisaient fréquemment ce principe de contraste.

---

«Un homme d'un certain âge, rapporte S. Ferenczi\*, est réveillé pendant la nuit par sa femme, inquiète de l'en-

---

\* S. Ferenczi (1873-1933) : un des fondateurs du groupe de Budapest de l'Association psychanalytique internationale. Il a formulé un certain nombre de critiques à l'égard de la thérapeutique psychanalytique freudienne, sans s'éloigner radicalement de Freud. S. Ferenczi a largement contribué à la diffusion de la psychanalyse.

tendre rire à gorge déployée pendant son sommeil. Il raconta plus tard qu'il avait fait le rêve suivant : «J'étais couché dans mon lit. Quelqu'un que je connaissais entra ; je voulais donner de la lumière sans y réussir ; j'essayai de nouveau, mais en vain. Là-dessus, ma femme sauta du lit pour venir à mon aide ; elle n'eut pas plus de succès et, gênée de se trouver en négligé devant un homme, elle renonça à poursuivre et se recoucha ; tout cela était si comique que je ne pus m'empêcher de rire comme un fou». Ma femme dit : «Pourquoi ris-tu?» et moi, je continuai à rire jusqu'à mon réveil. Le lendemain, l'homme était épuisé et avait mal à la tête. «C'est parce que j'ai tellement ri», dit-il.

A l'analyse, le rêve paraît beaucoup moins amusant. La personne connue qui entre est, dans les pensées latentes du rêve, l'image de la mort, de la grande inconnue invoquée la veille. Le vieil homme atteint d'artériosclérose avait eu ce jour-là des raisons de songer à la mort. Le rire convulsif remplace les pleurs et les sanglots à l'idée de la mort, et c'est la lumière de la vie que le malade ne peut plus allumer. Cette triste pensée peut se rattacher à des tentatives conjugales infructueuses récentes au cours desquelles l'aide de sa femme en négligé n'a été d'aucun secours. Il a remarqué qu'il s'en allait à la dérive. Le travail du rêve a su transformer la triste idée de l'impuissance et de la mort en une scène comique et changer en rire les sanglots[16]».

3. *Les procédés de figuration.* Le rêve étant essentiellement fait d'images, il était intéressant de savoir comment l'on pouvait passer d'une pensée abstraite à ce langage d'images, ou comment le rêve parlait. Tout d'abord, le rêve parle par omission, il supprime tout ce qui est relation logique ou conjonction entre les pensées. Toutefois, le rêve n'est pas un simple magma informe, il a sa manière à lui de traduire un certain nombre d'opérations logiques. Freud n'avait qu'un modèle à proposer, celui du peintre ; il est évident qu'aujourd'hui on pourrait rapprocher les procédés de figuration du cinéma muet de ceux que Freud découvrit dans le rêve. Nous exami-

nerons successivement un certain nombre de ces moyens employés par le rêve pour sa mise en scène :

— Pour exprimer les relations logiques existant entre différentes pensées, le rêve a recours à l'opération de simultanéité. Il unira ces éléments en un seul tout : tableau ou suite d'événements. Le rêve se présente, en effet, sous forme de scénario ou de séquence ; et l'on peut toujours délimiter une séquence d'une autre séquence.

— Les relations causales sont rendues soit, entre deux séquences, par une séquence préliminaire suivie d'une séquence principale : le rêve prologue représentera la proposition subordonnée et le rêve principal la proposition principale ; soit, à l'intérieur d'une même séquence, par la transformation immédiate d'une image du rêve en une autre. Dans les deux cas, la cause est remplacée par une succession.

— Le rêve n'exprime pas directement l'alternative (ou bien... ou bien), mais donne la même valeur aux différents membres de l'alternative. Il les présente accolés dans une succession, ou simultanément.

---

« La nuit qui précéda l'enterrement de mon père, raconte Freud, je vis en rêve un placard imprimé, une sorte d'affiche, quelque chose comme le "défense de fumer" des salles d'attente de gares. On y lisait :

On est prié de fermer les yeux

ou

On est prié de fermer un œil,

ce que j'ai l'habitude d'écrire ainsi :

On est prié de fermer $\dfrac{\text{les yeux}}{\text{un œil}}$

Chacune de ces formules a son sens particulier et dirige l'interprétation de manière différente[16]. »

---

— Le rêve paraît ignorer le non, il ne connaît ni l'opposition ni la contradiction. D'après Freud, le fait de n'avoir qu'un même mot pour exprimer les contraires serait caractéristique des langues primitives. L'exemple célèbre du procédé nommé « dénégation » par Freud est une conséquence de la censure. Lorsqu'un rêveur rapportant un rêve dit à propos d'un des personnages : «Non, ce n'était pas ma mère», Freud corrige : «C'était donc sa mère».

— Finalement, le rêve privilégie surtout les relations de ressemblance ou d'accord. On a déjà parlé de la condensation et de la composition d'images hétéroclites. On peut aussi citer l'identification. Cette dernière opération permettra d'exprimer certains contrastes ; et plus généralement donnera lieu à ce principe d'interprétation : «Quand je vois surgir dans le rêve non pas moi mais une personne étrangère, je dois supposer que mon moi est caché derrière cette personne grâce à l'identification[16]». Dans le rêve, nous sommes un et multiple. Nous projetons sur l'étranger nos propres traits de personnalité, et nous nous approprions les siens. L'identification est l'un des procédés les plus généraux de l'inconscient. Les civilisations traditionnelles avaient l'habitude d'assimiler la puissance d'un animal en identifiant le nom de cet animal à celui de leur tribu. A coté de ces opérations structurelles, le rêve recourt à des procédés symboliques. Nous les aborderons dans le chapitre consacré à l'interprétation des rêves.

4. *L'élaboration secondaire.* Nous avons décrit un ensemble de procédés qui donne au rêve son apparence étrange ou absurde. Pourtant, lorsque nous nous réveillons, nous avons souvent l'impression d'avoir fait un rêve cohérent, et bien pensé. A cet aspect du rêve, Freud a donné le nom d'élaboration secondaire. L'élaboration secondaire est pour lui le côté positif de la censure. Elle produit des adjonctions, des accroissements du rêve qui se surajoutent à ce qui est purement d'origine inconsciente. Ce sera, par exemple, le «mais ce ne peut être qu'un rêve» qui surgit dans le rêve lui-même. Il a pour origine une sorte de travail semblable à celui de la veille qui va enlever au rêve son apparence d'absurdité pour en faire quelque chose de compréhensible. Cette dernière opération du rêve va permettre de comprendre pourquoi certains contenus du rêve sont plus clairs et d'autres plus

confus. En effet, seront plus clairs ceux où l'élaboration secondaire aura mis de l'ordre.

L'élaboration secondaire était déjà connue des auteurs du XIX$^e$ siècle. Havelock Ellis en donnait cette image vivante : la conscience sommeillante se dit : «Voici venir notre maître, la conscience éveillée, qui attache tant d'importance à la raison, à la logique, etc. Vite ! prenons les choses, mettons-les en ordre — n'importe quel ordre est le bon — avant qu'il entre en scène[16]». Et Freud rappelle ces jeux d'attrape que créaient certains journaux (les *Fliegende Blätter*) pour leurs lecteurs : il s'agissait de leur faire croire qu'une certaine phrase, rédigée en patois pour plus de contraste et d'une signification aussi bouffonne que possible, contenait une inscription latine.

Il est certain qu'en terminant cette présentation de la théorie freudienne on peut se demander s'il ne s'agit pas d'une nouvelle attrape. Cette théorie psychologique du rêve a été en effet très critiquée; mais aucune autre, jusqu'à présent, ne s'y est intégralement substituée.

# Le rêve selon Jung

Freud s'opposa vivement à toute théorie qui faisait du rêve un moyen de résoudre les problèmes de l'activité diurne (de jour), et une façon de répondre aux tâches qui nous incombent dans la vie quotidienne. Il faut cependant nuancer la pensée de Freud. Les psychanalystes estiment aujourd'hui que les expériences de notre vie actuelle peuvent être concernées par le rêve au même titre que les expériences infantiles du passé.

A la suite de Sandor Ferenczi, divers auteurs attribuent aujourd'hui au rêve une fonction d'intégration des événements traumatiques. Ainsi, lorsqu'on a vécu une expérience pénible ou traumatisante, le rêve répéterait cette situation de manière à résorber, atténuer et contrôler ces impressions sensorielles ou psychiques traumatiques.

D'autres auteurs, comme Adler et Jung, ont mis l'accent sur la fonction anticipatrice ou prospective du rêve. Freud, lui aussi, resta toute sa vie opposé à une fonction adaptatrice et créatrice des rêves.

## Les points de dissidence

A la suite de Jung se développa alors, à partir de la Suisse, une école psychanalytique séparatiste dont un bon nombre de divergences essentielles, par rapport à l'orthodoxie freudienne, portent sur la théorie des rêves. Jung se sépara très tôt de Freud. En 1912, avec «les Métamorphoses et symboles de la libido», il introduisait, à partir de l'analyse des rêves et des fantasmes d'une patiente, une méthode psychanalytique dont les principes s'éloignaient de ceux de Freud[28].

---

### Jung ne fait pas de l'inconscient le parent pauvre du conscient

---

Jung s'opposa au caractère trop sexuel qu'il trouvait à l'interprétation freudienne des rêves. A ce genre de critique, Freud répondait généralement qu'il mettait non pas l'accent sur le sexuel en un sens limité, mais sur le libidinal en tant que force pulsionnelle qui s'oppose aux pulsions destructrices. Mais la critique de Jung va plus loin; elle met en jeu l'inconscient freudien, la genèse infantile du contenu des rêves, ainsi que la théorie du refoulement. Dans ses entretiens avec Evans, professeur de psychologie à l'université de Houston, en 1961, donc peu de temps avant sa mort, Jung disait : «Pour Freud, l'inconscient est un produit de la conscience et l'inconscient contient seulement les résidus du conscient; je veux dire qu'il concevait l'inconscient comme une sorte de magasin où tout ce qui est écarté par le conscient est entassé et abandonné. Pour moi, l'inconscient était une matrice, une base de la conscience douée de créativité et capable d'agir de manière autonome et d'intervenir de manière autonome dans le conscient. En d'autres termes, je pris l'existence de l'inconscient pour un fait réel : je le considérais comme un agent autonome capable d'action indépendante[75].»

Ainsi, Jung rejette-t-il toute théorie qui vise à réduire les pouvoirs et l'étendue de l'inconscient, aussi bien la réalisation de vœux infantiles chez Freud que la volonté de domination chez Adler. «Les fondements inconscients du rêve et des fantaisies, dit-il, ne sont des réminiscences infantiles qu'en apparence. Il s'agit en réalité de formes de pensée primitives voire archaïques, reposant sur des instincts[28]»; et elles ne sont en elles-mêmes nullement pathologiques. Comme on le voit, Jung va s'orienter vers une psychologie non plus personnaliste et individuelle, mais collective. Il cherchera ainsi, lorsqu'une jeune fille rêve qu'elle a un serpent dans le ventre, l'origine collective et sociale de cette représentation; dans le cas présent, il y verra un symbole collectif hindou associé à la doctrine du tantrisme.

Freud pourtant n'avait pas oublié cette possibilité, et dans «l'Interprétation des rêves», il écrivait : «Nous pressentons toute la justesse des paroles de Nietzsche disant que "dans le rêve se perpétue une époque primitive de l'humanité que nous ne pourrions guère plus atteindre par une voie directe"; nous pouvons espérer parvenir, par l'analyse des rêves, à connaître l'héritage archaïque de l'homme, à découvrir ce qui psychiquement est inné[16].» Mais Freud ne tirera pas toutes les conséquences de son hypothèse : il s'en tiendra aux rêves comme phénomènes apparentés à certains troubles mentaux et centrés autour des mécanismes de défense, de censure ou de refoulement. Jung ne niera pas qu'il s'effectue un certain refoulement, mais pour lui là n'est pas l'essentiel. L'inconscient a pour Jung une valeur autonome et l'on ne doit pas «le sous-estimer en disant qu'il ne contient pas autre chose que les résidus conscients[75]».

## Les fonctions compensatrices et prospectives

Jung considère donc comme trop étroites les fonctions de réalisation de désir et de protection du sommeil. Il attirera l'attention sur deux autres fonctions du rêve : la fonction compensatrice et la fonction prospective. «Les rêves, écrira-t-il, se comportent comme des compensations de la situation consciente qui les a vu naître.» Ainsi, lorsque le comportement conscient risque de mettre en péril notre équilibre vital, le rêve vient-il à point pour compenser ou réguler notre activité psychique. Jung donne pour exemple le rêve historique de châtiment que fit Nabuchodonosor alors au sommet de sa gloire.

Jung interprète ce très beau songe d'un roi-arbre comme une compensation au délire de grandeur de Nabuchodonosor. Ce dernier d'ailleurs, d'après la tradition, finit fou.

La fonction prospective, au contraire, ne s'alignera pas sur le conscient, mais anticipera sur lui. Le rêve devient ainsi «une ébauche préparatoire, une esquisse à grandes lignes, un projet de plan exécutoire». Pour Jung, cette fonction prospective ne s'identifie pas à un rêve prémonitoire qui prédirait comment doit être l'avenir, mais elle enseigne au rêveur un chemin à suivre, ou bien l'oriente lors de périodes décisives de sa vie. Ces rêves sont donc plus proches des pronostics médicaux ou météorologiques que des prophéties.

### Le rêve de Nabuchodonosor

«9. Voici les visions de mon esprit pendant que j'étais sur ma couche.

10. Je regardais et voici, il y avait au milieu de la terre un arbre d'une grande hauteur.

11. Cet arbre était devenu grand et fort ; sa cime s'élevait jusqu'aux cieux et on le voyait des extrémités de toute la terre ;

12. Son feuillage était beau et ses fruits abondants ; il portait de la nourriture pour tous ; les bêtes des champs

s'abritaient sous son ombre ; les oiseaux du ciel faisaient leur demeure parmi ses branches et tout être vivant tirait de lui sa nourriture ;

13. Dans les visions de mon esprit que j'avais sur ma couche, je regardais et voici, un de ceux qui veillent et qui sont saints descendit des cieux :

14. Il cria avec force et parla ainsi : Abattez l'arbre et coupez ses branches, secouez le feuillage pour disperser les fruits ; que les bêtes fuient de dessous, et les oiseaux du milieu de ses branches ;

15. Mais laissez en terre le tronc où se trouvent les racines et liez-le avec des chaînes de fer et d'airain, parmi l'herbe des champs. Qu'il soit trempé de la rosée du ciel, et qu'il ait comme les bêtes l'herbe de la terre en partage ;

16. Son cœur d'homme lui sera ôté, un cœur de bête lui sera donné ; et sept temps passeront sur lui[27]. »

---

Sans exclure l'interprétation freudienne, essentiellement axée sur un inconscient personnel tourné vers le passé, Jung indique donc une fonction inverse dirigée vers l'avant.

Ces conceptions différentes influeront sensiblement sur la technique d'analyse de rêve employée par ces deux auteurs.

# L'interprétation des rêves

## Les clefs des songes aujourd'hui

Nous rêvons tous une ou deux heures par nuit. Si nous nous rappelions tous ces rêves, il nous faudrait au moins la journée entière pour les écrire avec tous leurs détails et leurs péripéties. Nous ne nous souvenons pourtant couramment que de quelques fragments de rêves et certaines personnes n'en gardent aucun souvenir.

Tout le monde rêve, quels que soient le sexe, l'âge ou la culture. La différence entre ceux qui se souviennent de leurs rêves et ceux qui n'en gardent pas la mémoire ne tient pas à une plus ou moins grande quantité de rêves ni à leur contenu, mais du moment de l'éveil par rapport au rêve. Plus nous nous réveillons rapidement ou brusquement après le rêve, plus nous avons de possibilités de nous en souvenir. On compte généralement que des éveils qui se produisent au-delà d'une dizaine de minutes après le rêve laissent très peu de souvenirs. Au contraire, si l'on nous réveille juste après avoir rêvé, nous aurons le maximum de souvenirs.

Cette mémoire est aussi dépendante du moment de la nuit où nous nous sommes réveillés. Si nous voulons avoir le plus de chances de nous souvenir de nos rêves, mieux vaudra se réveiller tard dans la nuit qu'au début. (La plus grande richesse des rêves en fin de nuit est associée, pour une part, au fait que la température de notre corps est bien plus basse.) Pour conserver les rêves du premier sommeil, il faut alors soit les écrire, soit les enregistrer au moment même en les dictant à un magnétophone préparé à cet effet. Il est prudent de noter également les rêves dont on veut pouvoir garder le souvenir, ce souvenir étant vite chassé par les nouveaux rêves du lendemain ou du surlendemain.

On se remémore mieux les rêves les plus longs, ainsi que ceux dont l'intensité sensorielle ou émotionnelle est grande. Cela est dû au fait que l'excitation de l'écorce cérébrale augmente leur quantité et leur fréquence. Ainsi, le bruit, la lumière, les états de surmenage ou les maladies physiques aiguës accroissent-ils nos souvenirs de rêve. Chacun de nous peut facilement en faire l'expérience.

En principe les rêves interrompus ont des chances d'être remémorés. C'est le cas de ceux avec orgasme qui provoquent un réveil. Les rêves faits chez soi sont plus chargés en contenus agressifs et sexuels que ceux faits en laboratoires. Il y a comme une pudeur du rêveur soumis à des conditions expérimentales.

Une méthode simple pour en améliorer le souvenir consiste à s'intéresser à nos rêves. On a souvent remarqué que toute personne qui entrait en psychanalyse voyait sa quantité de rêves remémorés augmenter. Dans la vie courante, on pourra prendre l'habitude de les noter ou d'en parler dès le réveil. Comme toute autre activité psychique, la mémoire des rêves se développe en la cultivant.

---

Il existe maintenant, surtout aux Etats-Unis, des électro-encéphalographes qui sont vendus dans le commerce. Reliés à un réveil, ils permettent au dormeur de se faire réveiller pendant les périodes de sommeil où il rêve. Ne risque-t-on pas de voir surgir une nouvelle sorte d'intoxication ? Après l'alcool, le tabac ou la drogue, il y aurait des intoxiqués par abus de rêves.

---

Le fait que nous nous rappelions plus ou moins nos rêves caractérise notre personnalité et notre mode de vie. Les bons rêveurs auront un tempérament plus introspectif, plus orienté vers eux-mêmes et leurs problèmes psychologiques; les personnes qui ont un sommeil agité ou qui se réveillent la nuit se souviendront aussi davantage de leurs rêves.

## Les caractères communs du rêve

○ *La durée*

Alfred Maury rêvait de la Terreur. Il traverse différentes scènes de meurtres, puis est cité devant le tribunal révolutionnaire. Robespierre, Marat, Fouquier-Tinville sont présents. Après diverses péripéties, Maury est condamné à mort, puis conduit à l'échafaud. Le bourreau l'attache, place sa tête dans la lunette de la guillotine, le couperet tombe; il sent sa tête séparée du tronc et s'éveille en sursaut avec terreur et angoisse. Il s'aperçoit alors que le ciel de lit vient de tomber sur son cou.

Ce rêve célèbre de Maury entraîna de nombreuses polémiques sur la durée des rêves : comment était-il possible que, dans le court laps de temps où le ciel de lit était tombé, Maury ait pu avoir un rêve aussi long? Si le rêve avait commencé avant cette chute due au hasard, comment se faisait-il qu'il paraisse si bien agencé en fonction de celle-ci?

Maury pencha pour le caractère instantané des rêves.

---

**Le rêve n'est pas instantané, il s'inscrit dans une durée**

---

On sait aujourd'hui que Maury avait tort. L'électro-encéphalogramme a permis de montrer que nos rêves mettaient du temps pour s'accomplir. Le temps imparti en rêve à chaque événement, c'est-à-dire en réalité à chaque séquence d'images, correspond approximativement à la durée réelle de l'événement lorsqu'il se passe dans la vie. En moyenne, la durée d'un rêve oscillera entre cinq et dix minutes. Mais elle peut être plus brève.

Afin de vérifier leur durée, nous pouvons demander à quelqu'un de nous réveiller légèrement le matin, puis de nous laisser nous rendormir pendant un intervalle de cinq minutes. Il est vraisemblable que nous ferons alors un rêve. Si celui-ci est simple, il sera facile de le rejouer dans la réalité pour vérifier si les cinq minutes écoulées correspondent à peu près aux actions ou aux faits que nous avons accomplis en rêve.

Avec un certain entraînement on peut parfois arriver à faire durer ses rêves, ou à prolonger un rêve après un court réveil. Mais le plus souvent, la suite prendra un tout autre aspect que la première partie, et les rêves agréables nous paraîtront trop courts ou trop vite interrompus. Ce sentiment subjectif fausse la véritable appréciation de leur durée.

○ *La couleur*

Rêve-t-on en noir et blanc ou rêve-t-on en couleurs ? On a longtemps cru que la couleur était réservée aux rêves spécialement riches ou aux personnes particulièrement émotives et sensibles. En fait, tout le monde rêve en couleurs. Seul le peu d'attention que nous portons généralement à la couleur explique notre difficulté à préciser ce point. La preuve en est que les artistes font plus fréquemment référence à des rêves en couleurs que les autres personnes. De même, toute émotion vive aiguise nos sens et notre perception, c'est pourquoi les rêves émotionnels ou excitants sont ceux dans lesquels nous percevons le plus de couleurs.

Les statistiques donnent 20 à 75 % de rêveurs qui se souviendront de la couleur, mais 0 % de rêveurs ne pouvant affirmer avec certitude qu'ils rêvent en noir et blanc.

Nous pouvons développer notre réceptivité aux couleurs du rêve en cherchant régulièrement à nous remémorer la couleur des objets ou des paysages de nos rêves. Il y a les plus grandes chances pour qu'en une semaine nous parvenions à avoir conscience de la couleur pendant nos rêves eux-mêmes.

○ *Les sensations*

Les sensations visuelles sont présentes dans presque 100 % des cas. Les sons, le langage ou les éléments auditifs sont nettement moins fréquents. En dernier lieu, viennent les sensations tactiles ou gustatives. Toutefois, les impressions tactiles dans le rêve sont plus nombreuses que le souvenir que nous en gardons. Cela est dû à la priorité que notre civilisation accorde à l'œil et à l'image sur le toucher. On a remarqué que les personnes amoureuses, ou ayant des phantasmes ou des désirs de maternage et de protection, étaient plus sensibles aux impressions de contact. Notre participation à des groupes de rencontre* ayant pour but de développer les sensations tactiles et les caresses accroîtra le rôle de notre sens du toucher dans nos rêves.

# Comment agir sur les rêves

«Parmi les souvenirs fantômes qui aspirent à se lester de couleurs, de sonorités, de matérialité enfin, ceux-là seuls y réussiront qui pourront s'assimiler la poussière colorée que je perçois, les bruits du dehors et du dedans que j'entends, etc., et qui de plus s'harmoniseront avec l'état affectif général que mes impressions organiques composent. Quand cette jonction s'opérera entre le souvenir et la sensation, j'aurai un rêve.»

Ces nombreuses conditions énumérées par Bergson pour que nous ayons un rêve : souvenirs, environnement extérieur et état psychologique, sont autant de moyens par lesquels on a depuis longtemps essayé d'agir sur nos

---

* Nom donné à tort à un ensemble de techniques contemporaines qui cherchent à épanouir notre personnalité non plus en tête-à-tête (comme la psychanalyse), mais dans des relations de groupe. Cela va de la dynamique de groupe essentiellement verbale (Kurt Levin) à l'expression corporelle (Wilhelm Reich).

rêves. On a soumis les dormeurs à toutes sortes d'influences pendant le sommeil et pendant la journée. Que peut-on en retenir aujourd'hui?

— Tout d'abord les expériences qui consistaient à chauffer les pieds du dormeur, à le piquer... étaient faussées dans la mesure où elles étaient faites à n'importe quel moment du sommeil. Si nous voulons influencer les rêves d'un ami avec un maximum de chances, il faudra intervenir pendant les périodes de sommeil paradoxal, c'est-à-dire pendant la première, environ quatre-vingt-dix minutes après qu'il est endormi.

— Ensuite, nous nous apercevrons qu'effectivement un son, une lumière peuvent être incorporés au rêve. Mais cela seulement dans 10 à 40 % des cas. D'autre part, le résultat escompté est très aléatoire. Nous pouvons orienter le rêve dans une direction générale, mais pas vers un contenu précis. L'incorporation d'un élément extérieur dans le rêve tient généralement compte de ce qui s'est déroulé avant ; le contexte du rêve détermine l'emploi du matériel extérieur. Cela explique que la chute du ciel de lit de Maury soit devenue le couperet de la guillotine.

— On pourra, en suggérant à voix basse au dormeur qu'il fait chaud, qu'il a soif, ou qu'un bon verre de menthe frais l'attend, induire chez lui des rêves où les liquides et la soif joueront un rôle. On constatera même au réveil que, s'il a étanché sa soif en dormant, il aura alors moins soif. Il est toutefois beaucoup plus difficile de réaliser la plaisanterie classique qui consiste à faire tremper un doigt du rêveur dans un verre d'eau en espérant que, se croyant aux toilettes, il fera pipi au lit.

— Les jets d'eau sur la peau sont les stimuli les plus fréquemment incorporés. Viennent ensuite les sons, puis en dernier lieu les sensations visuelles.

— Les personnes plus «primitives» incorporeront massivement et directement les stimuli externes. Les personnes intellectuelles les transformeront symboliquement. Ainsi, les uns se verront-ils directement aspergés par un tuyau d'arrosage, tandis que les autres rêveront qu'ils se débattent dans des histoires compliquées, comme s'ils se noyaient.

— La retraite ou l'isolement complet des sens augmentent notre quantité de rêves. Nous rêvons alors de monde, d'entourage, de foule, afin de compenser notre solitude. Si l'on préfère le rêve à la réalité, on pourra se priver de divers éléments faisant partie de notre vie quotidienne afin qu'ils apparaissent dans nos rêves. Par exemple, on pourra arrêter de fumer, ne pas dîner pendant quelques jours.

— Les suggestions posthypnotiques peuvent aussi être incorporées dans nos rêves. On peut accroître sensiblement leur quantité à l'aide d'une suggestion hypnotique qui consiste à nous demander de rêver toute la nuit.

— Dans nos rêves, peuvent apparaître des phénomènes enregistrés par notre cerveau pendant la veille, mais qui n'ont pas atteint notre conscience*. Des images présentées pendant un ou deux centièmes de seconde à notre vue, c'est-à-dire pendant une durée inférieure à notre seuil de perception consciente (ce que l'on appelle des images subliminales), peuvent réapparaître dans le contenu de nos rêves. Cela peut expliquer qu'en rêve nous ayons accès à des informations dont nous n'avions jamais eu conscience.

— Le cinéma et la télévision influencent nos rêves. Il ne faut cependant pas s'attendre à retrouver les péripéties d'un film avec le détail des plans et du scénario. Notre rêve intégrera surtout l'impression générale, l'atmosphère du film. Un western donnera des rêves vivants et imagés, ceux provoqués par un film à thèse seront visuellement moins riches. C'est l'ensemble de notre personnalité qui décide de la place et de la transformation de tel ou tel élément d'un film dans nos rêves. Un film n'est qu'une séquence dans le grand scénario de nos songes.

---

**Hervey de Saint-Denis**
Hervey de Saint-Denis (1823-1892) fut plus un amateur de rêves qu'un savant Titulaire de la chaire de chinois et de tartaro-mandchou, au Collège de France en 1874, sa

* Ce phénomène fut découvert par Otto Poetzl en 1917.

renommée ne sera cependant pas assurée par son enseignement. Certains de ses collègues prétendaient que ses ouvrages étaient rédigés par son secrétaire chinois ; mais peut-être étaient-ils tout simplement jaloux de sa fortune, qu'il reçut par héritage.

En 1867, Hervey de Saint-Denis publie anonymement «les Rêves et les moyens de les diriger[51]». Il y rapporte des extraits de son journal de rêveur, et les résultats de ses multiples expériences sur les rêves. En dépit de ses erreurs sur la psychologie du rêve «Hervey de Saint-Denis, dit Sarane Alexandrian, est le seul observateur qui a l'intuition géniale que les éléments du rêve naissent en désordre, l'ordre se faisant au stade préconscient du réveil.

*«Je suis piqué par un moustique et je rêve que, me battant en duel, j'ai le bras traversé d'un coup d'épée. Mais je n'ai pas rêvé que je recevais ce coup d'épée sans que cet accident fût en quelque sorte préparé. Ainsi, j'ai commencé par avoir une querelle ; j'ai reçu quelque insulte, ou j'ai provoqué quelqu'un moi-même. Des amis sont intervenus. Un duel a été proposé et accepté. Les conditions en ont été réglées et les préparatifs accomplis. Enfin, les épées se sont croisées et c'est seulement après tous ces préliminaires que j'ai cru sentir une lame effilée traverser mon bras[2].»*

Saint-Denis avait l'habitude de se faire réveiller la nuit par ses gens afin de transcrire ses rêves. Mais il prétendait lui-même pouvoir sortir d'un rêve «par un violent effort de volonté» afin de le noter. Il disait aussi pouvoir modifier le cours de son rêve par ses propres pensées pendant le rêve.

Les expériences les plus concluantes d'Hervey de Saint-Denis portent sur la façon d'influencer les rêves par des moyens externes. Constatant l'inefficacité à la fois des élixirs et des talismans et l'inutilité de se concentrer sur une idée avant de s'endormir, il inventa d'autres méthodes pour diriger ses rêves. Partant en vacances dans le Vivarais, il emporte avec lui un parfum d'essence particulièrement puissante dont il se parfumera tous les jours. De retour à Paris, il abandonne ce parfum pendant quelques mois. Ce délai passé, il le confie à un domestique en lui enjoignant d'en verser quelques gouttes sur son oreiller un matin pendant son sommeil, un jour pris au hasard. Or, il se trouva que ce matin-là il rêva des montagnes, des châtaigniers et des roches du Vivarais, ainsi que du facteur du village où il avait séjourné.

*« Fréquentant assidûment un salon à la saison des bals, il prit le parti suivant : "choisissant d'abord dans ma pensée deux dames auxquelles il pouvait m'être particulièrement agréable de songer et deux valses dont la musique offrait un caractère d'originalité des plus marqués, je pris soin de m'entendre avec le chef d'orchestre (qui, d'ailleurs, ignorait tout de mes intentions) pour qu'on jouât invariablement l'une ou l'autre de ces valses, chaque fois que je devrai valser avec l'une ou l'autre de ces deux dames, à chacune desquelles j'avais dès lors attribué l'une de ces deux compositions musicales." Ensuite, il commanda une boîte à musique qui fit entendre ces deux valses, et la relia à un réveil-matin dont la sonnerie fut supprimée et le mécanisme arrangé de manière à mettre en marche l'un de ces airs à l'heure qui serait indiquée sur le cadran. Le soir, selon qu'il voulait rêver à l'une ou l'autre femme, il réglait son appareil de façon qu'il joue, pendant la nuit, l'une ou l'autre valse, et il affirme que presque toujours l'évocation eut lieu[2]. »*

Enhardi par ce succès, Saint-Denis poursuivit ses expériences en mêlant plusieurs parfums afin d'observer comment se mélangeaient les souvenirs qui leur étaient associés. Malheureusement, au bout d'un certain temps d'emploi, les parfums perdaient de leur efficacité, et au-delà de sept ou huit parfums employés en même temps, il se produisait une véritable confusion dans ses rêves.

Hervey de Saint-Denis fit des expériences de plus en plus ingénieuses. Il respira une poudre de fleur orientale et capiteuse qu'il avait répandue sur un album chinois représentant des scènes fantastiques et vit ainsi dans ses rêves une partie des sujets de l'album et des paysages qui avaient l'aspect de gravures ou d'aquarelles.

Il se servit enfin de ces procédés pour chasser ses cauchemars en les prévenant. Hervey de Saint-Denis croyait à l'aspect ludique des rêves et s'opposait violemment au romantisme morbide qui identifiait le sommeil à la mort. Les surréalistes le reconnaîtront, grâce à ses fantaisies nocturnes, comme un précurseur.

# Ce que nous apprennent les rêves

Les interprétations de la psychanalyse ont essentiellement centré la lecture des rêves sur la personnalité du rêveur, sur ses conflits psychiques et sur l'aspect subjectif de nos représentations. D'autres études faites par des anthropologues ou des médecins ont montré que le rêve était étroitement déterminé par les conditions de vie du sujet, à savoir : son niveau social et culturel, son métier, son ethnie et aussi son âge et son sexe[4]. Les travaux les plus considérables allant dans ce sens sont ceux de V.N. Kasatkin, de Leningrad, qui répertoria 10 240 rêves obtenus de 1 020 sujets, provenant d'ethnies les plus diverses : Russes, Ukrainiens, Biélorussiens, Tartares, Arméniens...[29] ; ceux de C. Hall, fondateur de l'Institut de recherches de Miami, qui laissa quelque 30 000 rapports de rêves dont environ 5 000 provenant de Nigériens, Mexicains et Péruviens pour la majorité ; enfin, Roger Bastide, avec les rêves des habitants de São Paulo au Brésil[4], et la psychanalyse humaniste de Erich Fromm, au Mexique, ont montré que les rêves sont des expressions des conditions d'existence des Brésiliens ou des Mexicains telles qu'elles se manifestent dans leur culture sociale.

Il n'y a malheureusement pas d'étude aussi importante sur des rêves de Français. Nous serons donc obligés de prendre nos exemples dans d'autres cultures que la nôtre.

Contrairement aux rêves des sociétés «primitives», il faut, dans nos sociétés occidentales et «civilisées», faire un certain effort pour retrouver les structures sociales derrière le contenu de nos rêves.

---

**D'une classe sociale à l'autre, les thèmes de rêves peuvent rester les mêmes, mais ils n'ont pas le même éclairage**

---

Les mulâtres de São Paulo forment une classe moyenne de culture non africaine. Le problème essentiel du mulâtre est d'avoir de l'argent. L'argent est en effet l'instrument essentiel d'ascension sociale, et c'est le manque d'argent qui rejette les gens des classes moyennes dans une classe inférieure. L'argent va donc être l'un des thèmes récurrents des rêves des mulâtres.

Peur de la perte d'un statut social à cause de leur négritude et culpabilité par rapport à leur culture d'origine qu'ils trahissent apparaîtront aussi dans les rêves des mulâtres.

Roger Bastide montrera que, d'une classe sociale à l'autre, la structure des rêves change, et que les mêmes thèmes y ont une autre valeur. Ainsi le thème de l'argent pour les Noirs de la basse classe de São Paulo qui ont assimilé la culture brésilienne n'est plus «une démonstration du statut social; il est toujours lié au contraire à la consommation, il est un moyen d'acheter de jolis habits ou de se payer des divertissements, etc.[4]».

L'évolution des rêves suivra chez un même sujet le changement de classe. Kasatkin a remarqué également que nos rêves se transformaient au cours de notre vie, en fonction de notre âge, de nos préoccupations sexuelles ou de nos professions successives. Chez les enfants, les rêves reflètent assez directement leurs préoccupations quotidiennes.

Il est facile, d'après Kasatkin, de connaître le sexe d'un rêveur à la seule lecture du compte rendu de ses rêves. Les petits garçons rêvent qu'ils se battent ou font la guerre, tandis que les petites filles jouent à la poupée. Cette différence entre les symboles féminins et masculins à l'intérieur des rêves continue de s'accroître avec l'âge.

Dans nos rêves, d'autre part, se manifestent nos déviations sexuelles.

«Transsexualité. *Une jeune fille désirait être transformée en homme; elle entra à l'hôpital demandant que l'on effectue une opération à cet effet. Elle fait le rêve suivant : rentrée à la maison, après une opération réussie, elle est assise à une table de fête, entourée de toute sa femille et des compagnes de sa salle d'hôpital. Elle est devenue homme, a des moustaches et porte des habits d'homme, mais elle s'inquiète de voir qu'elle a encore des seins de femme. A ce moment, le professeur et le médecin traitant apparaissent et lui disent que le moment est venu de faire l'ablation des glandes mammaires. On la ramène à l'hôpital et on fait les préparatifs de l'opération, ce qui provoque chez elle un sentiment de peur. Tandis que les assistants la tiennent par les poignets et les épaules, le professeur et son aide enfoncent de grands couteaux brillants dans chacun de ses deux seins. Saisie de douleur et d'épouvante, elle s'écrie : "Oh! maman, j'ai mal", elle se réveille, couchée à plat ventre, les seins et les bras engourdis. Ses voisines de chambre lui disent qu'elle a réellement poussé un cri. Dans ce rêve, on voit le désir d'être transformée en homme, mais en même temps l'idée que la transformation complète est impossible. D'autre part, on note le rôle des stimuli agissant pendant le rêve : pression sur la poitrine et sur les bras*[29].»

Les recherches de Kasatkin sur le rêve et le niveau culturel recoupent celles de Roger Bastide. Notre environnement géographique et nos conditions de vie déterminent nos rêves. Des personnes de pays différents, qui ont la même activité et la même ambiance de travail, ont des rêves semblables. Quand on se déplace de la campagne vers la ville, on voit ses rêves se transformer en conséquence.

## Le métier tient une grande place dans les rêves

Parmi nos divers comportements, l'activité professionnelle prend une place essentielle dans les rêves recensés par Kasatkin. En effet, 95,3 % de ses sujets rêvaient de l'activité qu'ils exerçaient, 61,7 % en rêvaient plus précisément et 4,7 % prétendaient rêver d'activités qu'ils n'avaient jamais pratiquées.

Ainsi, même si nous n'accordons plus qu'une place secondaire au rêve dans notre vie sociale, celle-ci conserve une place éminente dans nos rêves.

## Rêves et maladies physiques

On a remarqué récemment que le contenu de nos rêves pouvait être vécu corporellement. Par exemple, si nous rêvons d'une partie de tennis, notre regard se déplacera de gauche à droite ; si nous rêvons que nous jouons au football, nos pieds peuvent mimer les mouvements. Ce phénomène ne se produit pas chaque fois que nous rêvons, mais il montre que notre corps est sensible aux sensations visuelles et tactiles qui animent nos rêves. Nous verrons qu'il est aussi sensible aux émotions (ce rapport entre le rêve et les manifestations physiques apparaît avec évidence chez un chat à qui l'on a enlevé le centre inhibant l'activité musculaire pendant le sommeil. On voit alors ce chat courir, sauter, griffer, comme s'il était éveillé et en pleine activité de chasse).

---

Chez un aveugle de naissance qui n'a pas d'image visuelle, il n'y a pas de mouvement oculaire.

Un aveugle accidentel conservera assez longtemps des images visuelles et des mouvements d'yeux.

Tandis qu'un sourd-muet n'aura pas d'impressions auditives, mais rêvera de conversations gestuelles.

---

De même, il peut y avoir un rapport direct entre le contenu érotique d'un rêve et une excitation génitale, mais celle-ci peut aussi se produire en l'absence de contenu érotique. En somme, comme dans la vie éveillée, le corps est tantôt présent, tantôt absent par rapport aux préoccupations de notre esprit.

On a depuis longtemps constaté des correspondances entre certaines maladies et le sommeil. Les maladies les plus couramment accentuées par le sommeil sont les crises d'épilepsie, les crises cardiaques, les accès d'asthme, les ulcères à l'estomac et les migraines.

L'épilepsie nommée «haut-mal» frappe à l'improviste, pendant le sommeil lent ou léger; elle se caractérise par des convulsions. L'épilepsie nommée «petit-mal», qui est une perte de conscience, peut survenir pendant le sommeil lent ou le sommeil de rêve. Le manque de sommeil favorise ces crises.

## Nos maladies influencent le contenu de nos rêves

Les variations physiologiques propres au sommeil de rêve augmentent aussi les risques d'accident cardiaque ou d'asthme pendant le sommeil; il en est de même pour la perforation d'un ulcère à l'estomac qui survient souvent pendant la nuit. Les migraines naissent au petit matin, pendant la dernière phase de notre sommeil de rêve.

D'une manière plus large, Kasatkin a pu montrer qu'il y avait un rapport direct entre le contenu de nos rêves et nos maladies physiques[29]. En fonction de divers critères, nous pouvons désormais utiliser nos rêves pour prévenir nos maladies :

— La fréquence de nos rêves, qui est de 70 % environ lorsque nous sommes bien portants, passe à 85 % ou 100 % lorsque nous sommes malades.

— Nos rêves deviennent pénibles et parfois se transforment en cauchemars, avec des scènes de violence et des sentiments de frayeur : guerre, bagarres, incendies, blessures dans les parties du corps atteintes par la maladie, visions de sang, de cadavres, de médecins, d'hôpitaux... Ces rêves sont visuels et très colorés.

— Les troubles du sommeil, ainsi que le contenu spécifique de ces rêves, apparaissent avant les premiers symptômes de la maladie elle-même. En étant attentifs à nos rêves, nous pourrons mieux connaître nos états corporels.

— Les rêves provoqués par des maladies durent pendant toute la nuit et toute la maladie, à la différence des rêves pénibles ordinaires qui sont plus brefs, et ne se répétent généralement pas.

— Les rêves sont centrés sur la partie malade de notre organisme. Ils disparaîtront avec la guérison.

— Généralement, le premier rêve prémonitoire apparaît la veille du déclenchement du symptôme clinique.

— Plus la maladie est localisée, plus les rêves seront typiques.

---

«Angine. *Une femme médecin jusque-là en bonne santé, rêve qu'elle a la diphtérie. Elle voit très nettement sa gorge couverte d'une membrane diphtérique, surtout à droite. Elle rêve qu'elle a contaminé son fils, chez qui elle découvre des symptômes identiques. Elle se réveille, inquiète, avec une douleur au côté droit de la gorge. Au cours de la journée se déclare une angine lacunaire*[29].»

---

● Les **maladies gastro-intestinales** seront représentées en fonction de leur gravité : soit par des scènes pénibles liées à l'alimentation, la digestion, la défécation, dans les formes moyennes; soit par des images d'aliments avariés et de vomissements dans les formes légères; soit par des scènes de blessures, de tumeurs, d'opérations, dans les formes graves.

● Les **maladies du poumon** se caractérisent par des images qui ont trait à la cage thoracique et à la respiration. On rêve que l'on suffoque sous l'eau, qu'on est enseveli sous le sable, qu'on doit passer à travers une ouverture étroite, que l'on a des vêtements trop petits.

● Les **maladies de cœur** sont souvent marquées par des rêves angoissants, des rêves de mort, avec des réveils subits.

---

«Crise cardiaque légère. *Une femme devenue veuve récemment rêve qu'elle se trouve au cimetière, assise sur la tombe de son mari. Tout à coup deux mains de squelette sortent de la tombe, la saisissent, l'une à la gorge, l'autre dans la région cardiaque, et elle sent les doigts du squelette qui lui pénètrent les chairs. Terrifiée et suffocante, elle veut crier et appeler à l'aide, mais ne le peut. Enfin, le cri sort, elle se réveille et éprouve des palpitations, spasmes de la gorge et douleurs cardiaques*[29].»

● **Les grippes et les gros rhumes** se manifestent par des images localisées dans la tête, le nez ou la gorge. Leurs thèmes sont les ordures, l'eau sale, la viande et le poisson crus, les cadavres... Ces rêves apparaissent souvent la veille du début de la maladie.

## Rêves et maladies mentales

Les rapports du rêve et de la folie remontent loin dans notre passé. Platon dans *la République* écrivait : «Il y a en chacun de nous, même ceux qui paraissent tout à fait réglés, une espèce de désir terrible, sauvage, sans loi, et cela est mis en évidence par les songes», et il pensait que «pendant le sommeil, la partie bestiale et sauvage de l'âme, gorgée de nourriture ou de vin, tressaille, et (qu') après avoir secoué le sommeil elle part en quête des satisfactions à donner à ses appétits. En pareils cas, elle ose tout [...]. Elle ne craint pas d'essayer en imagination de s'unir à la mère, ou à qui que ce soit, homme, dieu ou bête, de se souiller de n'importe quel meurtre et de ne s'abstenir d'aucune nourriture. En un mot, il n'est point de folie, point d'impudence dont elle ne soit capable.»

Au long des siècles, cette tradition ne s'est pas perdue, et l'on cite souvent cette phrase de Kant : «Le fou est un rêveur éveillé», ou encore celle de Schopenhauer : «Le rêve est une courte folie, et la folie est un long rêve.»

D'une part, les recherches modernes ont confirmé ces rapports entre le rêve et la folie — un psychiatre contemporain, Henri Ey, voit dans le rêve et dans le délire des phénomènes apparentés de désorganisation de notre être conscient. D'autre part, il apparaît que le rêve ne protège pas directement l'homme de la folie, puisque l'on peut priver l'homme de ses rêves sans qu'il devienne fou.

Les recherches sur le sommeil n'ont encore établi aucune corrélation fixe entre des tracés électro-encéphalographiques donnés et une maladie mentale spécifique. Elle ont cependant apporté quelques précisions sur les rapports entre le sommeil de rêve et les maladies mentales.

○ *Le délirium tremens.* Les hallucinations et le délire de l'alcoolique sont comme des poussées de rêves. Dès qu'il s'endort, l'alcoolique tombe dans un sommeil rapide, avec de nombreux mouvements oculaires et une profusion de rêves. Si on le prive brusquement d'alcool, son délire et ses rêves s'accroîtront encore.

○ *La schizophrénie.* Le langage du schizophrène s'apparente à celui du rêve. Le schizophrène n'a pas de contact avec la réalité; il vit dans un univers clos de phantasmes et d'hallucinations. Pour cette raison, on a pensé que le schizophrène était un rêveur éveillé, et qu'il compensait dans la journée les rêves qu'il n'avait pas la nuit. L'expérience n'a pas confirmé cette séduisante hypothèse. Il n'y a pas, chez le schizophrène, de diminution ou d'augmentation du sommeil de rêve qui soit directement liée à ses hallucinations diurnes. Le sommeil du schizophrène est toutefois profondément perturbé. Les mouvements oculaires caractéristiques du rêve peuvent apparaître pendant le sommeil lent. Ce «sommeil intermédiaire», comme le nomma Catherine Lairy, montre que la schizophrénie doit être associée à une désintégration des mécanismes des deux types de sommeil.

○ *La psychose maniaco-dépressive.* Les maniaco-dépressifs sont des malades mentaux qui passent tantôt par des phases agitées, surexcitées, maniaques, tantôt par des périodes d'apathie, d'accablement, de dépression. La dépression est associée à une augmentation de sommeil de rêve, tandis que la période maniaque entraîne, au contraire, une diminution de ce sommeil. Toute diminution relative du sommeil de rêve par privation, médicaments antidépresseurs ou électrochocs améliore les états dépressifs.

## Le contenu du rêve permet-il de dépister les maladies mentales?

Pour les chercheurs américains, il semble que «le contenu du rêve ne fournit pas un moyen de diagnostic les plus utiles, pour la schizophrénie, la dépression ou toute autre maladie mentale[20]». Pour les chercheurs soviétiques, il y a au contraire un rapport entre le contenu des rêves, les psychoses et les névroses. Ainsi, les schizophrènes qui deviennent criminels tuent souvent leur victime en rêve longtemps avant de la tuer dans la réalité :

---

*« Un homme de trente ans, atteint depuis six ans d'un délire avec hallucinations, avait eu dès l'enfance un sommeil agité et troublé de cauchemars (par exemple, il rêvait qu'il se noyait, voyait des cadavres, des sorcières, etc.). A l'âge de vingt-quatre ans, apparut le délire : il accusait son père de lui avoir fait boire un poison qui le privait de sa virilité. Il acheta un couteau, l'aiguisa, et se prépara pendant une année entière. Pendant tout ce temps, il voyait son père en rêve, l'étranglait et lui coupait la gorge. Un an après, il le tua au fond d'une forêt. Après l'assassinat, il rêvait souvent qu'il voyait son père vivant, et toujours méchant. Comme dans d'autres cas semblables. les voix ne résonnaient pas en rêve[29].»*

---

C'est à partir de 2 019 rêves recueillis chez vingt-six névrosés que Kasatkin a déterminé les caractéristiques des rêves de neurosthéniques et d'hystériques.

Dans l'ensemble, les névrosés ont un cerveau beaucoup plus sensible aux changements survenant dans leur organisme ou dans leur environnement que les autres personnes. Leur sommeil est superficiel et, dès leur enfance, riche en rêves, souvent de caractère anxieux. Quelques mois ou quelques semaines avant le déclenchement de la névrose apparaissent des troubles du sommeil et des modifications du contenu des rêves. Ces rêves — qui sont plus fréquents chez les bien-portants — ont toujours un caractère affectif pénible. Ils dépendent de la cause qui a provoqué la névrose et, comme pour les rêves normaux, du niveau culturel, de la profession et des conditions de vie du sujet. Mais on y retrouve toujours les mêmes thèmes : incendies, naufrages, retards pour prendre un train. Souvent le névrosé rêve qu'il se trouve à l'étranger sans passeport, ou sur un territoire interdit d'où il n'arrive pas à sortir, ou encore qu'il n'a pas d'argent pour rentrer chez lui.

○ *Les rêves de neurasthéniques* sont colorés, ils composent de vastes tableaux et sont souvent agencés plus logiquement que ceux des gens ordinaires.

---

*« Un neurasthénique rêve qu'il se trouve dans un pays mystérieux et inquiétant. Il y est arrivé en creusant un trou sous un mur, mais il y reste coincé par le thorax. En face de lui, il aperçoit deux êtres étranges, avec une tête ronde, de gros yeux rouges brillants, de longs tentacules rouges et annelés à la place des bras. Terrifié, il fait des efforts désespérés pour se dégager, gratte la terre avec ses doigts et sent la dureté du sol sous ses ongles. Au réveil, il se sent oppressé, avec des douleurs dans les mains, surtout dans le bout des doigts, une pression dans les yeux, et la tête lourde. Il se rendort, et rêve qu'il voit une mer déchaînée, avec d'énormes vagues noires qui déferlent sur lui en menaçant de l'engloutir. Il se réveille avec terreur et constate que la fenêtre de sa chambre vibre sous l'effet d'un vent violent[29]. »*

---

○ *Les rêves d'hystériques* sont aussi très colorés, autant que dans la réalité, mais il y a moins de paroles et de pensées que chez les neurasthéniques. En revanche, le rôle des sens y est plus important. On remarque souvent des scénarios érotiques, par exemple des actes sexuels inachevés.


# Approche analytique


«Le travail d'interprétation, disait Freud, peut être fait aussi bien sur ses propres rêves que sur ceux des autres. On apprend même davantage sur ses propres rêves, car ici le processus d'interprétation apparaît plus démonstratif[84]. »

Il faut toutefois préciser que l'auto-analyse au sens freudien est un travail long et difficile.

Tout apprenti en la matière passera d'abord par une

phase exaltée, où il lui semblera qu'il arrive aisément à déchiffrer ses rêves, puis par une phase déprimante, où il verra ses premières interprétations se dissoudre dans une multitude d'autres possibilités qu'il n'avait pas d'abord entrevues. C'est ce que Freud a appelé le processus de surdétermination : tout élément du rêve peut donner lieu à plusieurs significations.

Mais nous pouvons tout aussi bien, dès le début, refuser nos propres interprétations, les considérer comme sans intérêt, et arrêter l'analyse. Ce processus de «résistance» témoignera souvent de la présence dans nos rêves d'aspects de notre personnalité que nous refusons de connaître.

L'analyse de nos rêves n'est pas anodine, elle peut nous changer, comme elle peut changer notre rapport aux autres. Que ce soit dans le cadre d'une psychanalyse ou dans celui évoqué plus haut d'une auto-analyse, c'est toujours à nous qu'il revient de donner la signification de nos rêves. Il ne faudra pas perdre de vue que le rêve doit être considéré comme un rébus ni que dans la théorie freudienne l'interprétation du rêve consiste à rétablir le texte inconscient de notre discours conscient.

## La méthode

Il faut commencer par noter son rêve aussi complètement que possible. Pour cela, le plus tôt est le mieux (c'est-à-dire le moment le plus près du réveil). Puis on se remémore les faits et gestes du jour précédent. Il est indispensable de prêter une attention particulière à son état psychologique du moment, à sa situation sociale et à ses relations personnelles (c'est-à-dire qu'on sera attentif à tout conflit ou à toute attente qui pourraient avoir été intégrés dans le rêve).

On passe ensuite à la technique d'«association libre». Elle consiste à noter toutes les idées que fait naître tel ou tel élément du rêve. On peut débuter en se demandant systématiquement d'où viennent les paroles prononcées dans le rêve, qui est tel ou tel personnage, que nous rappellent telle scène, tel lieu, tel paysage, quand les faits et gestes du rêve ont-ils pu avoir lieu. Par la suite, on laissera sa pensée fluctuer d'un détail à l'autre sans lui imposer de contrainte.

Les associations ne sont cependant pas dues au hasard. Elles sont déterminées par des multiplicités de chaînes signifiantes qui les relient. Au carrefour de ces chaînes, apparaîtront un certain nombre de nœuds qui sont les éléments qui donnent au rêve sa signification.

On en arrive ainsi au travail le plus délicat, celui de l'analyse du matériel fourni par nos associations. Tout d'abord on ne verra que des ensembles ou complexes de relations humaines très généraux : conflit de pouvoir, haine, rivalité, amour... Mais peu à peu apparaîtra la manière personnelle dont nous vivons ces ensembles. Freud retrouvait ainsi dans les rêves de ses malades des problèmes sexuels très spécifiques.

Parfois, il arrive qu'on ne puisse pas associer ou que l'on soit à court d'association. On peut alors recourir à la méthode d'«amplification» proposée par Jung. Elle consiste à associer les symboles de son rêve à des symboles historiques analogues puisés dans le folklore, dans les mythes ou dans les contes de la culture à laquelle on appartient.

Ces éléments culturels permettront de faire le lien entre le rêve en question et le passé culturel qui a forgé une partie de ces images ou de ces comportements qui sont retrouvés dans le rêve. Le dernier temps de l'analyse d'un rêve est la synthèse. En effet il ne suffit pas de décomposer un rêve à l'infini, il faut encore en retirer une signification globale, même provisoire. Ce sens général comporte en différentes proportions, d'après Jung, trois niveaux : une intégration d'événements passés, un bilan de notre situation psychique actuelle et une orientation pour des conduites à venir.

## Le rêveur n'est jamais totalement absent de son rêve

Dans toute interprétation, il faut se souvenir que le rêveur, même s'il n'est pas représenté lui-même dans le rêve, est cependant présent à travers tel ou tel personnage. Par exemple, si je rêve du curé d'Ars, je mets en avant mon désir d'être reconnu comme une personne sainte et dévouée. Si je rêve de Hitler, ce sera au contraire une tendance destructrice de ma personnalité qui apparaîtra. Il faut toutefois se garder des simplifications.

Certains auteurs pratiquant l'analyse existentielle des rêves iront plus loin. A propos d'un rêve d'un patient de Ludwing Binswanger, rêve d'un personnage prenant la mer avec un filet, Michel Foucault écrira : «Le sujet du rêve n'est pas tant le personnage qui dit "je", c'est en réalité l'ensemble de ce contenu onirique ; le malade qui rêve est bien le personnage angoissé, mais c'est aussi la mer, mais c'est aussi l'homme inquiétant qui déploie son filet mortel, mais c'est aussi et surtout ce monde d'abord en vacarme, puis frappé d'immobilité et de mort, qui revient finalement au mouvement allègre de la vie[78].»

Ainsi, si nous ne voulons pas réduire notre rêve à un simple jeu d'acteurs, il faudra comprendre que la géographie du rêve, ses paysages, son urbanisme, son climat expriment aussi notre existence personnelle.

Pour apprendre à déchiffrer ses rêves, il ne suffit pas de s'arrêter à l'analyse d'un seul rêve. Il faut s'appuyer sur une série de rêves soit bloqués sur une période assez courte, soit étalés sur plusieurs mois ou même plusieurs années. La vie nocturne a une mémoire qui n'a rien à envier à celle de notre vie diurne.

L'analyse de nos rêves peut être facilitée par le fait qu'un certain nombre d'objets et de thèmes, apparaissant dans les rêves, se retrouvent chez chacun d'entre nous avec une fréquence plus ou moins variable.

Nous donnerons ici la signification de quelques symboles de rêves les plus courants et l'analyse succincte de rêves types. Mais il ne faut pas oublier que ce lexique de symboles n'est jamais l'équivalent d'un dictionnaire. Un peu comme la poésie, le rêve est intraduisible, il n'y a pas de symbole figé que l'on puisse transposer simplement d'un individu à l'autre, mais chaque symbole est pris dans la dynamique de notre personnalité propre.

# Les symboles du rêve à travers la psychanalyse[16]

*Les objets allongés :* bâton, tronc d'arbre, canne... ou bien les armes longues : poignard, couteau, épée, sont souvent des symboles de virilité ; ils représentent le sexe masculin.

*Les armes* peuvent aussi représenter l'agressivité ou un désir de mort. Si elles sont rouillées ou cassées, elles exprimeront une perte de virilité ou un sentiment d'intériorité.

*Les objets creux* ou *les contenants :* boîte, coffret, caisse, armoire, poêle représentent le corps de la femme.

*La chambre* est bien sûr un symbole féminin ; elle peut signifier la maternité ou le mariage. Si elle se rapporte à la sexualité, il est intéressant de savoir si la porte de la chambre est ouverte ou fermée, ce qui exprime l'acceptation ou le refus des rapports sexuels.

*Les cavernes, les navires, les vases* sont pour la même raison des indices de féminité. Les navires peuvent aussi représenter les voyages, le désir de rompre avec un certain mode de vie. Les cavernes seront l'inconscient ou un retour dans notre passé.

*Une personnalité éminente :* président, roi ou reine, peut représenter les parents du rêveur, un désir d'avoir du pouvoir.

*Les objets plats :* façades, le long desquelles on se laisse glisser, murs, auxquels on grimpe, représentent des hommes. Les murs sont aussi le symbole d'un obstacle psychique à surmonter.

*Monter ou descendre* des sentiers escarpés, des échelles, des escaliers, symbolise l'acte sexuel.

Monter peut être un symbole de croissance, de développement, de promotion sociale ; descendre, un symbole de dégénérescence, de mort, de difficulté de travail.

*Les vêtements* représentent notre attitude, notre rôle social, notre façade.

*Les uniformes* ou *les vêtements qu'on ne peut enlever* marquent l'impossibilité de séparer notre rôle social et notre personnalité intime.

*La cravate* symbolise souvent le pénis.

*Les paysages* représentant des ponts ou des montagnes boisées sont parfois une géographie des organes génitaux.

*Les machines compliquées et les outils* peuvent se rapporter à des activités mécaniques, à notre corps ou à un désir sexuel.

*Le pénis, les enfants, les excréments* et *l'argent* sont souvent, d'après Freud, des symboles interchangeables. Les trois premiers sont des éléments qui entrent ou qui sortent de notre corps, d'un ventre, mais aussi des objets que l'on donne ou que l'on refuse, que l'on garde ou que l'on rejette.

*Le serpent* est l'image du pénis et de la sexualité, mais il symbolise aussi le mal.

*Le feu* représente la passion et le désir.

*L'eau* est un principe vital, c'est le ventre de la mère, un symbole purificateur.

# Rêves types d'après la psychanalyse[16]

*Le rêve d'examen.* Il consiste à rêver que l'on échoue à un examen ou que l'on se présente de nouveau à des examens que l'on a déjà passés. Ces rêves apparaissent généralement quand on doit accomplir le lendemain une tâche difficile et que l'on a peur d'échouer. Ce sont en quelque sorte des rêves de réconfort : «Ne t'inquiète donc pas pour demain, tu as déjà réussi ton baccalauréat, tu es docteur...».

*Le rêve de train manqué.* C'est aussi un rêve de consolation. Il nous console contre l'angoisse de mort que représente le départ ou le voyage. Un train est un symbole d'avance, de progrès, de réussite sexuelle.

*Les rêves de perte de dents,* ou de dents arrachées, cassées signifieraient l'onanisme, ou encore ce dont on menace l'enfant qui se masturbe : la castration ou l'impuissance. Il en est de même des rêves de calvitie ou de coupe de cheveux.

Les rêves de perte de dents symbolisent aussi le passage de l'enfance à l'âge de raison, et aux responsabilités qui suivent la chute des dents de lait. Chez une femme, si les dents sont avalées, cela peut signifier le désir d'avoir un enfant.

*Les rêves où l'on plane, vole, tombe, nage* ont trait à des impressions d'enfance : souvenir de balançoire ou de grands-parents qui nous faisaient sauter dans leurs bras. Mais la signification précise de ces rêves varie avec les rêveurs.

---

«Une de mes malades, dit Freud, avait l'habitude de rêver qu'elle planait au-dessus de la route, à une certaine hauteur, sans toucher le sol. Elle était de très petite taille et elle avait horreur des souillures qu'apportent les relations avec les hommes. Son rêve accomplissait donc ses deux souhaits : ils l'élevaient au-dessus du sol et ils plaçaient sa tête dans une région supérieure. Chez d'autres rêveuses, le rêve de vol indiquait l'aspiration à devenir un petit oiseau ou à être un ange : elles souffraient de n'être pas appelées ainsi pendant le jour. La relation très étroite entre le vol et la représentation de l'oiseau explique que les rêves de vol aient en général chez les hommes un sens grossier. Nous ne serions pas étonnés que les rêveurs soient ordinairement très fiers de leurs capacités dans ce domaine[16].»

---

Voler peut aussi exprimer que l'on cherche à fuir des conflits actuels ou à les dominer. Ce peut être enfin un désir d'amour libre.

*Les rêves de chute* peuvent signifier que l'on a succombé à une tentation érotique.

*Les rêves d'incendie* sont une réminiscence de l'énurésie infantile.

*Les rêves de nudité* sont des rêves où nous avons honte d'être nus, au milieu de spectateurs généralement indifférents. Il y a dans ces rêves un souvenir de l'exhibitionnisme de notre enfance. Nous éprouvons alors ce que ressentit Ulysse apparaissant nu et couvert de fange devant Nausicaa et ses compagnes. Les rêves de nudité peuvent aussi exprimer le désir de jeter son masque, de se montrer tel que l'on est vraiment.

*Le rêve de la mort de personnes chères* est souvent accompagné de douleur et de chagrin. Il représente cependant bien, selon Freud, un désir de mort à l'égard de ces personnes. Il ne s'agit pas d'un désir actuel, mais d'un désir qui remonte à notre enfance. Généralement, l'homme rêve de la mort de son père, et la femme de la mort de sa mère.

C'est à propos de ces rêves de mort que Freud introduira l'œdipe.

---

«Si les modernes sont aussi émus par "Œdipe-Roi" que les contemporains de Sophocle, cela vient non du contraste entre la destinée et la volonté humaine, mais de la nature du matériel qui sert à illustrer ce contraste... Il se peut que nous ayons tous senti à l'égard de notre mère notre première impulsion sexuelle, à l'égard de notre père notre première haine; nos rêves en témoignent. Œdipe qui tue son père et épouse sa mère ne fait qu'accomplir un des désirs de notre enfance. Mais, plus heureux que lui, nous avons pu, depuis lors, dans la mesure où nous ne sommes pas devenus névropathes, détacher de notre mère nos désirs sexuels et oublier notre jalousie à l'égard de notre père [...]. Aujourd'hui comme autrefois, beaucoup d'hommes rêvent qu'ils ont avec leur mère des relations sexuelles; cela les indigne et ils racontent ce rêve avec stupéfaction. Il est, on le voit, la clef de la tragédie de Sophocle, et il complète le rêve de mort du père[16]. »

# Exemple de rêve interprété par un psychanalyste

Il n'est pas nécessaire pour interpréter un rêve de suivre scrupuleusement l'ordre proposé. En fait, l'interprétation repose sur un va-et-vient entre les données du rêve et notre vie présente et passée. Nous emprunterons à Erich Fromm[18], psychanalyste contemporain vivant aux Etats-Unis, une interprétation de rêve qui met en relief l'art d'interpréter nos rêves.

«Rêve d'un avocat âgé de vingt-huit ans : Je me vis, chevauchant un coursier blanc, passer en revue un grand nombre de soldats. Tous me saluaient de vivats chaleureux.

## Le phénomène de résistance

— *Que vous vient-il à l'esprit?*
— Rien, répondit-il, ce rêve est stupide. Vous savez que je déteste la guerre et l'armée et que, à coup sûr, jamais je n'aurais désiré être général. [...] Je n'aimerais pas non plus être le point de mire vers lequel se concentrent les regards adulateurs ou haineux de milliers de soldats. [...] Vous savez combien, à la cour, il m'est difficile de plaider une cause alors que tous les yeux sont braqués sur moi.

## Les associations

— *Certes tout cela est très juste, mais n'enlève rien au fait*

*qu'il s'agit de votre rêve, de l'intrigue que vous avez
nouée, et dans laquelle vous vous êtes assigné un rôle. En
dépit de toutes ces incohérences patentes, le rêve, nécessairement, possède quelque sens et recèle une signification.*

*Commençons par les associations relatives au contenu
du rêve. Concentrez-vous sur l'image du rêve, vous-
même, le cheval de bataille blanc que vous montez, et les
troupes vous saluant avec enthousiasme; dites-moi ce qui
vous vient à l'esprit lorsque vous voyez cette image.*

— C'est drôle, je revois maintenant une image que
j'avais accoutumé de beaucoup aimer lorsque j'avais
quatorze ou quinze ans. C'est un tableau représentant
Napoléon, oui, en effet, monté sur un cheval blanc,
passant la revue de ses troupes. Ce tableau ressemble
parfaitement à l'image vue dans mon rêve, à la seule
différence que là les soldats n'acclament point l'em-
pereur.

## Le matériel passé

— *Ce souvenir est certainement intéressant. Parlez-moi
davantage de votre affection pour ce tableau et de votre
intérêt pour Napoléon.*

— Je peux vous faire un aveu à ce sujet, oui, mais je
trouve cela embarrassant. Oui, c'est vrai, à quatorze ou
quinze ans, j'étais plutôt timide. Je n'étais pas très bon
en gymnastique et j'avais une espèce de peur des "champions". Tiens, je me souviens maintenant d'un incident
de cette période que j'avais complètement oublié. J'ai-
mais beaucoup l'un des champions et désirais devenir son
ami. Nous nous étions à peine parlé, mais j'espérais qu'il
m'aimerait, lui aussi, si nous nous connaissions mieux.
Un jour — il me fallut beaucoup de courage —, je
m'approchai de lui et lui demandai s'il n'aimerait pas
venir chez moi. Je lui dis que j'avais un microscope et
que je pourrais lui montrer une foule de choses intéres-
santes. Il me considéra un instant et, soudain, éclata de
rire, d'un rire qui ne tarissait pas. "Petit sot, pourquoi
n'invites-tu pas les petites amies de tes sœurs?"

Je m'en allai, profondément blessé, les yeux pleins de

larmes. C'était l'époque où je dévorais tous les livres que je trouvais sur Napoléon. [...] N'était-il pas de petite taille lui aussi? N'avait-il pas été lui aussi, comme moi, un jeune garçon timide? Pourquoi ne pourrais-je, un jour, lui ressembler? [...] En fait, pendant de nombreuses années, je n'ai plus pensé à cette période de ma vie et, certainement, n'en ai jamais parlé à personne. Même aujourd'hui, j'éprouve comme une espèce de gêne à l'évoquer.

## Le matériel récent

— *Mais, voyons pourquoi, précisément, [tout cela est-il revenu] la nuit dernière? Que s'est-il passé hier?*

— Rien du tout; ce fut un jour comme les autres. Je suis allé au bureau, j'ai travaillé à rassembler des documents pour une cause que j'ai à défendre, je suis rentré à la maison, j'ai dîné, je suis allé au cinéma et, ma foi, je me suis couché. C'est tout.

— *Ce qui ne semble pas expliquer pourquoi, la nuit, vous montiez un cheval de bataille blanc... Parlez-moi encore de votre travail au bureau.*

— Oh!... je me souviens à l'instant, mais ceci n'a aucun rapport avec le rêve... Eh bien, je vais vous raconter. Quand j'allai voir mon directeur, le plus ancien de la Compagnie, pour qui j'avais rassemblé toute la documentation juridique de l'affaire, il s'aperçut que j'avais commis une erreur. Il me regarda d'un air de reproche et remarqua : "Je suis réellement surpris, je pensais que vous feriez mieux que cela." [...] J'ai oublié cet incident dans l'après-midi.

— *De quelle humeur étiez-vous alors? Etiez-vous nerveux ou éprouviez-vous une sorte de dépression?*

— Non, non, pas du tout. Au contraire, je me sentais fatigué, quasi endormi. Je trouvais qu'il était pénible de travailler, et je fus très heureux quand arriva l'heure de quitter le bureau.

— *Donc, la dernière occupation importante de cette journée fut d'aller au cinéma? Voulez-vous me dire ce que vous avez vu?*

— Bien volontiers : un film intitulé «Juarez» qui, d'ailleurs, me plut beaucoup. En réalité, je vivais tellement l'action que, à un moment donné, j'ai crié tout haut.

— *A quel moment?*

— Juste après la destruction de la misère et de la souffrance de Juarez. Et puis aussi quand il fut victorieux. J'ai peine à me souvenir d'un film qui m'ait tant ému.

— *Puis, vous vous êtes couché, n'est-ce pas? Vous vous êtes endormi, et vous vous êtes vu montant un cheval de bataille blanc alors que les troupes vous acclamaient*[18].»

## La synthèse

L'analyse a donc permis de mettre au jour les rêveries enfantines de l'avocat. Timide, peu sûr de lui, le petit garçon, moqué par ses camarades, se réfugiera dans le domaine de l'imagination. Désormais, Napoléon sera un symbole rassurant qui l'aidera à surmonter ses angoisses d'enfant.

Avec l'âge, l'avocat prendra de l'assurance et il oubliera ses fantasmes. Mais, comme le montre clairement ce rêve, ceux-ci sont toujours vivants dans son inconscient. Il suffira d'une erreur professionnelle et d'une réprimande de son directeur pour que les images rassurantes du passé soient évoquées.

Ce n'est sans doute pas par hasard qu'en sortant de son travail il a choisi d'aller voir un film qui répondait à ses préoccupations.

L'interprétation du rêve a donc montré que Napoléon n'était pas seulement un symbole universel de gloire et de puissance, mais qu'il jouait un rôle précis dans les représentations du rêveur.

Ce rêve est ainsi le point de rencontre d'un événement récent favorisant l'imaginaire : le film; et d'un événement passé inconscient : les rêveries sur Napoléon. Il témoigne de plus que le sentiment d'échec et d'infériorité est toujours présent chez l'avocat, et il y répond en réaffirmant le désir de surmonter cet état.

# Les symboles du rêve à travers une clef des songes contemporaine[74]

« *Voir une caverne :* signe de danger.

*Rêver de chambre :* signe de bénéfices ; celle des députés, piège, inimitié.

*Rêver de couteaux :* signe de désunion entre amis ; en croix, signe de mort ; si l'on en est blessé, signe d'assassinat.

*Voir des dents :* signe de joie et de plaisir, pour longtemps si elles sont blanches ; longues, misère ; gâtées, deuil ; si elles tombent seules, signe de l'annonce prochaine d'une mort.

*Rêver d'eau :* propre, signe de bien-être ; sale, chagrin, tracas ; chaude, maladie grave ; en renverser, menace d'incendie ; froide, grande haine...

*Voir une épée :* signe de malheur ; la tenir, réussite ; en être blessé, querelle ; en blesser un autre, séparation pénible.

*Rêver de feu :* petit, signe de plaisir ; grand, fête ; s'allumant vite, dispute ; long à prendre, amour sincère...

*Rêver d'escalier :* signe de bénéfices ; si l'on en tombe, chagrin.

*Rêver de fenêtre :* très mauvais signe, dispute, malheur, ruine, et même mort (si les vitres sont brisées).

*Voir la mer :* signe de voyage ; tranquille, ennuis commerciaux ; furieuse, malheur.

*Voir un mur :* signe d'empêchement aux projets ; le renverser, succès, le bâtir, travail inutile.

*Voir un homme nu :* signe de trahison ; une femme,

espoir trompé ; une fille, succès puéril ; rêver qu'on se sauve tout nu annonce un affront certain et prochain.

*Rêver d'un mort :* signe de mauvaise nouvelle.

*Rêver d'un serpent :* signe de trahison. En somme, rêver de serpent est extrêmement mauvais. Si on n'est pas malade, il est à craindre qu'on le devienne ; si on l'est déjà, bien se soigner, car le cas peut devenir très grave. »

# Approche créative et créatrice

Le rêve n'est pas seulement un texte ou une langue à déchiffrer. Il est aussi une multiplicité d'images, de formes, de couleurs, de mouvements. « La psychanalyse, dit Michel Foucault, n'a jamais su faire parler l'image [...]. Freud a psychologisé le rêve [...] et lui a ôté tout privilège comme forme spécifique d'expérience[78]. »

Depuis toujours, les rêves ont été source d'imaginaire pour l'homme, et les objets de notre imagination poétique et créatrice ont souvent pris la forme du rêve. Mais l'art de rêver, ou d'imaginer, ne devait pas rester limité au domaine artistique. Depuis les années 1940, un certain nombre de psychanalystes ou de psychologues dissidents ont cherché non plus à analyser classiquement le rêve, mais à se servir du rêve comme d'une expérience permettant d'atteindre une nouvelle identité.

Ils ont donné au rêve une existence, une vie, une personnalité réelle. Désormais, nous pouvons en cure thérapeutique parler comme si nous rêvions et vivre nos rêves comme un acteur de théâtre qui improviserait sur scène. Nous pouvons alors en suivant diverses méthodes réapprendre à rêver.

## Le rêve éveillé dirigé

En 1938, Robert Desoille écrivait un livre sur l'«Exploration de l'activité subconsciente par la méthode du rêve éveillé[71]». Cette méthode est aujourd'hui reconnue et utilisée dans de nombreux pays comme psychothérapie de groupe ou comme psychothérapie individuelle.

Desoille est un psychologue autodidacte, et rien apparemment ne le prédestinait à une telle œuvre, puisqu'il était ingénieur au Gaz et à l'Electricité de France. En fait, la méthode de Desoille est issue, d'une part, de son intérêt pour l'hypnose et les phénomènes paranormaux; d'autre part, de sa rencontre avec certains universitaires de l'époque, passionnés par les phénomènes occultes et la physiologie des sensations (Charles Henri, Castlant). Desoille raconte que les premières personnes normales qui venaient suivre ses cours «désiraient développer leur facultés paranormales». Comme on voit, l'usage du rêve éveillé sera vaste : développement de notre imaginaire, apprentissage de divers niveaux de conscience, traitement des névroses, des troubles de l'identité ou de la personnalité.

● **La méthode**
Le rêve éveillé dirigé demande au sujet de prendre une part active à son processus d'épanouissement ou de guérison. Cette participation consiste en :
— Une relaxation musculaire : le sujet est allongé, dans une pièce semi-obscure et loin du bruit.
— Une relaxation psychique : le sujet est invité à faire une rêverie (afin de favoriser cet état visionnaire, certains thérapeutes américains feront porter à leur sujet des écouteurs qui diffusent des musiques suggestives). Au cours de cette rêverie, le sujet décrira à haute voix les images qu'il voit.

Cette rêverie n'est pas libre, elle est dirigée le plus généralement; l'orientation conseillée par Desoille s'appuie sur le mouvement : la direction du mouvement est orientée soit vers le haut, en ascension, soit vers le bas, en descente; pratiquement cela revient à imaginer des scènes d'ascension d'une montagne et de descente vers des cavernes, des gouffres.

## Le rêve éveillé est beaucoup plus riche que le rêve nocturne

Les rêves éveillés permettent à notre affectivité intime de s'exprimer à travers un langage non conventionnel, «un langage oublié», selon l'expression d'Erich Fromm. A travers les images et leurs variations, à travers des situations différentes, ils nous révéleront nos comportements habituels. Notre inconscient apparaît ainsi sur la scène de nos rêves éveillés. Cette thérapeutique sera particulièrement appropriée aux gens qui ne se souviennent pas de leurs rêves. Le rêve éveillé sera souvent beaucoup plus riche que les morceaux de rêves nocturnes.

Appliquée aux enfants, la technique sera légèrement différente. On laissera, en effet, l'enfant libre de ses mouvements et on lui permettra de s'exprimer non seulement par la parole, mais aussi par la peinture, le modelage ou le bricolage.

Desoille emprunte à Freud la notion de sublimation\* : il faudra porter chaque image au-delà d'elle-même vers des horizons toujours plus lointains et désintéressés : dans le cas d'un conflit avec la mère, les images évolueront de bas en haut, «de la représentation de la sorcière dans les profondeurs — image magique et régressive — à celle de la Vierge — la Vierge représentant la femme idéale — pour aboutir, en fin d'ascension, à une simple représentation de lumière accompagnée d'une sensation de présence et d'amour universel[10].» A Jung, Desoille emprunte la notion que le rêve cherche à préparer l'avenir et pas seulement à ressasser notre passé. A Pavlov, enfin, le fait qu'il y a des dynamismes moteurs défectueux que l'on peut modifier. Ainsi, la montée est une lutte contre la pesanteur.

---

\* *sublimation :* dérivation des pulsions instinctives vers un but spirituel, moral ou social désintéressé, comme dans la religion ou l'art.

Si nous essayons nous-mêmes cette pratique du rêve éveillé, nous verrons effectivement que le déplacement de bas en haut fournit une foule d'images et de situations imaginaires. Le lever du soleil, sa montée, puis sa descente marquent la présence dans la nature de ces forces contraires.

● **Les modalités du rêve éveillé**
— Les séances durent environ deux heures.
— Dans la première partie de la séance, le sujet interprète les rêves éveillés de la séance précédente, à partir de la relation écrite qu'il en a faite, ainsi que les rêves nocturnes qu'il a eus entre-temps.
— Dans la seconde partie, il fait un nouveau rêve éveillé. Pour certains, une heure de rêve éveillé sera épuisante, d'autres ne produiront qu'une faible quantité d'images en une heure. Selon son tempérament, on est plus apte à rêver le matin, ou le soir.
— Le thérapeute utilise le même langage que son sujet, un langage imaginaire et rêvé.
— Le rôle du thérapeute consiste tantôt à suivre le sujet sur son terrain, tantôt à le précéder et à le guider dans l'approfondissement de telle ou telle image qui lui est propre.
— Dans la mesure où les images peuvent être orientées et où les états affectifs suivent pour une part les images, il n'est pas indispensable de tout analyser.

Dans le rêve éveillé dirigé, nous élargirons nos représentations, nous cesserons de nous identifier à des rôles limités, et nous apprendrons à appréhender la totalité de notre imaginaire.
Dans la vie quotidienne, en face de situations analogues à celles vécues pendant les séances, nous pourrons reproduire les conduites ou les schémas dynamiques nouveaux que nous avons appris.
— L'image de départ peut être soit spontanée, soit suggérée par le thérapeute.
— Il ne faut pas monter trop vite, partir trop rapidement vers des images irréelles ou paradisiaques.

— Desoille proposait souvent comme image de départ une épée, attribut masculin, ou un vase, attribut féminin. Ce qui revient symboliquement à poser la question : «Que pensez-vous de votre virilité?» ou «de votre féminité?».

Le sujet doit alors donner le plus de détails possible sur l'image, la forme, la couleur, la matière, ou le sentiment que lui inspire le vase ou l'épée. Il situera l'image dans un décor; il se déplacera ensuite dans cet espace, dans la direction d'une issue, d'une porte, d'un chemin, ou d'une route; puis, peu à peu, par gradations successives, il suivra une route, gravira un chemin de montagne, accédera à un nuage ou bien s'envolera sur les ailes d'un oiseau.

### Rêve éveillé du vase (Lise[10])

«Lise, très impressionnable, en proie à des angoisses de persécution, est actuellement traquée par "le souvenir d'une rose en faïence qu'elle a trouvée sur une tombe qu'elle visitait dans un cimetière et qu'elle a emportée, car elle lui déplaisait". Ce qui lui a causé du remords. Elle l'a remise ensuite sans comprendre le sens de son action. Elle souffre avec son mari d'"une maladie de la solitude".

Voici son rêve éveillé du vase, relaté par elle-même.

M. D... me demande de voir un vase que j'aperçois alors, d'un bleu profond, intense. Sur sa demande, je le remplis. De très belles roses rouges apparaissent alors. Je vais ensuite vers une fenêtre, où je vois les arbres d'un jardin à la française.

Priée par M. D... de descendre dans ce jardin, j'en traverse les allées. Sur un banc un homme se lève, il a un journal à la main, et l'air intimidé. Il me parle, me dit que j'ai un beau vase, de belles fleurs, je lui donne une rose, il la met à son veston. Je reconnais René, mon mari, les premiers temps de mon mariage, lorsqu'il me parlait tendrement.

Ensuite, M. D... me demande de chercher un chemin de montagne et de tenter une ascension avec René [...].

Il y a une citadelle. Nous montons péniblement et, arrivé là, René, mon mari, a l'air tout d'un coup de ne plus savoir quoi faire de cette rose, et il la fixe dans un des créneaux de cette citadelle [...]. Mais la rose que René a accrochée à un des créneaux grandit, grandit, devient fantastique et, lorsque M. D... me prie d'appeler vers nous un nuage pour nous élever, elle tend les bras, ses feuilles, vers nous. Elle se détache de la citadelle, s'ouvre alors, immense, et nous nous étendons dans le creux de ses feuilles, cela nous fait comme un lit très doux.

A ce moment, mon compagnon a l'air de se transformer, je ne suis plus du tout sûre que c'est mon mari [...].

En levant les yeux, au seuil de ce grand ciel, apparaît un très grand visage [...]. L'homme couché près de moi [...] me sourit, [...] comme du temps de ma jeunesse — et je reconnais le sourire de Jean-Gabriel, celui sur la tombe duquel j'ai enlevé la rose de faïence. Mais, l'immense visage, toujours au-dessus de nous, nous regarde et cela m'angoisse.

Je crois que c'est maintenant le visage de mon mari qui me regarde d'en haut. Il nous domine, il souffle du vent par la bouche pour nous empêcher de monter, il a absorbé le pétale de la rose qui s'est envolée. Maintenant cette bouche laisse échapper une lueur rouge, étrange, transparente et lumineuse. A la demande de M. D... j'essaie de voir à l'intérieur de cette bouche : je vois une salle toute rouge, également transparente et lumineuse, mon mari est assis à l'intérieur de sa propre bouche, des filles lumineuses et rouges sont étendues près de lui, comme des almées : je pense que ce sont les roses qui étaient encore dans le vase [...] qui se sont transformées en femmes rouges. Nous entrons à notre tour dans cette bouche, Jean-Gabriel et moi, nous offrons des dons à mon mari, devenu seigneur et maître : moi, je lui donne une coupe remplie d'un liquide couleur rubis et Jean-Gabriel lui tend son manteau, lequel est tout doublé de rouge.

A la demande de M. D... : "Quel sentiment évoque ce manteau?" je dis que Jean-Gabriel était danseur; il dansait dans "l'Oiseau de feu" de Stravinski, et il donne à mon mari l'amour dont il a été la "source de feu".

M. D... me prie alors de redescendre. Je descends doucement vers la terre.»

---

Ce qui est important dans ce rêve éveillé ce n'est pas tant l'interprétation des symboles — par exemple que la citadelle représente son mari fermé et inaccessible — que le mouvement d'ouverture progressive à la fois des images et de l'affectivité de Lise. Avant le rêve, Lise s'identifiait à une rose de faïence dans laquelle «elle avait entrevu une vision d'elle-même devenue autrefois pétrifiée peu à peu par son mari, René, silencieux comme un tombeau». Après le rêve, elle pourra s'appuyer sur des images d'amour et le souvenir d'un homme aimé autrefois, pour affronter peut-être victorieusement le sentiment de solitude qu'elle éprouve avec son mari.

---

**Le rêve éveillé tient parfois du récit épique ou merveilleux**

Bien d'autres thèmes seront proposés par le rêve éveillé dirigé. On peut citer des thèmes de descente : la descente sous la mer, la grotte du sorcier, la recherche du dragon ou de la Belle au bois dormant. Chacun de ces thèmes donne une allure de conte ou de récit merveilleux au rêve éveillé dirigé. A un autre niveau, la descente permet de mettre l'accent sur les obstacles ou les difficultés rencontrés dans la vie. Il faudra souvent aider le sujet avec des images de protection pour descendre, comme il faudra lui procurer des images d'appui pour sa montée dans l'espace.

## La gestalt-thérapie de Perls

«Freud a dit du rêve qu'il était la "via regia", la voie royale, vers l'inconscient. Et moi, je crois que c'est la voie royale vers l'intégration. Je ne sais toujours pas ce qu'est "l'inconscient", mais nous savons qu'en définitive le rêve est la production la plus spontanée que nous ayons[43].»

Le mot Gestalt (forme, structure) exprime pour Perls que c'est la totalité de notre être et de notre existence qu'il faut chercher à intégrer. Le travail sur le rêve est l'un des éléments essentiels de la Gestalt-thérapie.

Cette fois-ci ce seront nos rêves nocturnes qui serviront de matériel au travail de groupe de la Gestalt-thérapie. Perls considère en effet que chacune des parties d'un rêve exprime un fragment de notre personnalité. Si nous voulons unifier, intégrer notre personnalité, nous pourrons alors recoller les différents morceaux du rêve.

● **La méthode**[43]

«— Prenez un vieux rêve ou un fragment de rêve, cela est sans importance.

— Ecrivez le rêve et dressez la liste de tous les détails.

— Travaillez chaque détail pour devenir chacun d'eux.

— Cessez de penser et venez à vos sens. «L'intellect, dit Perls, est la putain de l'intelligence.»

— Il faudra donc dire «je», et s'identifier à chaque chose et à chaque élément du rêve. Au lieu de dire : «J'ai un morceau de rêve à vous raconter», dites : «Je suis un morceau de rêve». Au lieu de dire : «J'ai rêvé d'une araignée», dites : «Je suis cette araignée» et soyez cette araignée».

— Ensuite prenez deux éléments du rêve et faites-les se rencontrer. Ecrivez un script. Les éléments du rêve reflétant les côtés contradictoires de la personnalité, ces éléments vont s'opposer, se battre. On débouchera sur ce que Perls appelle «l'opéra de la torture de soi-même».

— De cette lutte imaginaire des contraires naîtra peu à peu l'intégration des divergences internes.

---

**Il ne s'agit pas d'autopsier le rêve, mais de le revivre**

---

Les principes essentiels de cette méthode sont : la projection, nous nous projetons dans les images de nos rêves; le «maintenant», nous vivons dans le présent et non pas dans le futur ou le passé; enfin, l'idée qu'il ne faut pas se torturer l'esprit avec des pourquoi l'on a rêvé ça ou ça, pourquoi on a fait ceci ou cela. «Au lieu d'analyser, d'autopsier le rêve, nous voulons le ramener à la vie, et la façon d'y arriver est de revivre le rêve comme s'il se déroulait actuellement. Au lieu de dire «le rêve» comme si c'était le passé, prenez-le dans le présent afin qu'il devienne partie de vous-même, afin que vous soyez vraiment impliqué[43]. »

Les séminaires de rêve sont généralement une thérapie individuelle devant un groupe. On apprend ainsi beaucoup sur soi-même par la compréhension de ce qui se passe chez une autre personne. D'autre part, l'assistance joue un rôle essentiel dans ce jeu. Elle représente les autres : ceux qui nous regardent, ou qu'on ne peut pas atteindre. Il y a généralement deux chaises sur la scène de la Gestalt-thérapie : elles permettent au sujet, en passant de l'une à l'autre, de jouer tantôt un personnage de ses rêves, tantôt un autre.

## Le rêve de Meg

M. — Dans mon rêve je suis assise sur une estrade et il y a avec moi un homme, et peut-être une autre personne, et... ah ! un couple de serpents à sonnettes. Et l'un d'eux est sur l'estrade, et j'ai peur. Sa tête est levée, mais il ne semble pas qu'il puisse m'atteindre. Il est là et j'ai peur. Et cet autre personne me dit : «Ne dérangez pas le serpent et il ne vous touchera pas». Et l'autre serpent est en dessous, et il y a un chien au même endroit.

F.S. Perls — Qu'est-ce qu'il y a là ?

M. — Un chien et l'autre serpent.

F. — Bon. En haut il y a un serpent, et, sous l'estrade, un autre serpent et le chien.

M. — Et le chien renifle, s'approche du serpent, comme s'il voulait jouer, et je veux l'arrêter.

F. — Dites-le-lui.

M. — Chien, stop !

F. — Plus fort !

M. — Stop !

F. — Plus fort !

M. — Stop ! *(Elle crie)*

F. — Plus fort !

M. — *(Elle hurle)* Stop !

F. — Est-ce que le chien s'arrête ?

M. — Il me regarde. Maintenant il revient vers le serpent. Maintenant, maintenant le serpent s'enroule autour du chien qui est couché et semble parfaitement heureux.

F. — Ah! Faites une rencontre entre le chien et le serpent à sonnettes.

M. — Vous voulez que je les joue?

F. — Tous les deux; bien sûr. Ceci est votre rêve. Chaque élément du rêve fait partie de vous-même.

M. — Je suis le chien. (*Avec hésitation*) Heu! Salut, serpent à sonnettes. Je me sens bien aise de t'avoir ainsi enroulé autour de moi.

F. — Regardez l'assistance. Dites à quelqu'un ce que vous venez de dire.

M. — *(Riant doucement)* Salut, serpent. Cela semble bon de t'avoir enroulé autour de moi.

F. — Fermez vos yeux. Entrez dans votre corps. Qu'est-ce que vous éprouvez physiquement? Quelle est votre expérience?

M. — Je tremble, je suis tendue.

F. — Laissez ceci se débloquer. Permettez-vous de trembler, de saisir vos sentiments (...)[43] »

## L'écriture automatique

Jusqu'au surréalisme, les processus de pensée automatique étaient considérés soit comme relevant des spirites et des médiums, soit comme des processus psychiques inférieurs. André Breton devait montrer que l'automatisme psychique était autre chose que l'écoute des voix de l'au-delà, autre chose que des instincts altérés relevant de la maladie mentale. Il fit de l'écriture automatique un procédé accessible à tous et permettant à la fois un jeu créatif et révélateur de notre personnalité. Renforcée par des séances de sommeil collectif sous état d'auto-hypnose, l'écriture automatique préfigurera certaines thérapies de groupe contemporaines, comme le psychodrame ou le sociodrame.

### ● La méthode

Elle naît de la découverte, par André Breton, qu'il passe
dans notre esprit, lorsque l'on est en état de détente, une
quantité d'images et de pensées que l'on a à peine le
temps de saisir.

— Pour pratiquer l'écriture automatique, il faudra donc
chercher à écrire le plus vite possible, afin de transcrire le
maximum de ce flux d'images. Breton déterminera
même différents degrés de vitesse.

— Par là même, cette écriture s'oppose à l'emprise du
jugement et s'apparente donc au rêve.

— Toutefois, elle ne consiste pas, comme on le croit
souvent, à dire n'importe quoi ni à écrire des phrases
bizarres, sans signification.

— Pour donner lieu à une expérience réelle, l'écriture
automatique doit être un effort pour être à l'écoute de
son inconscient.

— On partira d'une image auditive, qui peut être spontanée ou choisie encore consciemment, et on la notera.
Puis on laissera jaillir des morceaux de texte, tantôt
cohérents, tantôt confus. Lorsque la création ralentit, on
peut la relancer avec de nouvelles images suggestives ; ou
si l'on écrit à plusieurs, passer la plume à un autre.

La lecture de ces textes provoquera le rire, la gêne ou un
sentiment de poésie. L'écriture automatique, comme
tout discours prononcé dans un état de conscience
altérée, ne fait que témoigner de la richesse de notre
personnalité profonde. «L'écriture automatique, dit
Soranne Alexandrian, n'est pas un exercice littéraire ou
spirituel, mais un moyen d'entraînement psychique, utilisable à volonté, comme un excitant ou un calmant[2].»

---

«Qui dissipera ces cauchemars sans cesse renaissants?
Les souches désenchantées se sont tues et le compagnon
le plus sûr est ce tas de cailloux qui fixe la route. On ne
peut donc plus savoir quel crime a commis cet homme
qui dort profondément au son des chants étoilés. Les
rêves se tiennent par la main : habits de femmes écor-
chées, soupirs des oiseaux morts de faim, cris des

bateaux de bois, profondeur des précipices sous-marins. Un poisson à la chevelure souillée glisse entre les bras des plantes. Un mollusque effrayé jette un regard sur toute l'eau qui le baigne pour y découvrir son sauveur. Le poisson chevelu ne veut pas s'apitoyer et sans arrêt il coupe les racines qui veulent le retenir (...)[64] »

# Rêve et création artistique

«Tout comme le rêve comporte des restes diurnes, la réalité contient des restes nocturnes, des éléments issus du rêve qu'ils tentent de prolonger dans l'éat de veille. Rien n'est plus utile à la vie morale que l'art d'accommoder les restes nocturnes[2]. » Dans cette inversion des préséances, l'art relaie la science, et André Breton succède à Freud.

## En littérature

Dans notre société, le recours aux fonctions créatives du sommeil et à la poétique du rêve est relativement récent. Certes, depuis toujours, on connaissait l'emploi du rêve en littérature. Mais le rêve n'était alors conçu que comme un article rhétorique mettant en scène des paysages fantastiques, des situations irréalistes ou épineuses.

Les écrivains romantiques allemands, et spécialement Jean-Paul qui, entre 1804 et 1822, rédigea le carnet de ses rêves, furent les premiers à puiser spécifiquement dans notre vie intérieure. Chez nous, Charles Nodier s'inspirera de rêves pour écrire certains de ses récits, Gérard de Nerval concevra «Aurélia» comme un vaste rêve tandis que Villiers de L'Isle-Adam et, en Amérique, Edgard Poe s'appuieront, dans leurs contes fantastiques, sur des mondes imaginaires souvent apparentés au cauchemar. Ces œuvres sont cependant encore trop près d'un rêve revu par la réalité et trop empreints de métaphysique.

Les surréalistes retrouvant Lautréamont devaient libérer notre imaginaire nocturne, ils donnèrent à la littérature le mode d'existence du rêve. Cette prééminence du rêve incitera un philosophe comme Gaston Bachelard à chercher dans la littérature les figures et les métaphores par lesquelles l'homme rêve les éléments physiques de son univers (l'eau, la terre, le feu, l'air). Pour Bachelard, il faut «rendre aux pensées philosophiques leur avenue de rêve». (G. Bachelard : *l'Eau et les Rêves* Paris, J. Corti, 1942).

Nous ne pouvons nous étendre sur les nombreux poètes contemporains qui, d'André Breton à Henri Michaux, de Paul Eluard à Raymond Queneau, créèrent les fleurs du sommeil que nous cueillons encore. Breton s'appuyait sur les rêves non seulement dans ses œuvres, mais aussi pour résoudre certains problèmes collectifs qui se posaient au groupe surréaliste. En 1937, Robert Desnos, poète et chantre des sommeils hypnotiques de ce groupe, créa des émissions de radio où il mettait en scène des rêves envoyés par ses auditeurs. Le thème de la nuit et du rêve parcourt toute l'œuvre d'Eluard, fondant dans un même sommeil l'amour et la confiance réciproque.

«Même sommeil même réveil
Nous partageons nos rêves et notre soleil»
(P. Eluard : *le Phenix*. Paris, G.L.M., 1952).

«Elle rêve
De qui rêve-t-elle ?
De moi
Dans les draps de ses yeux qui rêve
Moi»
(P. Eluard : *la Rose publique*. Paris, Gallimard, 1970).

Désormais la poésie rêvera les rêves, et le sommeil sera le lien social qui sous-tend les révolutions. «C'est par les rêves, dit Henri Michaux, que l'humanité forme malgré tout un bloc, une unité d'où l'on ne peut s'évader, et qui se comprend. L'un se retrouve dans l'autre, quoi qu'il veuille, le juge dans l'assassin, le sage dans le fou, le fonctionnaire dans le musicien et le bourgeois dans le libéré, non pour s'être bien observés les uns les autres, mais pour avoir été tous dormeurs[96].»

## En peinture

Le recours au sommeil et au rêve dans la peinture subit une évolution comparable à celle de la littérature. Les peintres symbolistes du XIXe siècle, comme Odilon Redon ou Gustave Moreau, mettent en rêve les thèmes de la mythologie classique.

Les femmes de Gustave Moreau et «leurs merveilleuses inerties» semblent toujours émerger des profondeurs du sommeil (G. Moreau : *les Chimères* 1884 ; Paris, musée Gustave Moreau) ; tandis que les regards d'Odilon Redon sont fermés ou démesurément ouverts sur la nuit (O. Redon : *Fleur avec une figure d'enfant* 1885 ; Art Institute of Chicago).

Avec l'art contemporain, le rêve n'est plus symbolisé ou représenté de l'extérieur, il apparaît sur la scène même du tableau. Tel «la Rapidité du sommeil», d'Yves Tanguy, de 1949, dont le titre annonce la découverte du sommeil rapide quelques années plus tard.

Pour la plupart des surréalistes, l'espace du tableau va être conçu comme un espace de rêve : chez Salvador Dali, les objets sont en proie à toutes sortes de distorsions, chez Max Ernst, ils prolifèrent. Tandis que le temps relevant lui aussi de la logique du rêve s'arrête et devient atemporel dans les œuvres de Chirico ou celles de Paul Delvaux. Chez Victor Brauner, le fantastique et l'inconscient empruntent au rêve son étrangeté et même ses pouvoirs paranormaux. En effet, on sait que Brauner, qui attache à l'œil et spécialement à l'œil unique une importance capitale dans ses tableaux, deviendra accidentellement borgne en 1938. (V. Brauner : *Rêverie* 1964). «Plongé dans un état de rêverie devant les objets familiers, je me trouve transformé, onirique, ainsi que tout ce qui m'entoure, et, dans cette dimension, dans un autre espace et dans un autre endroit. »)

○ *Projet pour l'objet qui rêve*
Avec «le Projet pour l'objet qui rêve» de 1938, Brauner devait rejoindre une nouvelle dimension de l'art du rêve. En annexe à ce projet, on trouve cette parodie publicitaire.

○ *Le chapeau tandem*
«Le rêve n'est-il pas d'avoir un appareil qui donne automatiquement et économiquement le moyen de penser sans grand effort, toujours? Cet appareil existe, c'est «le chapeau tandem» pour couver l'idée dans l'œuf tandem.

○ *Son principe*
Le principe du chapeau tandem repose sur l'échauffement de l'idée dans l'œuf tandem par le chapeau tandem, mettant en jeu une puissance de pensée relativement faible pour un grand couvage d'idées. Le récipient chapeau qui renferme la «force tandémique et d'où la pensée peut être soutirée à tout instant est très soigneusement «tandémifugé» en sorte que, la période de couvage une fois terminée, les idées se maintiennent longtemps et prêtes à servir (...)»

Une fois ouverte la voie du sommeil créateur, celui-ci devait étendre plus loin son empire. Le monde des objets, le monde de l'image (avec le cinéma) et celui de la fiction ou de la vision vont tour à tour s'emparer du sommeil et de son mode particulier de présentation. Depuis la «Mariée mise à nu par ses célibataires, même\*» de Marcel Duchamp jusqu'aux machines\*\* de Jean Tinguely, assemblage de poulies, de bielles et de rouages hétéroclites, l'artiste cherche à atteindre notre désir dans ce qu'il a à la fois de plus illogique et de plus inconscient.

\* Tableau composé de fragments d'étains découpés et peints, fixés par un vernis sur une dalle de verre transparente, représentant les divers rouages d'une machine (1915-1923; musée de Philadelphie).
\*\* L'une des plus célèbres représente une grand-mère hilare et inquiète, perchée sur un siège de tracteur et qui pédale sous le regard émerveillé d'un enfant, sans faire avancer le véhicule, tandis qu'elle actionne un autre élément qui scie du bois.

# Les pouvoirs paranormaux du rêve

L'Antiquité et les sociétés traditionnelles accordaient au rêve la valeur de prophétie et de prémonition. Cet intérêt s'appuyait sur des normes sociales qui n'opposaient pas rêve et réalité. Si quelqu'un voyait en rêve son voisin lui voler des fruits, il allait le lendemain lui demander des comptes. Plus généralement, tout événement rêvé devait s'être déjà produit ou attendait un futur prochain pour se réaliser.

Au XX<sup>e</sup> siècle, en Occident, le problème de la prédiction en rêve sera réintroduit par le biais de la parapsychologie. Dès la fin du XIX<sup>e</sup> siècle, la London Society for Psychical Research recueillait tous les témoignages possibles sur les phénomènes de transmission de pensée, de voyance ou de prémonition. Or, si ces phénomènes peuvent souvent se manifester au cours de la vie éveillée sous forme d'hallucinations et de transes mystiques ou occultistes, le rêve en reste cependant le principal support.

Dans les années 1930, la parapsychologie prendra son tournant scientifique avec le laboratoire de J.B. Rhine à la Duke University, à Durham, en Caroline du Nord. Vers la même époque, en 1931, Freud écrivait «Rêve et Télépathie». Quant à Jung, après s'être intéressé à la parapsychologie dès le début de ses études universitaires, il proposait, en 1957, une interprétation analytique du phénomène des soucoupes volantes. Depuis, les deux directions se sont renforcées : de nombreux laboratoires étudient les aspects paranormaux du rêve, tandis que les psychanalystes recherchent les liens et les motifs personnels pouvant justifier des rêves télépathiques.

On peut aujourd'hui considérer comme avéré qu'il existe des phénomènes dépassant notre perception ordinaire du monde. Pour cette raison, on parle de perception extrasensorielle (P.E.S.). Les manifestations para-

normales sont aussi plus généralement nommées phénomènes «psi».

Le rêve en tant que phénomène «psi» comporte les
trois catégories d'événements reconnues aujourd'hui en
parapsychologie : la télépathie, la clairvoyance et la précognition.

## La télépathie

La télépathie est la communication d'un message entre
deux personnes, qui ne passe pas par les organes des
sens.

---

*«Une nuit, ma fille, alors âgée de trois ans, dormait dans
la chambre voisine quand son cri me tira d'un rêve cau-
chemardesque d'où je sortis tremblante et couverte de
sueur. Je m'y étais vue courant sur la route qui conduisait
à notre maison, poursuivie par quelque énorme monstre
indescriptible. Au moment où je faisais un dernier effort
désespéré pour atteindre la porte et me réfugier à l'intérieur, le cri de ma fille m'avait ramenée à la réalité.*

*«J'ai peur, maman, j'ai peur, sanglotait-elle.*

*— Mais pourquoi? De quoi as-tu peur?»*

*Elle hésita un instant avant de dire :*

*«Je crois que c'était un ours[48].»*

---

Dans cet exemple, la communication de pensée a eu lieu
entre deux rêveurs et portait essentiellement sur la transmission d'une émotion : la peur.

La télépathie a longtemps posé le problème de savoir
s'il était nécessaire qu'il y ait un émetteur qui communi-
que volontairement un message. Dans l'état actuel de
nos connaissances, il semble que la volonté de communiquer n'est pas un élément essentiel. Nous pourrions donc
en rêve recevoir ou connaître des messages qui ne nous
étaient pas spécifiquement adressés.

## La clairvoyance

La clairvoyance est la vision apparemment directe par le rêveur d'un lieu ou d'objets encore inconnus de lui-même et des autres.

---

*« Il y a quelques années de cela, une femme de la Virginie-Occidentale vécut une telle expérience. Son père avait décidé de déménager pour s'installer dans l'Utah, où il avait acheté un terrain qu'aucun d'eux n'avait vu. Son mari et elle avaient décidé de partir, eux aussi, pour l'Ouest.*

*Dans le rêve qu'elle fit avant de quitter la Virginie-Occidentale, elle se trouvait dans l'Utah en train de regarder, d'une certaine distance, la ville la plus proche de la propriété de son père. Elle la voyait s'étendre à plat dans la lumière du soir, sous un soleil couchant qui faisait briller les toits. Mais autour, aussi loin que portait son regard, tout était gris et offrait un spectacle de désolation. Le désert se déployait sur des kilomètres et des kilomètres, aride et morne, l'image même du vide. En le contemplant, elle ressentit un tel déchirement qu'elle s'éveilla, prenant conscience que ce n'était qu'un rêve, malgré toute sa netteté. Ils partirent pour l'Utah, où elle et son mari furent terriblement déçus. (...) Aussi chargèrent-ils un jour tout ce qu'ils possédaient sur une charrette, et le père les emmena à la ville la plus proche pour prendre la diligence. Il leur fallait traverser un haut plateau, et ils arrivèrent soudain au versant où la route amorçait sa descente. Et là, c'était son rêve! Exactement la même vue! A quelque distance, la ville s'étendait sur un sol plat, les rayons du soleil se réfléchissaient sur ses toits, sur le désert qui se déployait aux alentours. Elle avait l'impression de tout connaître : son rêve et la réalité étaient identiques[48].»*

---

Le sentiment de «déjà vu», parfois présent lorsque nous découvrons un paysage nouveau, consisterait ainsi dans le souvenir d'un rêve. Souvent le rêve de clairvoyance sera totalement oublié et ne subsistera qu'un vague sentiment de familiarité.

## La précognition

Les rêves précognitoires annoncent des événements futurs et prédisent l'avenir.

---

*« Dans ce rêve très net, ma mère et moi dormions ensemble (ce que nous ne faisions jamais. Nous vivions à environ huit kilomètres l'une de l'autre). Ma mère, réveillée au cours de la nuit par le bébé qui grognait, allumait une cigarette. A la lueur de l'allumette, elle apercevait une punaise qui grimpait le long du mur. Elle s'écriait : « Mon Dieu, regarde ! », en tendant machinalement la main dans le dessein de tenir la flamme juste sous la bête. Elle grattait une seconde allumette pour examiner le matelas sur lequel nous étions couchées et découvrait d'autres insectes. Utilisant une lampe électrique afin de ne pas réveiller le bébé, nous nous mettions à rechercher les punaises et les déposions au fur et à mesure dans un cendrier où brûlaient des bouts d'allumettes. Puis nous nous approchions du berceau avec la lampe électrique, juste à temps pour voir l'une de ces bêtes se déplacer sur la joue de ma petite fille. Horrifiées, nous allumions en grand et passions le reste de la nuit à chasser cette vermine.*

*Environ trois mois plus tard, mon mari étant parti pour le week-end et mon père travaillant de nuit, j'ai demandé à ma mère, puisque nous étions seules, de passer la soirée et la nuit chez moi, chose que nous n'avions jamais faite. Nous nous sommes couchées vers onze heures. Pendant la nuit, nous avons été réveillées par le bébé qui pleurnichait. Tout en faisant de petits bruits de la bouche pour l'apaiser, ma mère a allumé une cigarette, et vous connaissez la suite*[48]. *»*

---

Les rêves de précognition ne sont pas réservés aux individus exceptionnels comme c'était le cas pour les prophètes de l'Antiquité. Ils concernent rarement des événements d'ordre national ou politique, mais s'attachent à des événements souvent personnels ou très spécifiques, comme un déraillement de train.

Ces rêves posent le problème de la prédestination :

notre avenir est-il déterminé ou au contraire pouvons-nous éviter une catastrophe à venir par la connaissance des rêves? De nombreux exemples montrent qu'un rêve prémonitoire, comme tout autre avertisssement, permet d'agir sur le futur. Ainsi, en tenant compte d'un rêve, une mère a évité qu'un lustre ne tombe sur la tête de son enfant. Le lustre est bien tombé, mais elle avait retiré le berceau. Sans doute ne saura-t-on jamais ce qui se serait réellement passé si elle n'avait pas cherché à contrôler le destin.

Malheureusement, les informations données par le rêve prémonitoire sont souvent beaucoup trop confuses ou imprécises pour permettre une action efficace. Cela est renforcé par le fait que la date exacte d'un danger est rarement donnée et que passé, présent et futur ne sont pas distingués par notre perception extrasensorielle. Nous pouvons assister à des événements accomplis depuis longtemps ou à des événements qui ne se produiront qu'après notre mort.

La division entre trois types de rêves paranormaux ne reflète pas exactement la réalité. Il sera en effet souvent difficile de faire la différence entre un rêve télépathique et un rêve de clairvoyance. En effet, qu'est-ce qui prouve que ce n'est par transmission de pensée que nous percevons des images d'endroits que nous n'avons jamais visités? D'autre part, dans une prémonition, il y a aussi clairvoyance de ce qui va arriver. La vision d'un avion qui s'écrase ou de la mort d'un parent peut aussi bien marquer un événement qui se passe au moment du rêve qu'un événement futur.

## Comment expliquer les phénomènes paranormaux?

On a cherché depuis longtemps à expliquer ces phénomènes. Une hypothèse classique qu'on ne peut exclure est la théorie évolutionniste reprise par Freud. La connaissance télépathique aurait joué un rôle essentiel antérieurement au langage, lorsque pour survivre il fallait pressentir le danger avant qu'il ne soit présent.

Plus tard, notre organisation perceptuelle aurait restreint et limité la portée de ces signaux primitifs. Mais le rêve, en raison de son indépendance par rapport à notre perception consciente, conserverait ce type de connaissance.

Dans le laboratoire de la Duke University, on a cherché à savoir quel type de personnes serait plus doué pour avoir de tels rêves, et quels étaient les événements et les situations les plus sujets à une connaissance paranormale. Dans l'ensemble, les conclusions mènent à une diversité de cas et d'espèces. Il semblerait bien que les personnes faisant des rêves paranormaux n'ont aucune caractéristique commune[48].

On relèvera cependant que les enfants ont généralement un nombre plus élevé de rêves paranormaux. D'autre part, ces rêves ne sont pas liés au sexe, et les hommes ont autant de chances d'avoir des expériences paranormales que les femmes. Pourtant, dans les faits, il se trouve que l'on a moins de rapports de rêves faits par les hommes. Cela est sans doute dû à leur attitude plus sceptique et plus réticente envers ces phénomènes. C'est donc une discrimination culturelle qui expliquerait cette différence.

Il n'y a pas non plus de rêves de cette sorte chez les malades mentaux. Et l'on doit exclure l'hypothèse que croire aux puissances des rêves relève forcément d'un délire mental.

Si un danger imminent, un événement critique peuvent engendrer de tels rêves, des nouvelles joyeuses ou des situations insignifiantes peuvent aussi en faire l'objet. La conviction, la croyance dans les prémonitions ou la télépathie, une forte motivation, un ardent désir peuvent renforcer de telles expériences oniriques. Dans cet ordre d'idées, le cadre d'une cure psychanalytique apparaît comme un lieu privilégié pour faciliter des rêves télépathiques du patient portant sur son médecin.

## Des théories qui n'ont pas encore franchi le stade expérimental

Dans les expériences récentes, le docteur Montag Ullman, au Maimonides Hospital, a cherché à communiquer des messages télépathiques à des sujets endormis. Des images, ayant un contenu affectif déterminé, étaient contemplées par un télépathe émetteur au moment où l'électro-encéphalogramme du dormeur marquait qu'il entrait en sommeil paradoxal. On réveillait au bout d'un moment le rêveur pour lui faire raconter son rêve. Et l'on cherchait à savoir en quoi l'image avait pu influencer le contenu du rêve.

L'étude des pouvoirs extrasensoriels du rêve en est encore à ses débuts. Les difficultés pour réunir les preuves objectives d'un cas aussi bien que l'absence de connaissances sur l'énergie mise en jeu font qu'il est difficile de parier sur le rêve pour éclairer son avenir. Néanmoins, chaque fois qu'une telle expérience se présente à nous, nous ne devons plus aujourd'hui ni nous en effrayer ni la négliger.

# Annexes

# Les rêves dans l'Antiquité

Pendant des siècles, le rêve a été l'objet d'une pratique sociale : l'oniromancie, ou divination par le rêve ; et ce, dans toutes les cultures et depuis la plus haute Antiquité. Cette pratique nous a laissé tout un ensemble de textes témoignant d'un monde pour lequel il n'y avait pas de séparation entre le rêve et la réalité. Pour illustrer cette absence de frontière, le philosophe chinois, Tchouang-tsé, racontait le paradoxe du philosophe qui rêve qu'il est un papillon et du papillon qui rêve qu'il est un philosophe.

En fait, pour les Anciens, le rêve avait une valeur positive et était un moyen de connaissance au même titre que nos sciences modernes. Aussi, après les historiens, sociologues et ethnologues ont recouru à ce vaste domaine constitué par la littérature onirique du passé afin de reconstituer les structures sociales des civilisations antiques. Malheureusement l'absence de textes et la censure des rêves — puisque certaines sociétés dévalorisaient des catégories entières de rêves — font que l'importance des sources existantes diffère selon les pays. De même, à l'intérieur des nombreuses pratiques divinatoires (interprétation des présages à partir du vol des oiseaux, du foie des animaux ou de l'observation des astres), l'oniromancie occupe une place plus ou moins grande.

Ainsi, alors qu'en Mésopotamie cette place est relativement étroite, l'islam, à sa naissance vers VIIᵉ siècle après Jésus-Christ, répudiera toutes les pratiques divinatoires. auf l'oniromancie.

# Epoques et lieux de l'interprétation des songes

Les principales civilisations antiques et médiévales ayant fait appel aux songes sont essentiellement celles de :
— l'Orient ancien : Egypte, monde sémitique occidental (Mésopotamie et Anatolie), Orient hellénistique ;
— l'Orient moderne des chrétientés orientales, du judaïsme et de l'islam ;
— enfin l'Extrême-Orient et l'Asie centrale (Inde, Chine et Japon).

Les découvertes récentes de sites archéologiques au Proche-Orient, comme celui de l'ancienne Babylone, ont permis de mettre au jour un certain nombre de tablettes d'argile et d'inscriptions sur des stèles funéraires ou des temples relatant des rêves et leur interprétation. On a pu ainsi trouver trace de pratiques oniriques aux environs du troisième millénaire avant Jésus-Christ dans la civilisation sumérienne et déchiffrer des récits de rêves datant du deuxième millénaire pour la Babylonie.

Le renouveau archéologique a permis de relancer les recherches sur le rêve et de préciser les filiations ou les particularités propres à telle ou telle culture de l'Antiquité. Jusque-là on avait surtout recours aux textes grecs ou latins, comme ceux d'Homère ou de Virgile pour les civilisations préhélléniques, ainsi qu'à L'Ancien Testament pour Israël. Mais ces divers documents ne donnaient des rêves et des pratiques d'interprétation qu'une image partielle. Les recherches récentes ont montré que des techniques d'interprétations apparues tardivement dans certaines régions existaient déjà depuis la plus haute Antiquité dans d'autres civilisations. Les pratiques d'interprétation populaire, souvent absentes des recueils officiels, avaient une fréquence vraisemblablement aussi grande, sinon supérieure à celle observée aujourd'hui par les ethnologues dans les civilisations traditionnelles contemporaines.

## Pour la civilisation indienne, le rêve constitue l'un des quatre états de notre existence

L'Inde, à côté de l'Egypte et de l'Islam, fut sans doute une des civilisations qui accorda le plus d'importance aux rêves. Dans la littérature des XV$^e$ et X$^e$ siècles avant Jésus-Christ, celle des Vedas, ou recueils d'hymnes, on trouve déjà une théorie philosophique qui donne aux rêves une place spécifique parmi les quatre états de notre existence : veille, rêve, sommeil, identité au brahman (le tout impersonnel).

## Le royaume des rêves

Le rêve est pour l'Indien un état qui lui permet de connaître un avant-goût de l'absolu. Un des dénominateurs communs du rêve dans la plupart des cultures est ainsi l'accession à un univers autre, étranger, ou transcendant celui de la veille. Ce passage dans un autre monde est interprété tantôt comme une visite de Dieu au dormeur passif, tantôt comme un voyage de l'âme dans l'au-delà. Dans la langue de l'Egypte ancienne le mot rêve était dérivé de la même racine que le verbe veiller[53].

Ce voyage nocturne était parfois purement terrestre. Oppenheim rapporte le contenu d'une lettre écrite par un Babylonien à sa sœur : «Quoi que vous fassiez, écrivait-il, mes rêves me le rapporteront[40].»Mais plus généralement les Anciens concevaient un véritable royaume des rêves avec des anges ou des démons. Pour les Grecs, cet espace du rêve se situait au voisinage du monde des morts. Ce rapprochement entre la nuit et le royaume de la mort était aussi courant chez les Egyptiens.

Pendant le sommeil, l'homme dépouillé de son corps retournait vers le monde incréé, vers le chaos, dans un univers de forces fantastiques. Ainsi trouve-t-on souvent l'image d'un peuple des rêves accouché par la nuit ou par les puissances de la terre. Pour cette raison les rêves avaient souvent mauvaise presse, et les civilisations anciennes s'en défiaient autant qu'elles y avaient recours. Cet aspect néfaste de la nuit était toutefois compensé par le mythe inverse qui faisait du rêve un accès à l'île des bienheureux, l'île des rêves, ou aux richesses du ciel.

## Porte d'Ivoire pour les mauvais rêves, porte de Corne pour les bons rêves

A cette diversité des royaumes correspondaient donc des bons ou des mauvais rêves, des rêves de vérité ou des rêves futiles ou mensongers. L'image des deux portes du rêve donnée par Homère fut longtemps reprise, jusque dans les peintures de la Renaissance européenne. Dans «l'Odyssée», on apprend en effet que les rêves fallacieux venaient par la porte d'Ivoire, tandis que les bons rêves passaient par la porte de Corne. Virgile donna des mauvais rêves une description célèbre. Dans le chant VI de «l'Enéide», il les situe en effet dans le vestibule de l'Hadès avec les autres calamités humaines : maladies, famine, vieillesse. «Au milieu du vestibule un orme touffu, immense, étend ses rameaux et ses bras séculaires ; les vains songes, dit-on, y nichent un peu partout attachés à toutes les feuilles.» Pendus comme des chauves-souris, les mauvais rêves seront entourés par les monstres mythiques, chimères, gorgones, harpies.

Un autre symbolisme allie les rêves au souffle. On retrouvera cette image dans la Bible et chez Homère. Dieu ou démon, le rêve se faufilera comme un courant d'air entre les interstices des portes pour pénétrer dans la maison du dormeur. (A.L. Oppenheim montre le rapport étymologique du dieu des rêves mésopotamien Zaqîpu avec le verbe zâgu : souffler.)

C'est en Inde, bien sûr, que l'on trouvera les textes les plus explicites sur les rapports du souffle et du rêve à travers les techniques respiratoires propres au taôisme* et au yoga. Certains tântra (textes religieux ésotériques) des XIIe au Xe siècles avant Jésus-Christ mettent en relief cet aspect : «Lorsqu'on médite sur l'énergie (du souffle) grasse et très faible (c'est-à-dire sonore bien que lente) dans le domaine du cerveau et que, au moment de s'endormir, on rentre en son cœur, si l'on médite (ainsi) on obtiendra la maîtrise (des rêves).» Plus précisément, c'est à la jonction de l'inspiration et de l'expiration que l'adepte du yoga atteindra à l'énergie pure qui favorisera ses visions du sommeil. Ainsi, peut-on suivre à travers les âges ce fil qui conduit à notre «inspiration» poétique ou créatrice.

A un être de souffle seront associées des créatures aériennes. On parlera de l'ange des rêves en Islam, et, chez Homère, ce sont toujours des êtres ailés qui visitent le dormeur.


## Comment se protéger des mauvais rêves

Afin de se protéger des mauvais rêves, rêves généralement confus et obscurs, toutes les civilisations antiques avaient recours à diverses pratiques. La principale, bien sûr, était l'interprétation, car tout rêve non interprété avait une valeur de mauvais présage. Il suffisait parfois de raconter le rêve à quelqu'un pour en libérer le mal.

En Egypte comme en Islam on peignait sur le chevet du dormeur, ou appuie-tête en bois sur lequel était posé un coussin, différents motifs destinés à conjurer les démons de la nuit. La scène la plus typique consistait à

---

* Taôisme : philosophie chinoise traditionnelle remontant au IVe ou IIIe siècle avant Jésus-Christ, dont le fondateur présumé serait Lao-tseu

représenter un démon ou un fantôme percé de coups ou de flèches par le dieu protecteur. Chez les Chinois, c'était un animal mythique qui, placé sur l'appuie-tête, avait pour fonction de dévorer les mauvais rêves.

---

## Des formules magiques et différents rituels pour conjurer le mauvais rêve

---

On pouvait aussi réciter une prière conjuratoire au moment du réveil, sur les lieux mêmes où l'on avait rêvé. Une simple formule analogue à nos pratiques superstitieuses suffisait parfois. Les Japonais disaient ainsi : «Tout rêve annonce son contraire»; et les Babyloniens : «Le rêve que j'ai eu est bon, bon, très bon devant Sin et Samos.» Dans le cas de rêves plus funestes, on célébrait des rituels complexes, et l'on offrait des sacrifices aux dieux. A Babylone, on pratiquait la magie sympathique afin de libérer le rêveur. Ainsi, on frottait tout le corps du patient avec une motte d'argile. Le maléfice une fois transféré dans celle-ci on la jetait alors à l'eau.

Des formules magiques souvent obscures étaient aussi prononcées, associées à des rituels de purification et accompagnées de gestes spécifiques pour descendre du lit. Notre expression «se lever du pied gauche» est vraisemblablement un résidu de ces pratiques ancestrales[40].

## Le rêve, moyen de pouvoir

La divination en général a toujours été liée au pouvoir. Attachés au roi, devins ou oniromanciens étaient consultés lors des affaires importantes concernant l'Etat.

Mais le rêve historique était lui-même le privilège d'une caste. Ce sont les membres du clergé ou le roi qui reçoivent de tels songes; on ne les rencontre qu'exceptionnellement chez un membre du peuple.

On trouve toutefois dans le Livre des juges, dans l'Ancien Testament, un rare songe allégorique en dehors de ceux interprétés par Joseph, raconté par un simple soldat de Gédéon avant une attaque : «J'ai eu un songe et voici! une galette de pain d'orge roulait dans le camp de Madian. Elle est arrivée jusqu'à la tente, l'a renversée sens dessus dessous et la tente est tombée; son camarade lui répondit : «Ce n'est pas autre chose que l'épée de Gédéon auquel Dieu va livrer Madian et tout son camp[109]»

En fait ces songes d'encouragement au moment de livrer bataille étaient fréquents. Certaines inscriptions d'Assurbanipal, dernier grand roi d'Assyrie, témoignent de l'importance accordée aux secours divins en songe.

Craignant une invasion, Assurbanipal s'adresse à la déesse Istar. Celle-ci répond par l'intermédiaire d'un prêtre qui assiste en songe à un dialogue entre Istar et le roi.

«La déesse Istar qui demeure à Arbeles entra (dans la pièce). A sa droite et à sa gauche pendaient des carquois; elle tenait l'arc à la main et l'épée acérée (tirée) prête au combat. Elle se dressait devant vous et vous parlait comme une véritable mère [...]. ‹Retarde l'attaque, dit-elle (car) partout où tu projettes d'aller, c'est moi qui en déciderai.› (Alors) vous lui avez dit : ‹Partout où vous irez, j'irai, très haute dame.› Mais elle réitéra son ordre : ‹Tu restes ici [...], mange, bois, réjouis-toi, honore ma divinité pendant que j'irai accomplir cette tâche et faire se réaliser les désirs de ton cœur. Alors ton visage ne sera plus pâle, tes pieds ne trembleront (plus), et tu n'auras plus besoin d'essuyer ta sueur (froide) même au plus fort du combat.› Sur ce, elle vous enveloppa dans son écharpe odorante, protégeant tout votre corps. (Alors) elle brilla comme un feu et sortit pleine de fureur pour défaire vos ennemis[40].»

La protection accordée en rêve par la déesse ou le dieu se réalise généralement sous une forme extraordinaire ou merveilleuse lors de l'éveil. Le roi égyptien Sethos eut en rêve la visite du dieu Ptah qui l'encourageait à aller au-devant des Arabes, alors que ses propres soldats lui faisaient défaut. Sethos se rendit sur le champ de bataille avec des boutiquiers et des artisans. Or, pendant la nuit, une horde de rats des champs envahit le camp ennemi, rongeant carquois, arcs et flèches, si bien que le lendemain Sethos mit sans peine l'armée arabe en déroute.

On peut se demander dans quelle mesure ces songes n'étaient pas inventés pour faire valoir les mérites d'un roi. En fait, les rêves jouaient souvent le rôle d'investiture divine. Et lors de l'accession d'un roi au pouvoir le rêve permettait de départager les prétendants. Lorsque la mère du deuxième calife de la dynastie des Abbassides, al-Mansur, était enceinte, en 754, «elle vit en songe un lion sortir de ses flancs, s'accroupir en rugissant et battre le sol de sa queue. Alors des lions surgirent de tous côtés et se dirigèrent vers lui; chacun d'entre eux venait se prosterner devant lui[110].»

Mais les songes ne sont pas toujours aussi fastes. Lorsqu'elle mit au monde al-Amin (en 790), sa mère vit en rêve trois femmes : «L'une d'elles me dit alors : ‹Ton fils sera un arbre verdoyant, une plante odoriférante fraîchement cueillie, un jardin florissant...› La deuxième continua : ‹Une source abondante, mais de brève durée, promptement tarie et bientôt disparue›. La troisième poursuivit : ‹Ennemi de l'hymen, faible dans son pouvoir, rapidement trompé, il sera renversé du trône›[110].»

## Les rêves de destinées sont souvent d'un symbolisme limpide

Ces rêves de destinées accompagnent presque toujours l'élévation d'un personnage important ou la naissance d'un héros. On les retrouve ainsi à l'origine de la carrière d'interprète de Joseph en Israël, dans l'épopée mythique de Gilgamesh en Babylonie ou encore dans la légende de Bouddha en Inde. «Joseph eut un songe, dit la Genèse, et il le raconta à ses frères qui le haïrent encore plus. Il leur dit : ‹Ecoutez donc ce songe que j'ai rêvé : nous étions en train de lier des gerbes dans le champ. Alors, ma gerbe s'est dressée et s'est tenue debout, vos gerbes l'ont entourée et se sont prosternées devant ma gerbe.› Ses frères lui dirent : ‹Vas-tu réellement régner et dominer sur nous?› Et ils le haïrent encore plus à cause de son rêve et de ses paroles.» (Genèse, XXXVII, 5-8.)

Comme dans le rêve des lions, le symbolisme est transparent, et le motif de l'élévation directement rendu par l'opposition du haut et du bas. La mère de Bouddha, Maya, rêvera qu'elle porte en elle un éléphant «blanc comme la neige ou l'argent, plus brillant que la lune et que le soleil, le meilleur des éléphants aux beaux pieds, bien balancé, aux fortes articulations, aux six défenses, dur comme le diamant, le magnanime, le très beau s'est introduit dans mon sein». Demandant aux brahmanes d'interpréter son rêve, ceux-ci lui répondirent : «[...] Un fils naîtra de Maya : son corps portera les marques caractéristiques issues d'une lignée royale, le magnanime sera monarque universel; il abandonnera sa capitale, le royaume, tous les désirs et son propre foyer; détaché de tout, par compassion pour les Trois Mondes, il se fera moine errant [...]. C'est lui qui sera le Bouddha [...]»

Ces rêves nous instruisent autant sur la place des animaux dans le bestiaire traditionnel que sur la vie des princes ou des héros. Il y a ici une étroite correspondance entre la destinée de Bouddha et l'animal puissant, porteur des richesses de l'ivoire et marcheur solitaire, que représente l'éléphant.

## Les rêves messages

Dans l'ensemble, ces rêves historiques ou légendaires sont déjà des rêves messages. Ils nous ont permis de montrer le rôle du rêve dans le pouvoir politique ou sacerdotal. Mais ce pouvoir vient de ce qu'en rêve ce sont les dieux qui communiquent directement avec les prophètes ou les rois. Pour cette raison, la révélation en songe a toujours été reconnue par l'ensemble des gouvernements de l'Antiquité, tandis que les rêves simplement humains faisaient l'objet de suspicion. Les rêves de l'Ancien Testament sont de tels rêves où le dieu d'Israël parle à son peuple.

**En Grèce, le dieu s'adresse au rêveur...**

En Grèce les apparitions du dieu pourront être déguisées, il prendra alors la forme d'un démon ou d'un ami du dormeur. Ces rêves s'adressent tous aux hommes, jamais aux femmes. Le dieu apparaît parfois au rêveur sous une forme gigantesque ou fantastique et l'appelle pour le tirer du sommeil. Ces rêves commencent généralement par un «Dors-tu?», adressé par le dieu au rêveur. Les songes de la Bible ne sont donc pas des rêves demandant des techniciens pour les interpréter, ce sont des communications personnelles du dieu avec son prophète.

Dans la Genèse, Yahvé converse ainsi avec Jacob : «L'envoyé de Dieu me dit en songe : ‹Jacob!› Je répondis : ‹Me voici - Je suis le dieu de Béthel... Maintenant lève-toi, sors de ce pays et retourne dans ton pays natal.› (Genèse, XXXI, 3 et 13.)»

Il est parfois difficile de différencier dans l'Ancien Testament le rêve et les visions divines. Le récit où Dieu ordonne à Abraham de sacrifier son fils commence en effet ainsi : «Dieu mit Abraham à l'épreuve et lui dit : ‹Abraham!› Il répondit : ‹Me voici!› Dieu dit : ‹Prends ton fils Isaac et offre-le en holocauste›. Le lendemain de bon matin Abraham chargea son âne et prit avec lui Isaac son fils. (Genèse, XXII, 1-3.)»

---

**...dans la Bible, il parle à travers lui**

---

Lorsque les rêves de la Bible deviennent plus allégoriques, ou symboliques, comme ceux du Pharaon, il y a toutefois une différence par rapport à la tradition des interprètes babyloniens ou égyptiens. En effet, Joseph ne prétend pas avoir une science des rêves, mais c'est Dieu qui parle à travers lui. Le dieu du judaïsme est donc, si l'on peut dire, son propre interprète. «Pharaon rêvait, et voici qu'il était au bord du Nil; il voyait sortir du Nil sept vaches, belles et grasses, paissant parmi les gens. Il voyait sept autres vaches sortir du Nil derrière elles. Elles étaient laides et maigres et se rangeaient à côté des autres sur les bords du Nil. Les sept vaches laides et maigres dévorèrent les sept vaches belles et grasses. Pharaon s'éveilla. Il se rendormit et eut un autre rêve. Il voyait sept épis pousser sur une tige, gros et beaux. Et voici que sept épis maigres et brûlés par le vent d'est poussaient après eux. Les épis maigres dévoraient les épis gros et pleins. Pharaon s'éveilla, et voici! c'était un songe (Genèse, XLI, 1-7).»

Le symbolisme de ces rêves est très simple. Joseph les interpréta en s'appuyant sur les symboles numériques et les symboles alimentaires qui forment la trame du récit : sept années d'abondance seraient suivies de sept années de disette.

## L'incubation

L'Antiquité développa une pratique particulière de recours aux dieux en songe, que l'on appelle «incubation». L'incubation était exercée très anciennement en Mésopotamie et en Egypte. Elle apparaît relativement tard en Grèce, vers le VIᵉ siècle avant Jésus-Christ. Lors d'une crise personnelle ou politique, le roi ou le prêtre se rendait au sanctuaire du dieu. Là il priait, pleurait et implorait celui-ci de lui venir en aide. Puis il s'endormait au pied de la statue du dieu qui pouvait alors lui rendre visite en songe. L'islam pratiquait une forme dérivée de l'incubation (l'istikhara) qui consistait à réciter une prière dans l'attente d'un rêve apportant une réponse.

En Egypte, la stèle du Sphinx relate le songe du pharaon Thoutmôsis IV qui, endormi aux pieds du Sphinx, vit le dieu. Il s'agit là d'une apparition spontanée.

L'incubation cherchait au contraire à provoquer systématiquement le songe. Il est cependant vraisemblable que les sanctuaires choisis pour l'incubation furent ceux où un dieu s'était d'abord manifesté spontanément. Si l'on pouvait se rendre soi-même au temple, on déléguait un ami.

Un papyrus égyptien relate le rituel d'incubation mis en service au temple d'Abydos pour le dieu Bès, «nain difforme à la tête emplumée et au visage grimaçant».

«Tu te rends dans une pièce sombre et propre, dont la façade s'ouvre au sud, et tu la purifies avec de l'eau additionnée de natron*. Puis tu prends une lampe

---

* *Natron* : carbonate de sodium cristallisé.

blanche, neuve, en laquelle n'entrent ni terre rouge ni eau de gomme, et tu y introduis une mèche propre, et tu l'emplis de vraie huile, après avoir au préalable écrit ce nom et ces figures sur la mèche avec une encre additionnée de myrrhe. Et tu poses cette lampe sur une brique neuve, devant toi, après avoir saupoudré le sol sous elle de sable ; et tu prononces ces formules au-dessus de la lampe, et tu regardes la lampe ; quand tu aperçois le dieu au voisinage de la lampe, tu l'étends sur une natte de roseau sans adresser la parole à qui que ce soit. Alors le dieu te répond en rêve[53]. »

## Les lieux d'incubation devinrent des cours des miracles

Il semble que peu à peu des sanatoriums furent associés à ces sanctuaires. La disposition du sanatorium de Dendera, en Egypte, est particulièrement révélatrice de ce fonctionnement médical de l'incubation. Une source ruisselait sur la statue d'Isis puis, y ayant puisé ses vertus miraculeuses, se déversait dans un long couloir qui desservait un ensemble de cellules où les malades se reposaient. Ceux-ci avaient alors des rêves qui, une fois interprétés par les onirocritiques, permettaient de prescrire telle ou telle forme de thérapeutique[53]. Les vertus de l'eau et la présence de la divinité sont encore aujourd'hui les attributs de nos lieux saints. Et si les rêves y sont absents, les visions y ont toujours une place prédominante.

Les patients de ces sanatoriums étaient tenus de noter ou de faire noter leurs rêves. S'il guérissait, le malade était alors converti en adepte du dieu et devait lui faire des présents. Le temple d'Esculape, en Grèce, était un centre thérapeutique d'incubation renommé. Les consignes à observer y étaient très strictes. Si bien qu'on raconte qu'Esculape ayant guéri des malades les avaient fait rechuter, car ils avaient oublié de le remercier. Le dieu peut aussi se montrer plus clément : un certain Polémon, lorsque Esculape lui défendit de boire de l'eau répondit : « Qu'auriez-vous prescrit pour une vache ? » et un autre, auquel il avait ordonné de manger du porc, dit : « Qu'auriez-vous prescrit pour un juif ? » Esculape

de bonne humeur aurait décidé de changer leurs traitements. La danse, la musique, le théâtre n'étaient pas
absents de ces centres thérapeutiques, et l'on peut
conclure avec Carl Alfred Meier que dans ces «cliniques» de l'Antiquité «l'ensemble, composé d'eau, de
serpents, d'arbres, d'art, de musique, de théâtre et d'un
culte chthonien\*, dont le point culminant arrivait la nuit
dans un rêve explique en grande partie les résultats mira-
culeux obtenus. Cet ensemble était, à n'en pas douter,
d'une portée plus grande que ce qui est offert dans les
lieux de guérison aujourd'hui, que ce soit dans une clinique d'université ou à Lourdes».

# Les clefs des songes

A la divination intuitive et inductive, qui caractérise les
songes des prophètes de la Bible, s'oppose une divination technique et «scientifique» comme celle pratiquée à
Babylone ou dans le monde arabe. Classer les rêves
selon les thèmes, les éléments ou les objets qui y
apparaissent fut l'objet des clefs des songes. Certaines
règles méthodologiques permettaient ensuite d'attribuer
telle ou telle signification aux faits classés.

Il y a eu, et il y a encore aujourd'hui, une grande diversité de clefs des songes. Parmi celles qui nous sont restées
de l'Antiquité on peut citer : le Livre des songes
assyrien, découvert dans les archives royales d'Assurbanipal, datant de 669-626 avant Jésus-Christ; certains
fragments de clefs égyptiennes remontant au deuxième
millénaire avant Jésus-Christ; en Inde, le soixante-hui-
tième traité versifié (Pariçishta), annexe de l'Atharva-
Véda, daté du V$^e$ siècle avant Jésus-Christ, qui s'inti-

---

\* *Chthonien* : de khthôn (la terre), caractérise les divinités des profondeurs de la terre ou des enfers.

tule : «Traité des songes»; enfin plus récemment, au IIe siècle, en Grèce, l'«Oneirocritica» d'Artémidore d'Ephèse rassemble près de trois mille rêves et fut pendant longtemps l'une des seules sources d'accès à notre passé onirique. L'«Oneirocritica» fut traduite par les Arabes en 873 et eut une influence certaine sur la tradition islamique. Mais les grands interprètes arabes, comme Ibn al-Mussayyab (en 705) et Ibn Sirin (en 728), sont antérieurs à cette traduction.

## Les techniques d'interprétation

L'établissement de clefs des songes permettait à l'interprète de recourir à des précédents pour fonder son interprétation. En fait, d'un interprète à l'autre, les analyses étaient éminemment variables, et comme aujourd'hui le contexte socioculturel présent influençait profondément l'interprétation. Les clefs des songes n'étaient cependant pas conçues au gré des changements culturels, et on peut y retrouver un certain nombre de constantes. Celles-ci semblent se retrouver dans les différentes civilisations antiques et sont encore au fondement des clefs des songes contemporaines.

La méthode la plus courante pour interpréter les songes se fondait sur l'analogie entre les éléments du rêve et les données de la vie quotidienne. Aristote disait : «Le plus habile interprète des songes est celui qui est capable de saisir les ressemblances.» Et il comparait le travail de l'interprète au reflet d'une image dans une eau mouvante que l'on essaie de reconstituer à partir des morceaux déformés et dispersés.

---

**Si un homme rêve qu'il est en deuil, c'est bon signe !**

---

Dans cette interprétation symbolique les ressemblances sautaient les barrières entre nature et culture, et les écarts entre les règnes animaux et végétaux. On peut relever dans un papyrus égyptien un certain nombre d'interprétations symboliques de ce genre. Les recueils de clefs des songes sont généralement composés de courtes phrases dont la première partie décrit le signe, et la seconde le présage.

«Si un homme se voit en rêve :

Voyant un serpent : bon; cela signifie provision.

Sa bouche pleine de terre : bon; c'est manger (les biens de ses concitoyens).

Se voyant en deuil : bon; c'est l'accroissement de ses biens.

Voyant un bœuf mort : bon; cela signifie voir la mort de ses ennemis.

Se voyant une face de léopard : bon; c'est agir en chef.

Assis dans un vignoble au soleil : bon; cela signifie plaisir.

Plongeant dans le fleuve : bon; c'est l'absolution de tous ses maux[53]»

Les valeurs accordées par les interprètes aux différents motifs du rêve correspondaient à la signification plus générale du serpent, du léopard ou de l'eau du fleuve dans les rituels égyptiens et s'intégraient ainsi dans la mythologie.

## Si un homme rêve d'oiseau, c'est signe de voyages

Les textes bibliques, le Coran ou autres documents culturels feront souvent foi dans ces rapports d'association. Nabulusî (1641-1731), auteur d'une encyclopédie des rêves, le «Ta'tîr», donne les préceptes d'interprétation suivants :

«Les éléments d'un rêve consistent dans le genre, l'espèce et la nature des choses. Le genre, par exemple, peut être arbre, animaux de proie et oiseaux, tous trois représentant l'homme. Si l'arbre est un palmier, l'homme qu'il représente est un Arabe, car la plupart des palmiers sont originaires de la terre des Arabes. Si l'oiseau est un paon, l'homme n'est pas un Arabe, ou si c'est une autruche, c'est un bédouin. La nature implique l'observation de la nature de l'arbre; ce faisant, on détermine la nature de l'homme. Si l'arbre est un noyer, on en déduit que l'homme et ses arguments sont brutaux dans une discussion; si c'est un palmier, on détermine que l'homme est un serviteur du bien. Mais si le sujet est un oiseau, on sait que c'est un homme qui voyage. Puis on observe la nature de l'oiseau; si c'est un paon, il s'agit d'un roi non arabe, beau et riche. Si c'est un aigle, il s'agit vraisemblablement d'un roi, mais si c'est un corbeau, l'homme est un pécheur, un traître et un menteur[110]. »

## Des rêves interprétés par le truchement du jeu de mots

Un autre trait caractérisant l'interprétation des songes, que n'aurait pas désavoué Freud, était le recours aux jeux de mots. Il faut savoir que les clefs des songes étaient souvent écrites sous une forme versifiée, et que les assonances entre deux mots faisaient naître la correspondance d'idée qui allait expliquer le rêve. Le pouvoir des mots et du langage avant toute signification, ce qu'on nommerait aujourd'hui le signifiant, semble donc remonter loin dans notre passé. En quelque sorte, le mot étant pris dans sa matérialité permettra de glisser vers un autre mot qui lui ressemble phonétiquement. De là naîtra le sens d'un présage.

D'après Oppenheim, ce genre de jeux de mots serait courant dans les livres égyptiens et chez Artémidore, mais plus rare dans les textes babyloniens. Il relève cependant cet exemple : «Si un homme rêve qu'il mange un corbeau (arbu) : rentrée de revenus (irbu); s'il rêve que quelqu'un lui a donné du bois de mihru : il n'aura pas de rival (mahiru)[40]. »

## Les rêves disent le contraire de ce qui va se produire

Une troisième méthode classique d'interprétation était de prédire le contraire de ce que l'image du rêve annonçait : «Si un homme rêve qu'il monte au ciel, ses jours (sur terre) seront courts; si un homme vous fait un cadeau, cela signifie une querelle[40]. »

En général, s'il vous arrive un bonheur, cela signifie un malheur et vice versa. Dans la clef des songes indienne de l'Atharva-Véda, on a ainsi :

«Atteint de chagrin, on obtient le bonheur et (se voir mort) est signe de longévité.

Avoir la tête coupée, son char brisé et plein de sang, c'est commandement aux armées, longévité et gain d'argent.

Avoir les oreilles tranchées est signe de gloire et de science.

Une main coupée, c'est assurance de postérité, un bras coupé, c'est la richesse.

Si c'est la poitrine qui est sectionnée, la chance est multipliée par mille; quant à la coupure d'un sein ou du pénis, c'est le présage du bonheur suprême[110].»

Artémidore dans l'«Oneirocritica» chercha à rendre compte de ces explications par le contraire. D'un malade demandant en rêve à Zeus s'il guérira, le dieu fait signe que oui, mais le malade meurt. Le rêve était-il trompeur? Non, parce qu'en faisant signe que oui le dieu baissait la tête et regardait vers la terre, demeure des morts[109].»

---

## Les rêves auraient une signification au second degré

---

En fait, Artémidore donne une lecture à double entrée des rêves et préfigure une interprétation ambivalente de ceux-ci :

«a. Avoir des oreilles d'âne n'est de bon augure que pour un philosophe, parce que l'âne ne se laisse pas convaincre et ne cède pas facilement. Pour tous les autres, cela signifie servitude et misère.

b. Le fait de prendre un bain : autrefois, le bain se prenait après un travail pénible, et aurait, par suite, indiqué sueur et larmes; aujourd'hui il est signe de richesse et de luxe, et par conséquent de bon augure.

c. Dormir dans le temple signifie, pour un malade, la guérison; pour le bien-portant, la maladie.

d. L'or, en soi, est de bon augure, mais si un homme porte un collier en or, c'est le contraire[110].

## Rêves types

On trouve encore dans la littérature onirique toute une série de conseils pour avoir de bons ou de mauvais rêves, et des classifications plus subtiles des rêves. Nous donnerons des exemples de catégories de rêves traitées par les clefs des songes. Cela permettra de voir l'étonnante diversité des sujets traités et de connaître le genre de scènes qui hantaient les rêves de nos ancêtres.

○ *Les rêves de fécondation*

Parmi les motifs oniriques les plus fréquents, on trouve les rêves auant trait à la fécondation ou à la naissance des enfants. Le symbolisme de la naissance est souvent rendu par des rêves d'animaux et des rêves d'urine. Dans le papyrus égyptien déjà cité, on peut relever :

«Si elle met au monde un chat, elle aura beaucoup d'enfants.

Si elle met au monde un chien, elle aura un garçon.

Si elle met au monde un âne, elle aura un enfant idiot.

Si elle met au monde un crocodile, elle aura beaucoup d'enfants[53].»

On a semblablement dans les clefs babyloniennes :

«Si un homme rencontre un singe (ou un renard), il aura des enfants[110].»

Dans le Livre des songes d'Assurbanipal, l'urine, étant prise pour un équivalent du liquide séminal, donne une floraison d'interprétations inattendues.

«Si son urine s'étend par-devant son pénis sur le mur et se répand dans la rue, il aura des enfants.

Si son urine s'étend par-devant son pénis et s'il se prosterne devant son urine, il aura un fils qui deviendra roi.»

L'urine est d'ailleurs plus généralement symbole d'abondance.

«S'il asperge avec son urine, son troupeau s'accroîtra.

S'il boit l'urine de sa femme, cet homme connaîtra l'abondance.[40].»

Cette symbolique se retouve en Islam où «un homme ayant vu en songe le calife Abd al-Malik uriner dans la direction de la mosquée du Prophète à Médine, et cela quatre fois, ‹si son rêve est vrai, dit Ibn al-Mussayyah, il lui succédera quatre califes de sa descendance›[110].»

On remarquera enfin que les rêves d'incubation étaient souvent en rapport avec des problèmes de stérilité ou d'impuissance.

○ *Les rêves sexuels*

Les rêves ayant trait à la sexualité sont aussi nombreux et variés dans les diverses civilisations. En Egypte, on a par exemple :

«Faisant l'amour avec sa mère : bon ; ses concitoyens feront bande avec lui.

Faisant l'amour avec sa sœur : bon ; c'est que quelque chose lui sera transmis.

Faisant l'amour avec une vache : bon ; c'est passer un jour heureux chez soi.

Faisant l'amour avec une gerboise : mauvais ; un procès sera intenté contre lui.

Faisant l'amour avec une femme : mauvais ; cela signifie un deuil.

Voyant le sexe d'une femme : mauvais ; le dernier degré de la misère vient sur lui.

Faisant l'amour avec un cochon : mauvais ; c'est la perte de ses biens[53].»

«Si une femme embrasse son mari, elle aura du chagrin.

Si un cheval s'unit à elle, elle sera violente avec son mari.

Si un âne s'unit à elle, elle sera punie d'une grande faute.

Si un bouc s'unit à elle, elle mourra promptement.

Si un bélier s'unit à elle, Pharaon sera plein de bonté pour elle.

Si un Syrien s'unit à elle, elle pleurera, car elle laissera un esclave s'unir à elle[53].»

On peut remarquer que, s'il y a un interdit de l'inceste dans la réalité sociale, en rêve cet interdit est levé. De plus, pour l'Egyptien, il devient un présage favorable.

En Inde, voir de l'or, des oiseaux qui volent ou qui se posent sur un étang de lotus, c'est être sûr d'obtenir une femme; et l'homme qui se voit monté sur un éléphant en rut obtient la femme d'un autre. Mais l'homme lié par des chaînes de fer obtient une vierge en mariage[109].»

○ *Le rêve et la mort*
La clef des songes babylonienne donne une place importante aux voyages infernaux.

«Si un homme descend aux Enfers : il mourra, mais il ne sera pas enterré dans la terre.

Si un homme descend aux Enfers, et si des morts sont vus, en peu de temps, il aura des morts dans sa famille.

Si un homme descend aux Enfers, et si le mort apparaît, un mauvais esprit saisira cet homme; il a reçu en rêve l'avertissement des dieux.

Si un homme descend aux Enfers, et si un homme l'embrasse, il mourra; sa mort sera provoquée par le froid.

Si un homme descend aux Enfers, et si un mort le mord, il mourra par suite de la chute d'une charpente de toiture[109].»

En Inde, celui qui, en rêve, tue un serpent blanc, jaune ou rouge et celui qui coupe la tête d'un serpent noir perdent leur fils[109].

Nous joindrons à ces interprétations un très beau rêve de mort de la littérature sumérienne. Le dieu Tammuz venant de faire un rêve funeste appelle sa sœur Gestinana et lui raconte son rêve : «Dans mon rêve, ô ma sœur qui connaît bien les rêves, des joncs jaillissaient pour moi, des joncs grandissaient pour moi, un roseau qui croissait à l'écart secoua sa tête pour moi; de deux autres, l'un fut arraché; dans le bois, un grand arbre se déracina de lui-même pour moi! sur mon cœur pur on répandit de l'eau pour moi : la baratte pure fut renversée de son socle; le pur gobelet pendu à un clou en fut arraché; ma canne me fut enlevée [...]. Nous sommes dans l'univers quotidien des bergers sumériens : la scène du rêve représente l'état d'un camp de bergers après la passage d'une troupe de brigands.

Gestinana répondit à Dumuzi : «Mon frère, ton rêve n'est pas favorable, il ne peut être effacé. Des joncs ont jailli pour toi, des joncs ont grandi pour toi, cela signifie : des bandits se dresseront contre toi au cours d'une razzia ; un roseau solitaire secouait sa tête pour toi, cela signifie : la mère qui t'a porté se frappera la tête pour toi ; de deux roseaux l'un était arraché, cela signifie : moi et toi, l'un des deux sera arraché [...] ; ton gobelet pur accroché à un clou en était arraché, cela signifie : tu tomberas des genoux de la mère qui t'a enfanté [...].» Dans la suite du récit le héros fera des efforts désespérés pour échapper au sort, mais finalement il arrivera là où le rêve avait prédit que des brigands le tueraient et ainsi la prophétie se réalisera.

On voit bien à travers ce récit comment l'interprétation des songes élucidait une à une chacune des images du rêve. La clef du rêve est ici l'identification entre les joncs et les bandits ; la mère, la sœur et le frère, chacun étant représenté par un roseau. L'interprétation se fonde tantôt sur une analogie inversée («des joncs ont grandi pour toi» est changé en son contraire : «des joncs se dresseront contre toi»), tantôt sur un symbolisme direct (le roseau qui secoue la tête est la mère qui a du chagrin, le roseau arraché est la mort de Tammuz).

○ *Les rêves de nourriture*
De la mort à la nourriture, l'anthropophagie fait le lien. On trouve effectivement dans les rêves assyriens des rêves anthropophagiques ainsi que des rêves autophagiques*

«S'il mange la chair de sa main, sa fille mourra.
S'il mange la chair de son pied, son fils aîné mourra.
S'il mange la chair de son pénis, son fils mourra.
S'il mange le pénis de son ami, il aura un fils[109].»

Il est vraisemblable que les symbolisme de manger son pied correspond à ce que nous appellerions «perdre son bâton de vieillesse».

*autophagique : qui mange sa propre chair.

Des expressions comme «donner sa main» ou «prendre son pied» sont encore chez nous des symboles en usage. Il ne faut pas oublier non plus qu'autrefois la main et le pied jouaient un rôle important, aussi bien pour se nourrir, puisqu'on mangeait avec les mains, que pour préparer les aliments, puisqu'on foulait les céréales au pied. On voit ici que l'équation freudienne du pénis avec les enfants n'est qu'une des analogies possibles entre le corps humain et sa descendance.

C'est sans doute une culture sensible à des pratiques technologiques primitives bien éloignées de la nôtre qui a pu produire de telles clefs des songes. En témoigne encore le rapport aux matières fécales dont vraisemblablement les Anciens devaient connaître la valeur d'engrais.

On lit en effet en Egypte :

«S'il mange la crotte d'un bélier, il deviendra propriétaire d'un champ[53].»

Et en Babylonie :

«S'il mange des matières fécales de son ami, ses affaires seront prospères, il aura de la chance.

S'il mange les matières fécales des animaux sauvages, il sera riche[109].»

D'autre part, les différents rapports aux boissons ou aux viandes que l'on peut trouver dans ces clefs traduisent une sorte de recueil médical alimentaire de ce qui était alors considéré comme bon ou nocif. La clef babylonienne note :

«S'il mange de la viande de chien : rébellion. Il n'obtiendra pas ce qu'il désire.

S'il mange de la viande de gazelle : maladie.

S'il mange de la viande de taureau sauvage : il vivra longtemps.

Si quelqu'un lui donne à boire de l'eau : il vivra lontemps.

Si quelqu'un lui donne à boire de la bière, les gens lui parleront et il ne s'en souviendra pas.

Si quelqu'un lui donne à boire du vin, ses jours seront écourtés.

Si quelqu'un lui donne à boire de l'eau de rivière, il fera

un gain considérable.

Si quelqu'un lui donne à boire de l'eau de fossé : dispute.

Si quelqu'un lui donne à boire de l'eau de canal : le dieu Adad inondera la récolte[109].»

Chaque animal et chaque eau avaient ainsi des qualités oniriques. La clef des songes préfigure très simplement les analogies complexes que les alchimistes du Moyen Age rechercheront entre les éléments.

○ *Rêves et tempéraments*

Nous terminerons sur une théorie des rêves qui fut souvent avancée pour réfuter les interprétations des oniromanciens. Les médecins de l'Antiquité expliquaient les rêves à partir des différents tempéraments des individus. Abd al-Ghani an-Nabulusi ne considéra cependant les rêves inspirés par les humeurs que comme une variété parmi les autres. Que ce soit en Islam ou en Egypte, on rapportait alors les rêves aux trois ou quatre tempéraments distingués selon les cultures : bilieux, flegmatique, sanguin. Nous citerons un texte de l'Atharva-Véda en Inde :

«Les gens de tempérament bilieux, même nés sous le signe de la Lune, sont de nature brûlante ; en rêve ils voient des paysages jaune d'or et, dans ces paysages, des temples et des multitudes qui ont l'éclat jaune de la bile, des contrées pleines de fleurs rouges, une terre aride à l'eau impure, des buissons, des lianes, des arbres desséchés, une grande forêt en flammes. Il voient aussi des vêtements en loques et des corps ensanglantés [...]. Souffrant de la chaleur et recherchant le frais, ils se baignent, boivent, se disputent et éprouvent de la douleur. Ils sont raillés, épuisés, harcelés par les femmes.

Les gens de naturel flegmatique sont toujours affamés et altérés. Dans leurs rêves, ils voient un charmant bosquet de santal, des *butea frondosa* en boutons, des forêts de lotus, des rivières limpides aux eaux claires, limpides et fraîches, parfois couvertes de brume, d'énormes masses de neige, des cornes d'abondance regorgeant de perles et de joyaux, des tiges de lotus. Ils voient des sangliers, des oiseaux, des buffles, des gazelles et des éléphants de trait ainsi que des cygnes sillonnant les nuées parsemée d'étoiles [...]. Ils voient des femmes ointes de parfums, bien habillées, très parées, des plantes sucrées jaunes ou blanches, tout cela très souvent en grande quantité.

En rêve, les hommes d'un tempérament sanguin voient des paysages où les nuages ont été balayés par le vent, des monts, des terrains et des forêts où soufflent les ouragans, une quantité d'étoiles et de planètes obscurcies, le disque de la lune privé de son rayonnement [...], des compagnies d'oiseaux errants, des gazelles et des pâtres agités. Ou bien les nuages, les montagnes, les forêts et les boqueteaux se déplacent, frappent, courent et tombent des hauteurs[109]. »

Ces rêves qui suivent notre nature n'ont pas à être interprétés et ne peuvent contenir de présages.

# Les rêves dans la littérature

Nous rêvons différemment selon les époques, c'est ce qui est apparu en confrontant les rêves des grands écrivains français, anglais et allemands. De plus, d'après Jacques Bousquet, le rêve, tel que nous le connaissons aujourd'hui, ne daterait que de 1780 :

« — de 1780 à 1800, prédominent les images de ciel (rêves heureux) ou d'anéantissement (mauvais rêves) ;
— de 1800 à 1840, prédominent les images de jardin (rêves heureux) ou de souterrain (mauvais rêve) ;
— de 1840 à 1870, prédominent les images de nature ou de ville (la distinction entre les images de rêves heureux et celles de mauvaus rêves s'estompe) ;
— de 1870 à 1900, triomphent les images de ville ;

— de 1900 à 1930, prédominent les thèmes existentialistes (loi inconnue, quête désespérée...);
— depuis 1930, prédominent les images bizarres isolées (surréalisme)»[17].

# Le rêve, muse de la littérature

Poèmes, contes et romans furent souvent inspirés par les rêves de leurs auteurs. Horace Walpole écrit à propos de son roman «le Château d'Otrante» :
«Vous confesserais-je quelle fut l'origine de mon roman? je m'éveillai un matin au début de juin dernier, en rêvant. Tout ce que je pouvais retrouver de mon rêve était que je m'étais vu dans un ancien château (un rêve très naturel, pour une tête comme la mienne, remplie d'histoires gothiques) et que, de la plus haute balustrade d'un grand escalier, j'apercevais une tête gigantesque dans une armure. Le soir, je m'assis et commençais à écrire sans savoir le moins du monde ce que j'avais l'intention de dire ou de raconter[17]».

# L'ami du poète

Très souvent, il sera difficile de faire la part entre ce qui est rêve réellement vécu et imagination du poète. Mais le poète n'est-il pas par excellence celui qui a rompu la barrière entre le rêve et la réalité?

*Edgar Poe : Les jardins merveilleux*
«Les détours devenaient de plus en plus fréquents et compliqués et semblaient souvent revenir sur eux-mêmes, en sorte que le voyageur avait depuis longtemps perdu toute idée d'orientation. De plus, il était enve-

loppé d'un sentiment exquis d'étrangeté. L'idée de la nature subsistait encore, mais altérée déjà, et subissant dans son caractère une curieuse modification; c'était d'une symétrie mystérieuse et émouvante, une correction magique dans ces ouvrages nouveaux. Pas une branche morte, pas une feuille desséchée ne se laissait apercevoir; pas un caillou égaré, pas une motte de terre brune. L'eau cristalline glissait sur le granit lisse ou sur la mousse immaculée avec une acuité de ligne qui effarait l'œil et ravissait en même temps!»(*le Domaine d'Arheim; Gallimard*)

*Gérard de Nerval : Rêve d'amour*

«Je me vis dans un petit parc où se prolongeaient des treillis en berceaux chargés de lourdes grappes de raisins blancs et noirs; à mesure que la dame qui me guidait s'avançait sous ces berceaux, l'ombre des treillis croisés variait pour mes yeux ses formes et ses vêtements. Elle en sortit enfin et nous nous trouvâmes dans un espace découvert. On y apercevait à peine la trace d'anciennes allées qui l'avaient jadis coupé en croix. La culture était négligée depuis de longues années, et des plants épars de clématites, de houblon, de chèvrefeuille, de jasmin, de lierre, d'aristoloche étendaient entre des arbres d'une croissance vigoureuse leurs longues traînées de lianes. Des branches pliaient jusqu'à terre chargées de fruits, et parmi des touffes d'herbes parasites s'épanouissaient quelques fleurs de jardin revenues à l'état sauvage.

De loin en loin s'élevaient des massifs de peupliers, d'acacias et de pins, au sein desquels on entrevoyait des statues noircies par le temps. J'aperçus devant moi un entassement de rochers couverts de lierre d'où jaillissait une source d'eau vive, dont le clapotement harmonieux résonnait sur un bassin d'eau dormante, à demi voilée de larges feuilles de nénuphar.

La dame que je suivais, développant sa taille élancée dans un mouvement qui faisait miroiter les plis de sa robe en taffetas changeant, entoura gracieusement de son bras nu une longue tige de rose trémière, puis elle se mit à grandir sous un clair rayon de lumière, de telle sorte que peu à peu le jardin prenait sa forme et les parterres et les arbres devenaient les rosaces et les festons de ses vêtements; tandis que sa figure et ses bras imprimaient leurs contours aux nuages pourprés du ciel. Je la perdais ainsi de vue à mesure qu'elle se transfigurait, car elle semblait s'évanouir dans sa propre grandeur. "Oh! ne fuis pas! m'écriais-je... car la nature meurt avec toi!"

Disant ces mots, je marchais péniblement à travers les ronces, comme pour saisir l'ombre agrandie qui m'échappait; mais je me heurtais à un pan de mur dégradé, au pied duquel gisait un buste de femme. En le relevant, j'eus la persuasion que c'était le *sien*...

Je reconnus des trait chéris, et portant les yeux autour de moi, je vis que le jardin avait pris l'aspect d'un cimetière. Des voix disaient : "L'univers est dans la nuit!"»
(*Aurélia*)

## Jean-Paul* : Le cauchemar de la main coupée

«Hurlant de douleur, ricanant de joyeuse colère, le fou surgit de derrière le tertre, bondissant dans la plaine de la félicité. Il tenait dans sa main droite une main coupée, toute sanglante, que dans son délire il venait de trancher et, de son moignon gauche, il secouait des ruisseaux de sang; de la main droite il saisit une bêche pour enterrer son autre main[17]...»

## Jean-Paul : Chaos et Création

«Je ne sais plus très bien comment et où exactement commença mon rêve. Tel un chaos le monde invisible voulait enfanter toutes choses ensemble : les formes naissaient sur les formes, des fleurs devenaient arbres, puis colonnes de nuages et à leur sommet surgissaient des visages et des fleurs. Alors je vis une vaste mer vide où nageait seulement, fortement ballotté, le petit œuf gris et tacheté de l'univers. Dans le rêve on me donnait (mais je ne sais qui) le nom de toutes choses. Alors un fleuve

* Les rêves de Johann Paul Richter, dit Jean-Paul (un des modèles du romantisme allemand, 1763-1825), ont eu une importance énorme dans l'histoire de la vision humaine. Ils marquent la possibilité de décompositions et de regroupements quasi infinis des données sensorielles.

portant le cadavre de Vénus traversa la mer ; le fleuve s'arrêta et la mer continua à couler au long de lui. Sur quoi il se mit à neiger des étoiles lumineuses, le ciel devint vide mais à la place du soleil à midi s'alluma une rougeur matinale ; la mer, au-dessous de cette place, s'enfonçait pour, à l'horizon, s'amonceler sur elle-même en d'énormes et blafards replis de serpent, jusqu'à la voûte du ciel ; et au-dessous, des profondeurs de la mer, montaient, venus de mines innombrables, des hommes tristes comme des morts : c'était leur naissance, Une épaisse obscurité de mine se répandait derrière eux, mais un ouragan s'abattit sur la fumée et, l'étalant, en fit une mer. Il montait et descendait avec violence, maltraitant toutes les vagues ; tout en haut, cependant, dans la tranquillité bleue, une abeille d'or, chantant doucement, volait, lentement, vers une étoile ; elle y suça le suc des fleurs blanches et, tout autour de l'horizon, s'élevaient des tours impassibles avec des paratonnerres éclatants jusqu'à ce que, à nouveau, apparurent des nuages énormes, pareils à des bêtes féroces, qui dévorèrent le ciel[17]. »

### Arthur Rimbaud : *Rêve d'intimité*

« J'étais dans une chambre sans lumière. On vint me dire qu'elle était chez moi : et je la vis dans mon lit. Toute à moi sans lumière ! Je fus très ému, et beaucoup parce que c'était la maison de famille : aussi une détresse me prit ! J'étais en haillons, moi, et elle, mondaine, qui se donnait : il lui fallait s'en aller ! Une détresse sans nom : je la pris et la laissai tomber hors du lit, presque nue ; et, dans ma faiblesse indicible, je tombai sur elle et me traînai avec elle parmi les tapis, sans lumière ! La lampe de la famille rougissait l'une après l'autre les chambres voisines. Alors, la femme disparut... » (*Les déserts de l'amour*, Gallimard)

# Le rêve, surréaliste par essence

*Lautréamont : Les premiers rêves surréalistes*
«Il a seize ans et quatre mois! Il est beau comme la rétractibilité des serres des oiseaux rapaces, comme l'incertitude des mouvements musculaires dans les plaies des parties molles de la région cervicale postérieure ou, plutôt, comme ce piège à rats perpétuel, toujours retendu par l'animal pris...; et surtout, comme la rencontre fortuite sur une table de dissection d'une machine à coudre et d'un parapluie.» (*Œuvres complètes, Gallimard*).

*André Breton : Un rêve dans le rêve*
«Le soir, avec un ami, nous dirigeant vers un château qui serait aux environs de Lorient. Sol détrempé. Eau bientôt jusqu'à mi-jambes, cette eau de couleur crème, avec des traces de vert d'eau, d'un aspect louche et pourtant très agréable. Beaucoup de lianes au-dessus desquelles file un admirable poisson en forme de fuseau crêté, d'un éclat pourpre et feu très métallique. Je le poursuis mais, comme pour me narguer, il accélère son allure tout en fuyant vers le château. Je crains de tomber dans un trou. Sol plus sec. Je lui lance une pierre qui ne l'atteint pas ou qui l'atteint au front. A sa place, c'est maintenant une femme-oiseau qui me renvoie la pierre. Celle-ci tombe dans l'écartement de mes pieds, ce qui m'effraie et me fait renoncer à ma poursuite.

Les dépendances du château. Un réfectoire. C'est qu'en effet nous sommes venus "pour le haschisch". Beaucoup d'autres gens sont là pour la même raison. Mais voilà, s'agit-il bien de véritable haschisch? Je commence par en absorber la valeur de deux cuillerées (un peu rousses, pas assez vertes à mon gré) dans deux petits pains ronds et fendus analogues à ceux qu'on sert pour le petit déjeuner en Allemagne. Je ne suis pas très fier de la manière dont je me le suis procuré. Les serviteurs qui m'entourent se montrent assez ironiques. Le haschisch qu'ils m'offrent, quoique plus vert, n'a toujours pas précisément le goût que je connais.

Chez moi, le matin. Chambre semblable à la mienne mais qui va s'agrandissant. Il fait encore sombre. De mon lit je distingue dans l'angle gauche deux petites filles d'environ deux et six ans, en train de jouer. *Je sais que j'ai pris du haschich et que leur existence est purement hallucinatoire.* Nues toutes deux elles forment un bloc blanc, mouvant, des plus harmonieux. *C'est dommage que j'aie dormi, l'effet du haschich va sans doute bientôt cesser.* Je parle aux enfants et les invite à venir sur mon lit, ce qu'elles font. *Quelle impression extraordinaire de réalité! Je fais observer à quelqu'un,* qui doit être Paul Eluard, *que je les touche (et en effet je me sens serrer dans la main leur avant-bras près du poignet), que ce n'est plus du tout comme en rêve où la sensation est toujours plus ou moins émoussée, où manque on ne sait quel élément indéfinissable, spécifique de la sensation réelle, où ce n'est jamais parfaitement comme lorsqu'on se pince, se serre "pour de bon". Ici, par contre, il n'y a aucune différence. C'est la réalité même, la réalité absolue. La plus petite des enfants, qui s'est assise à califourchon sur moi, pèse exactement sur moi de son poids, que j'évalue, qui est bien le sien. Elle existe donc. Je suis, en faisant cette constatation, sous une impression merveilleuse* (la plus forte que j'aie atteinte en rêve). Sexuellement pourtant je ne prends aucun intérêt à ce qui se passe. Une sensation de chaleur et d'humidité sur la gauche me tire de mes réflexions. C'est l'une des enfants qui a uriné. Elles disparaissent simultanément.

Entrée de mon père. Le parquet de la pièce est jonché de petites mares presque sèches et seulement encore brillantes sur le bord. Au cas où l'on me ferait une remarque à ce sujet, je songe à accuser les petites filles. *Mais à quoi bon si elles n'existent pas, plus exactement si je ne puis rendre compte de leur existence à quelqu'un qui n'a pas pris de haschich? Comment justifier l'existence «réelle» de ces mares?* Comment me faire croire? Ma mère, très mécontente, prétend que tout son ameublement a, naguère, été souillé ainsi, par ma faute, à Moret. Je suis de nouveau seul et couché. Tout sujet d'inquiétude a disparu. La découverte de ce château me paraît providentielle. Quel remède contre l'ennui! Je songe, avec ravissement, à l'étonnante netteté de l'image de tout à l'heure. Aussitôt voici les petites filles qui se reforment au même point, *elles prennent vite une intensité terrifiante. Je sens que je deviens fou. Je demande à tue-tête qu'on allume. Personne ne m'entend.* » (Rêve du 5 avril 1931. Réveil 6 h 30 du matin. Notation immédiate, in A. Breton : *Les Vases communicants*, Paris, Gallimard, 1955).

*Thomas De Quincey : La bien-aimée retrouvée*
« Je pensais que c'était un dimanche matin en mai; le dimanche de Pâques et très tôt dans la matinée. Je me tenais debout, me semblait-il, à la porte de ma petite maison. Devant moi se présentait le paysage précisément qu'on peut voir de là, mais exalté, comme à l'ordinaire, et rendu solennel par le pouvoir des rêves. C'étaient les mêmes montagnes, et, à leur pied, la même délicieuse vallée; mais les montagnes s'élevaient à des hauteurs qui dépassaient les Alpes et il y avait, entre elles, des espaces beaucoup plus grands de savanes et de clairières; les haies étaient riches de roses blanches; et on ne pouvait voir aucune créature vivante, si ce n'est que, dans le cimetière verdoyant, des bêtes reposaient, paisiblement, sur les tombes herbeuses, et particulièrement autour de la tombe d'un enfant que j'avais autrefois, tendrement aimé, juste comme je les avais vues, dans la réalité, un peu avant le lever du soleil, l'été où cet enfant était mort. Je laissais aller mes yeux sur ce paysage bien connu, et je me disais « Le jour n'est pas encore tout à fait levé; et c'est le dimanche de Pâques; et c'est le jour où on célèbre les premières grâces de la Résurrection. Je vais aller me promener; les vieux soucis, aujourd'hui, seront oubliés ». Je me retournais, donc, comme pour ouvrir la barrière de mon jardin, et immédiatement, je vis, sur ma gauche, une scène complètement différente mais que, cependant, le pouvoir des rêves avait harmonisée avec la première. Cette scène était orientale; là aussi c'était le dimanche de Pâques, très tôt dans la matinée. Tout au loin, on apercevait, comme une tache sur l'horizon, les

dômes et les coupoles d'une grande cité image ou plutôt demi-idée venue peut-être de quelque gravure de Jérusalem vue dans mon enfance. Et, à moins d'une portée de flèche de moi, sur une pierre, ombragée de palmiers de Judée, une femme était assise ; je la regardais, c'était Ann ! Elle fixait ses yeux sur moi, avec gravité ; et je lui dis, après un temps : «Ainsi donc, je t'ai enfin retrouvée». J'attendais ; mais elle ne répondit pas un mot. Son visage était le même et cependant combien différent ! Dix-sept ans plus tôt, alors que la lumière des lampes de Londres redoutable tombait sur son visage, quand, pour la dernière fois, je baisais ses lèvres (des lèvres, Ann, qui, pour moi, n'étaient pas souillées !), ses yeux étaient remplis de larmes. Maintenant il n'y avait plus de larmes. Par moments elle semblait changée ; et cependant, à d'autres moments, elle n'était *pas* changée, à peine plus vieille. Son air était tranquille, avec, seulement, une expression solennelle inhabituelle, et je la regardais, maintenant, avec une certaine crainte. Soudain son apparence se troubla ; je me retournais vers les montagnes et je vis des vapeurs qui roulaient entre nous ; brusquement tout disparut ; une lourde obscurité envahit la scène ; et, en un clin d'œil, je me trouvais, loin des montagnes, marchant de nouveau au côté d'Ann, à la lumière des lampadaires, à Londres, — juste comme nous marchions, alors que nous étions deux enfants, dix-huit ans plus tôt, le long des terrasses sans fin d'Oxford Street». (*Confessions d'un Anglais mangeur d'opium*, Gallimard, 1975).

# Le rêve, moyen de comprendre

### *Rêve de femme*
«Rêve : Elle aperçoit, dans un désert, trois lions. L'un d'entre eux rit. Elle n'en a pas peur ; ensuite elle les a sans doute fui tout de même, car elle veut grimper à un

arbre. Mais là-haut elle trouve sa cousine qui est professeur de français, etc.

L'analyse nous apprend les faits suivants : le prétexte indifférent du rêve est une phrase de son devoir anglais : «la crinière est la parure du lion». Son père portait une barbe qui encadrait son visage comme une crinière. Son professeur d'anglais s'appelle Miss Lyons. Un ami lui a envoyé les Ballades du compositeur Loewe (= lion). Voilà donc les trois lions : pourquoi en aurait-elle peur ? Elle a lu un récit où un nègre qui avait fomenté une rebellion est traqué avec des chiens braques et pour se sauver grimpe à un arbre. Suivent, avec une gaieté croissante, d'autres bribes de souvenirs : le procédé pour attraper les lions préconisé par les Fliegende Blätter : on prend un désert, on le passe au tamis; les lions restent dessus. Puis une anecdote très drôle mais un peu osée : on demandait à un fonctionnaire pourquoi il ne faisait pas plus d'efforts pour gagner la faveur de son chef; il répondit : «J'ai bien essayé de me glisser là, mais mon ancien était déjà dessus». Cet ensemble nous paraîtra très clair quand nous saurons que la dame a reçu la veille du rêve la visite du chef de son mari. Il a été très galant avec elle, lui baisa la main — et elle n'a pas eu peur du tout, bien qu'il soit une «grande bête» (= «grosse légume»), et le «lion de la société» de la ville. Le lion du rêve est donc semblable à celui du Songe d'une nuit d'été (le menuisier), et tous les lions de rêve dont on n'a pas peur sont ainsi[16].»

### Rêve d'homme

«Rêve : Il voit deux garçons qui se battent. Il conclut, des objets qui se trouvent autour d'eux, que ce sont des fils de tonneliers. L'un des garçons a jeté l'autre à terre, celui-ci a des pendants d'oreille avec des pierres bleues. Il se précipite la canne haute sur le brutal, pour le châtier. L'enfant se réfugie vers une femme, comme si c'était sa mère; elle est debout près d'une palissade. C'est une femme de journalier, elle tourne le dos au rêveur. Elle se retourne enfin et lui jette un regard effrayant. Epouvanté il s'enfuit. On voyait la chair rouge de la paupière inférieure qui avançait sous les yeux.

Interprétation : Ce rêve a fortement mis en valeur quelques circonstances du jour précédent. Il a réellement vu la veille dans la rue deux enfants dont l'un jetait l'autre à terre. Comme il y allait pour rétablir l'ordre, ils ont pris la fuite tous deux. Un autre rêve dans l'analyse duquel il a employé l'expression : «se débonder», explique pourquoi c'était des enfants de tonneliers. Il a expliqué que les prostituées portent le plus souvent des pendants d'oreille garnis de pierres bleues. Une chanson populaire sur deux garçons dit : «l'autre garçon s'appelait Marie» (c'était une fille). La femme debout : après la scène des deux garçons, il est allé se promener le long du Danube et il a profité de la solitude pour uriner contre une palissade. Un peu plus loin, le long du chemin, une vieille dame bien mise lui sourit aimablement et lui tendit sa carte de visite. La femme se tenant dans son rêve comme lui au moment où il urinait, il est clair qu'il s'agit d'une femme qui urine; de là viennent le regard effrayant et la chair rouge, qui ne peut indiquer que le sexe béant, dans cette posture; cela réapparaît dans ses souvenirs comme il l'avait vu dans son enfance, mais cette fois sous l'espect de chair morte, de blessure. Le rêve réunit les deux cas où le petit garçon avait pu voir le sexe des petites filles : quand elles étaient jetées par terre et quand elles urinaient; comme il résulte de la suite de ce rêve, il se rappelait avait été châtié ou menacé par son père à cause de la curiosité qu'il avait manifestée à ces occasions[16].»

# Rêve de ville

«Je vois souvent Paris. Jamais comme il est. C'est une ville inconnue, absurde et de tous aspects. Je l'entoure d'une rivière étroite très encaissée entre deux files d'arbres quelconques. Des toits rouges luisent entre des verdures vertes. Il fait un lourd temps d'été, avec de gros nuages extrêmement foncés, à ramages, comme dans les ciels des paysages historiques, et du soleil des plus jaunes à travers. Un paysage paysan, vous voyez. Pourtant, quand je jette les yeux du côté de la ville, sur l'autre rive, il y a encore des maisons, cours et cités où sèchent des lignes et d'où partent des voix, les horribles maisons de plâtre du vrai Paris suburbain, qui rappellent assez la plaine Saint-Ouen et toute cette rue militaire du Nord, mais plus clairsemée en plus d'accidents. J'ai toujours peur par là, et ça y sent la tradition d'attaques nocturnes et autres. Serait-ce une trop vague réminiscence d'un canal Saint-Martin fantomatique ?

Je ne sais comment on pénètre dans la ville proprement dite et c'est sans transition que me voici sur trois places successives, toutes les mêmes, petites, carrées, maisons blanches à arcades. Sur le trottoir et sur la chaussée pas un chat, qu'un commissionnaire qui, je ne sais pourquoi, me parle et me montre du doigt la plaque indicatrice au coin d'une des places. Il rit, trouve ça bête, je ne me souviens plus à quel propos, et j'oublie le nom de la place que j'ai pourtant lu. Il m'indique l'ambassade d'Angleterre où je me rends. C'est sur une place dans une des maisons basses à arcades. Un grenadier rouge monte la garde : bonnet à poil sans rien après, plumes, cocarde ni orfèvreries. Courte tunique à parements blancs, pantalon noir à liseré rouge mince. J'entre, je gravis un escalier officiel de granit blanc à haute rampe. Sur les marches et sur la rampe sont assis ou couchés et vautrés des Ecossais et des Ecossaises en poses plus ou moins abandonnées. A l'espèce d'entresol où mène l'escalier, la scène change ou plutôt s'accentue. O de quelle bizarre sorte ! C'est une façon de corps de garde : des armes brillantes rangées en un coin, et sur les lits de camp et sur le parquet de dalles. Presque nus, toujours avec quelque partie caractéristique de costume, la toque à plume d'aigle, la courte jupe rayée vert et rouge, ou les brodequins, hommes et femmes, chastes et si blancs, si lestes ! se meuvent en de fiers jeux, en des badinages courageux que scandent fraîchement ces rires à belles dents, ces chansons à tue-tête de leurs montagnes [...]

Un marché en plein vent sur un plan incliné. En large. Une centaine de places. Beaucoup de grouillement. La rapidité extraordinaire de notre course brouille un peu les objets et les faces, en même temps que le ronflement des roues sur les rails couvre tous les bruits, pas et voix. Mais l'odeur nous assaille, court avec nous, tourbillonne et dévale, l'odeur fade et grasse des charcuteries du *Siège*, des pâtisseries et des confiseries anglaises là débitées et dont les formes — pains de graisses roses et jaunes, bandes de caramel rouge à demi fondu que piquent des moitiés d'amandes rances, tas violet de gelées innommées et de galantines innommables, amoncellement poussiéreux de *French-rocks, tea and coffee cakes et muffins* avariés — tournoient, s'effilent, s'évaporent dans la distance alacrement accrue et dans les brouillards du rêve qui s'efface [...]» P. Verlaine : *Œuvres complètes* Gallimard, 1969.

# Bibliographie

1. **Abraham (K.)** : Rêve et mythe (Paris, Payot, 1973).
2. **Alexandrian (S.)** : le Surréalisme et le Rêve (Paris, Gallimard, 1974).
   *Histoire bien documentée du sommeil et du rêve à travers le mouvement surréaliste et monographie de ses poètes.*
3. **Aserinsky (E.)** et **Kleitman (N.)** : «Regulary occuring period of eye motility and concomitant phenomena during sleep», in Science, n° 118 (Chicago, 1953).
4. **Bastide (R.)** : le Rêve, la Transe et la Folie (Paris, Flammarion, 1972).
   *Approche de la sociologie comparée du rêve dans diverses classes sociales.*
5. **Binswanger (L.)** : le Rêve et l'Existence (Paris, Desclée de Brouwer, 1954).
   *Quand l'existentialisme ouvre l'analyse des rêves.*
6. **Bourguignon (A.)** : «Neurophysiologie du rêve et théorie psychanalytique», in Psychiatrie de l'enfant, II (1968).
7. **Bousquet (M.)** : les Thèmes du rêve dans la littérature romantique (Paris, Marcel Didier, 1964).
8. **Bouton (J.)** : Réapprendre à dormir (Paris, E.S.F., 1974).
   *Analyse intéressante du sommeil pratique chez l'enfant et des problèmes du sommeil à l'école.*
9. **Colonna (L.)** et **Ginestet (D.)** : les Troubles du sommeil et leurs traitements (Paris, éd. laboratoires Wyeth-Byla, 1974).
10. **Desoille (R.)** : Entretiens sur le R.E.D. en psychothérapie (Paris, Payot, 1973).
    *Exposé historique de la méthode et ensemble d'analyses de cas.*
11. **Diatkine (R.)** : «Rêve, illusion et connaissance», in Revue française de psychanalyse, 5-6 XXXVIII (Paris, P.U.F., 1974).

12. **Ey (H.)** : «Le rêve, fait primordial de la psycho-pathologie», in *Etudes psychiatriques,* t. 1 ; étude n° 8 (Paris, Desclée de Brouwer, 1952).

13. **Ey (H.), Lairy (C.G.)** : Psychophysiologie du sommeil et psychiatrie (Paris, Masson, 1976).

14. **Fabre (N.)** : le Triangle brisé : treize cas de R.E.D. d'enfants (Paris, Payot, 1973).

15. **Fain (M.) et David (C.)** : «Aspects fonctionnels de la vie onirique», in Revue française de psychanalyse XXVII, n° spécial (Paris, P.U.F., 1963).

16. **Freud (S.)** : l'Interprétation des rêves (Paris, P.U.F., 1967).
    *Bible de la théorie psychanalytique du rêve.*

17. Les rêves et leur interprétation (Paris, Gallimard).
    *Recueil d'études sur les clefs des songes et la préhistoire du rêve dans les civilisations du passé.*

18. **Fromm (E.)** : le Langage oublié (Paris, Payot, 1975).
    *Bonne introduction contemporaine à l'analyse des rêves.*

19. **Grunebaum et Caillois** : le Rêve dans les sociétés humaines (Paris, Gallimard, 1967).
    *En réunissant diverses approches du rêve (physiologique, psychanalytique, anthropologique...), ce livre représente assez bien l'ensemble des connaissances actuelles sur le rêve tout en privilégiant l'analyse culturelle.*

20. **Hartmann (E.)** : Biologie du rêve (Bruxelles, Dessart et Mardaga, 1970).
    *Données récentes sur les aspects physiologique et chimique du sommeil paradoxal.*

21. les Fonctions du sommeil (Bruxelles, Dessart et Mardaga, 1975).
    *Revue des nombreuses hypothèses actuelles sur les fonctions du sommeil.*

22. **Illich (I.)** : Némésis médicale (Paris, Le Seuil, 1975).

23. **Jaccard (R.)** : l'Inconscient, les Rêves, les Complexes (Paris, Payot, 1973).

24. **Jacobi (S.)** : Narcolepsie-cataplexie, activité onirique et psychopathologie (Paris, Foulon, 1967).

25. **Jones (E.)** : le Cauchemar (Paris, Payot, 1973).

26. **Jouvet (M.)** et **Delorme (R.)** : «Locus cœruleus et sommeil paradoxal», in C.R. Soc. Biol., n° 159 (Paris, 1965).

27. **Jung (C.G.)** : l'Homme à la découverte de son âme (Genève, éd. du Mont-Blanc S.A., 1943).

28. Métamorphoses et symboles de l'âme (Genève, Librairie de l'université de Genève, 1950).

29. **Kasatkin (V.N.)** : Teoria Snovidenii (Théorie des rêves»; Leningrad, Meditsiva, 1972).

30. **Kayser (C.)** : le Sommeil et le Rêve (Paris, P.U.F., 1973).

31. **Kleitman (N.)** : Sleep and Wakefulness (Chicago, University of Chicago Press, 1939; 2ᵉ édition, 1963).

32. **Laborit (H.)** : les Comportements (Paris, Masson, 1973).

33. **Lewin (B.D.)** : «Le sommeil, la bouche et l'écran du rêve», in numéro spécial «l'Espace du rêve» de la Nouvelle Revue de psychanalyse, n° 5 (1972).

34. **Luce (G.G.)** : l'Insomnie (Paris, Fayard, 1972).
*Dans un style journalistique, une bonne revue des troubles et des médicaments de l'insomnie.*

35. **Luce (G.G.)** et **Segal (J.)** : le Sommeil (Paris, Fayard, 1969).

36. **Lyon (J.)** : 101 trucs pour dormir (Paris, Hachette, 1973).

37. **Maury (A.)** : le Sommeil et les Rêves (Paris, Didier et Cie, 1861).
*Classique de la psychologie du rêve au XIXᵉ s.*

38. **Mességué (M.)** : Des hommes et des plantes (Paris, Laffont, 1970).

39. **Michaud (P.)** : l'Homéopathie (Paris, Denoël, 1957).

40. **Oppenheim (A.-L.)** : le Rêve et son interprétation dans le Proche-Orient (Paris, Horizons de France, 1959).

41. **Oswald (I.)** : le Sommeil et la Veille (Paris, P.U.F., 1962).
*Réserve une place importante aux phénomènes du demi-sommeil.*

42. **Passouant (P.)** et **Rechniewski (A.)** : Le Sommeil, un

tiers de notre vie (Paris, Stock, 1976).
*Bonne synthèse des mécanismes du sommeil et des
problèmes pratiques qu'il soulève.*

43. **Perls (F.S.)** : Rêve et existence en Gestaltthérapie
(Paris, l'Epi, 1972).
*Transcription de séances enregistrées de thérapie par
le rêve.*

44. **Piéron (H.)** : le Problème physiologique du sommeil
(Paris, Masson et Cie, 1912).

45. **Pradal (H.)** : Guide des médicaments les plus
courants (Paris, Le Seuil, 1974).

46. **Rager (G.R.)** : Hypnose, sophrologie et médecine
(Paris, Fayard, 1973).

47. **Reinberg (A.)** : Des rythmes biologiques à la chrono-
logie (Paris, Gauthier-Villars, 1974).

48. **Rhine (E.)** : les Voix secrètes de l'esprit (Paris,
Fayard, 1970).

49. **Roheim (G.)** : les Portes du rêve (Paris, Payot,
1973).
*Par le fondateur de l'anthropologie psychanalytique.
Une somme sur le rêve dans les sociétés traditionnelles.*

50. **Rallo Romero (J.), Ruiz de Bascones (M.T.)** et
**Zamora de Pellicer (C.)** : Rapport au 34e Congrès
des psychanalystes de langue romane. Madrid
1974», in Revue française de psychanalyse, 5-6
XXXVIII, sept.-déc. (Paris, P.U.F., 1974).

51. **Saint-Denis (H. de)** : les Rêves et les Moyens de les
diriger (Paris, Tchou, 1964).
*Les recettes ingénieuses d'un amateur de rêves au
XIXe siècle.*

52. **Sartre (J.-P.)** : l'Imaginaire (Paris, Gallimard,
1940).

53. **Sauneron (S.)** : les Songes et leur interprétation :
sources orientales (Paris, Le Seuil, 1959).

54. **Scandel (M.)** : «Victoire sur l'insomnie : la méthode
du sommeil conditionné», in Planète (1970).

55. **Schuller (Dr E.)** : les Insomnies et le Sommeil (Paris,
Laffont, 1976).

56. **Snyder (F.)** : «Quelques hypothèses au sujet de la

contribution du sommeil avec mouvements rapides oculaires à la survivance des mammifères», in Rêve et Conscience (Paris, P.U.F., 1968).

57. **Soulé (M.)** et **Soulé (N.)** : l'Enurésie (Paris. E.S.F. Lelong, 1967).

58. **Aschoff (J.)** : «Circadiane Periodik», in W. Baust : Ermüdung, Schlaf, und Traum (Stuttgart, Wissenschaftliche Verlagsgesellschaft, 1970).

59. **Balch** : «Sleep in ruminants» in Nature (1955).

60. **Batini (L.), Moruzzi (G.), Palestrini (N.), Rossi (G.F.), Zanchetti (A.)** : «Effects of complete pontine transection on the sleep- wakefulness rhythm : the midpontine pretrigeminal preparation», in Arch. Ital. Biol., n° 97.

61. **Bell (F.R.)** : «The electro-encephalogram of goats during somnolence and rumination», in Animal Behavior (1960).

62. **Berger (R.J.)** : «Oculomotor control : a possible function of R.E.M.», in Psychology Rev., n° 76 (1969).

63. **Bourguignon (A.)** : «Les fonctions du rêve», in numéro spécial «L'espace du rêve» de la Nouvelle Revue de psychanalyse, n° 5 (1972).

64. **Breton (A.)** et **Soupault (P.)** : «Les champs magnétiques» Paris, Gallimard, 1967.

65. **Breuer** et **Freud (S.)** : Etudes sur l'hystérie, Paris, P.U.F., 1956.

66. **Caillois (R.)** : L'incertitude qui vient des rêves, Paris, Gallimard, 1956.

67. **Cohen (H.)** et **Dement (W.C.)** : «Sleep changes in threshold to electroconvulsive shock in rats after deprivation of paradoxical phase», in Science (1965).

68. **Dement (W.C.)** : «Effect of dream deprivation», in Science (1960).

69. **Dement (W.C.)** et **Kleitman (N.)** : «The relation of eye movement during sleep to dream activity; an objective method for the study of dreaming» in J. Exp. Psychol., n° 53 (1957).

70. **Dement (W.C.)** et **coll.** : «Les troubles du sommeil»,

in Psychologie n° 74 (mars 1976).

71. **Desoille (R.)** : Exploration de l'activité subconsciente par la méthode du rêve éveillé (Paris, d'Artray, 1938).

72. **Devereux (G.)** : «Réflexions ethnopsychanalytiques sur la fatigue névrotique», in L. Chertok et M. Sapir : la Fatigue (Toulouse, Privat, 1967).

73. **Dreyfus-Brissac (C.)** : «L'électro-encéphalogramme de l'enfant normal de moins de trois ans, aspect fonctionnel bioélectrique de la maturation nerveuse», in Etudes néo-natales n° 7 (1958).

74. **Dugaston (G.)** : les Songes et les Présages (Paris, Albin Michel, 1975).

75. **Evans (R.)** : Entretiens avec C.G. Jung (Paris, Payot, 1970).

76. **Feinberg (I.) et Carlson (V.R.)** : «Sleep variables as a function of age in man», in Arch. Gen. Psychiat., n° 18 (1968).

77. **Fisher (C.), Gross (J.) et Zuch** : «Cycle of penile erection synchronous with dreaming (R.E.M.) sleep», in Arch. Gen. Psychiat (Chicago), n° 12.

78. **Foucault (M.)** : préface de L. Binswanger : le Rêve et l'Existence (Paris, Desclée de Brouwer, 1954).

79. **Foulkes (W.)** : «Dream reports from different stages of sleep», in J. Abn. Soc. Psychol., n° 65 (1962).

80. **Foulkes (D.), Molinari** : «Tonic and phasic events during sleep : psychological correlates and implications», in Percept Motor Skills, n° 29 (1969).

81. **Freud (S.)** : «Complément métapsychologique à la théorie du rêve», in Métapsychologie (Paris, Gallimard, 1968).

82. Inhibition, symptôme et angoisse, Paris, P.U.F., 1951.

83. Ma vie et la psychanalyse, Paris, Gallimard, 1949.

84. Introduction à la psychanalyse, Paris, Payot, 1961.

85. **Garma (A.)** : «Genésis v contenido primordial de la alucinacion onirica», in Revista de Psa, XXVII.

86. **Greenberg (R.)** : Sleep and dreaming, Boston, Hartmann, 1970.

87. **Jackson (J.H.)** : Selected Writings of John Huglings

Jackson (Londres, Ed. J. Taylor, 1932).
88. **Jouvet-Mounier (D.)** : Ontogenèse des états de vigilance chez quelques mammifères (Lyon, Thèse, imprimerie des Beaux-arts, 1968).
89. **Kneipp (S.)** : La médecine naturelle, Colmar, Alsatia, 1965.
90. **Lecomte (P.), Hennevin (H.), Bloch (V.)** : «Increase in paradoxical sleep following learning in the rat : correlation with level of conditioning», in Brain Research, n° 42 (1972).
91. **Lemaire (A.)** : Les secrets du docteur, éditions Marabout, coll. Marabout Service n° 363.
92. **Leroy (J.)** : Visions du demi-sommeil, Paris, Alcan, 1933.
93. **Lewis (P.R.) et Lobban (M.C.)** : «The effects of prolonged periods of life on abnormal time routines upon excretory rhythms in human subjects» in Quart, J. Exp. Physiol. n° 42.
94. **Loomis (A.), Harvey (E.), Hobart (G.)** : «Cerebral States during sleep as studied by human brain potentials», in J. Exp. Psychol., n° 21, (1937).
95. **Mantovani (R.)** : l'Art de se guérir soi-même (Paris, Amour et Vie, 1966).
96. **Michaux (H.)** : Façons d'endormi, façons d'éveillé (Paris, Gallimard, coll. «Point du Jour», 1969).
97. **Ohlmeyer (P.) et Brilmayer (H.)** : «Periodische Vorgänge im Schlaf» in Pflüger Arch. Ges Psycol.
98. **Penfield (W.), Jasper (J.)** : Epilepsy and functional anatomy of the human brain, Boston, Ed. Little Brown, 1954.
99. **Petre-Quadens (O.)** : «Ontogenèse du rêve chez le nouveau-né humain», in Rêve et conscience (Paris, P.U.F., 1968).
100. **Robert (M.)** : la Révolution psychanalytique, t. I (Paris, Payot, 1964).
101. **Roffwarg (H.), Muzio (J.), Dement (W.C.)** : «Ontogenetic development of human sleep-dream», in Science, n° 152 (1966).
102. **Roth (M.), Shaw (S.), Green (J.)** : «the form voltage distribution and physiological signifiance of K

complex» in Electroenceph. Clin. Nevrophysiol. n°
8 (1956).

103. **Salzarulo (P.), Cipoli (C.), Lairy (C.G.), Pecheux
(M.)** : «Etude psychologique de l'activité mentale
du sommeil», in Evolution psychiatrique, I (1973).

104. **Sawyer (C.), Kawakami (M.)** : «Chacacteristics of
behavioral and electrographic after reactions to
copulations and vaginal stimulation in the female
rabbit», in Endocrinology n° 65 (1959).

105. **Sheldon (W.H.)** : «Varieties of temperament», cité
par G.G. Luce et J. Segal in l'Insomnie (Paris,
Fayard, 1972).

106. **Vaughn (C.)** : The Development and Use of an
Operant Technique to Provide Evidence for Visual
Imagery in the Rhesus Monkey under Sensory
Deprivation (Thèse de doctorat, université de Pitts-
burgh, 1964).

107. **Watson (R.)** : Mental Correlates of Periobarbital :
Phasic Integrated Potentials During R.E.M. Sleep
(Thesis ; Chicago, 1972).

108. **Williams (H.L.), Lubin (A.), Goodnow (J.J.)** :
«Impaired performance with acute sleep loos», in
Psychol. Monographs (1959).

109. **Coll.** : Les Songes et leur interprétation ; sources
orientales, Paris, Le Seuil, 1959.

110. **Coll.** : Le rêve et les sociétés humaines, Paris, Gallimard, 1967.

# Table des matières

ORIGINE ET NATURE DU SOMMEIL

## ANNEXES

IMPRESSION : BUSSIÈRE S.A., SAINT-AMAND (CHER). — Nº 861
D.L. 2ᵉ TRIM. 1981/0099/87

ISBN 2-501-00062-5

*Imprimé en France*

# marabout service

L'utile, le pratique, l'agréable

## Psychologie

## Education

## Vie quotidienne

# marabout flash

L'encyclopédie permanente de la vie quotidienne

## Beauté-Santé

## Psychologie/Succès